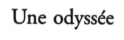

Une odyssée

Du même auteur
aux éditions Flammarion

Si beau et si fragile, 2011
L'Étreinte fugitive, 2009
Les Disparus, prix Médicis 2007

Daniel Mendelsohn

Une odyssée

Un père, un fils, une épopée

Traduit de l'anglais (États-Unis)
par Clotilde Meyer et Isabelle D. Taudière

Flammarion

À ma mère

PROÈME
(Invocation)

(1964-2011)

Le fond de l'action de l'*Odyssée* se réduit à peu de chose : un homme erre loin de son pays durant de nombreuses années, surveillé de près par Poséidon, totalement isolé. Chez lui, les choses vont de telle sorte que sa fortune est dilapidée par les prétendants, son fils exposé à leurs complots. Maltraité par les tempêtes, il rentre dans sa patrie, se fait reconnaître de quelques amis, puis il attaque. Il est sauvé et écrase ses ennemis.

Aristote, *Poétique*

P ar un soir de janvier, il y a quelques années, juste avant le début du semestre de printemps au cours duquel je devais enseigner un séminaire de licence 1 sur l'*Odyssée*, mon père, chercheur scientifique à la retraite alors âgé de quatre-vingt-un ans, m'a demandé, pour des raisons que je pensais comprendre à l'époque, s'il pourrait assister à mon cours, et j'ai dit oui. Ainsi, pendant les seize semaines qui suivirent, il fit une fois par semaine le long trajet entre le pavillon de la banlieue de Long Island dans lequel j'ai grandi, une modeste maison à un étage où il vivait encore avec ma mère, et le campus en bordure de fleuve de la petite université où j'enseigne, qui s'appelle Bard College. Chaque vendredi matin à dix heures et demie, il prenait place parmi les étudiants de première année, des gamins de dix-sept ou dix-huit ans qui n'avaient pas le quart de son âge, et participait aux discussions sur ce vieux poème, une épopée où il est question de longs voyages et de longs mariages et de ce que peut signifier le mal du pays.

Le semestre commençait en plein hiver, et quand mon père n'essayait pas de me convaincre que le héros du poème, Ulysse, n'avait rien d'un « vrai » héros (parce que, disait-il, *c'est un menteur et il a trompé sa femme !*), il s'inquiétait surtout des conditions météorologiques : la neige sur le pare-brise, les averses de grésil sur la route, les trottoirs verglacés. Il avait peur de tomber, disait-il, étirant des voyelles traînantes gardées de son enfance dans le Bronx. Parce qu'il craignait de glisser, nous avancions à pas précautionneux sur les étroites allées d'asphalte qui menaient au bâtiment où avait lieu le cours, un cube de briques à l'insignifiance étudiée d'un hôtel Marriott, ou en remontant le petit sentier vers la maison à haut pignon en lisière du campus qui, quelques jours par semaine, me tenait lieu de domicile. Pour ne pas avoir à faire deux fois dans la journée les trois heures de route, il restait souvent dormir dans cette maison, dans la chambre d'amis reconvertie en bureau, où il s'allongeait alors sur un étroit divan qui était mon lit d'enfant – un lit bas en bois, qu'il m'avait construit de ses propres mains quand j'ai été assez grand pour quitter mon berceau. Il y avait une chose que seuls mon père et moi savions à propos de ce lit : il était fabriqué à partir d'une porte, une porte bon marché à âme creuse, à laquelle il avait fixé quatre gros pieds de bois avec des équerres métalliques, toujours aussi solidement boulonnées aujourd'hui que le jour où, voilà cinquante ans, il assembla l'acier au bois. C'était donc sur ce lit, avec son petit secret amusant, insoupçonnable à moins de soulever le matelas pour voir la porte à panneaux en dessous, que mon père dormit chaque semaine pendant ce semestre de printemps où j'enseignais le séminaire sur l'*Odyssée*, juste avant qu'il tombe malade et que, avec mes frères et sœur, nous commencions à veiller sur lui comme sur un fils, le regardant, inquiets, dormir d'un sommeil agité dans d'énormes engins savamment mécanisés qui ne ressemblaient ni de près ni de loin à des lits et bourdonnaient bruyamment en s'abaissant et se relevant comme des grues. Mais tout cela, ce serait plus tard.

Mon père s'amusait de me voir partager mon emploi du temps entre autant de lieux différents : cette maison du campus champêtre où j'habitais quelques jours par semaine quand j'avais des cours à assurer ; la vieille demeure douillette du New Jersey où je rejoignais mes garçons et leur mère pour de longs week-ends ; et mon appartement de New York qui, à mesure que le temps passait et que mes horizons s'élargissaient, d'abord pour accueillir une famille, puis pour enseigner, n'était plus qu'une halte entre deux trajets en train. *Tu es toujours en vadrouille*, me disait parfois mon père à la fin d'une conversation téléphonique, et à l'entendre appuyer sur le mot « vadrouille », je l'imaginais secouer la tête et esquisser une petite moue réprobatrice. Car lui avait vécu pratiquement toute sa vie dans une seule maison : celle où il avait emménagé un mois avant ma naissance et qu'il quitta pour ne plus jamais y revenir en janvier 2012, un an jour pour jour après avoir assisté à la première séance de mon séminaire sur l'*Odyssée*.

J'avais donné ce séminaire de la fin janvier à début mai. Une semaine environ après la fin du semestre, j'étais au téléphone avec mon amie Froma, une classiciste qui avait été mon mentor à l'université et que j'avais régulièrement tenue au courant des progrès de papa tout au long du cours sur l'*Odyssée* ; et à un moment donné de notre conversation, elle me raconta qu'elle avait fait quelques années plus tôt une croisière thématique en Méditerranée, « Sur les traces d'Ulysse ». Tu devrais *absolument* y aller ! s'exclama-t-elle. Après ce semestre passé à enseigner l'*Odyssée* à ton père, tu ne peux pas rater *ça* ! L'idée ne faisait pas l'unanimité : quand j'ai envoyé un e-mail à une amie voyagiste, Yelena, une Ukrainienne blonde et pétillante, pour lui demander son avis, sa réponse a fusé dans la minute : ÉVITE À TOUT PRIX LES CROISIÈRES THÉMATIQUES ! Mais Froma avait autrefois été mon professeur et, depuis tout ce temps, j'avais gardé l'habitude de lui obéir. Le lendemain matin, j'appelai mon père pour lui parler de notre conversation. Il poussa un petit grognement évasif et dit, *Voyons toujours*.

Sans lâcher le téléphone, nous sommes allés jeter un œil sur le site Internet de la compagnie maritime. Affalé dans le canapé de mon appartement de New York, un peu épuisé par une nouvelle semaine de trajets sur la ligne ferroviaire du Corridor nord-est, les yeux rivés sur mon écran d'ordinateur, je l'imaginais dans son bureau encombré aménagé dans la chambre que je partageais autrefois avec mon frère aîné, Andrew, où les petits lits qu'il avait construits et la table de travail en chêne brut avaient depuis longtemps fait place à des bureaux en panneaux de particules de chez Staples, dont les plateaux noirs et brillants déjà gauchis sous le poids du matériel informatique, ordinateurs, écrans, imprimantes et scanners, entortillements de câbles, guirlandes de cordons et voyants clignotants donnaient à la pièce des allures de chambre d'hôpital. La croisière, lisions-nous, suivrait le parcours tortueux du héros mythique qui, dix ans durant, fit son difficile retour de la guerre de Troie, affrontant monstres et naufrages. Elle partirait de Troie, située dans l'actuelle Turquie, et s'achèverait à Ithaki, petite île de la mer Ionienne qui se veut être Ithaque, la patrie d'Ulysse.

« Sur les traces d'Ulysse » était une croisière « culturelle », et mon père, qui par ailleurs méprisait tout ce qu'il considérait comme un luxe inutile – les croisières, le tourisme et les vacances –, tenait la culture et l'instruction en haute estime. Ainsi, quelques semaines plus tard, en juin, encore fraîchement imprégnés de notre immersion dans le texte de l'épopée homérique, nous avons embarqué pour cette croisière de dix jours, un jour pour chaque année du long périple qui ramena Ulysse chez lui.

Pendant notre voyage, nous avons vu pratiquement tout ce que nous espérions voir, les étranges paysages modernes et les vestiges des diverses civilisations qui les avaient occupés. Nous avons vu Troie qui, de loin, ne ressemblait guère qu'à un château de sable détruit d'un coup de pied par un enfant malicieux, sa légendaire colline dont il ne reste aujourd'hui qu'un amas confus de colonnes et d'énormes blocs de pierre lourdement campés face à la mer. Nous avons vu les mégalithes néolithiques de Gozo, dans l'archipel maltais, où se trouve aussi une grotte dont on dit qu'elle aurait été la demeure de Calypso, la séduisante nymphe qui retint Ulysse sur son île pendant sept des dix années de ses pérégrinations, l'ardente immortelle qui lui offrit l'immortalité à la condition que pour elle il renonçât à sa femme, mais il refusa. Nous avons vu l'élégance sévère des colonnes d'un temple dorique que, pour des raisons impossibles à connaître, des Grecs de l'époque classique laissèrent inachevé à Ségeste, en Sicile, cette grande île où, alors qu'ils se rapprochaient de leur destination finale, les marins d'Ulysse se nourrirent de la viande interdite des troupeaux du dieu Soleil, Hypérion, sacrilège qu'ils payèrent de leur vie. Nous avons visité le site austère de la côte de Campanie, près de Naples, que les Anciens croyaient être les bouches de l'Hadès, le royaume des morts – autre étape inattendue du voyage de retour d'Ulysse, mais peut-être pas aussi inattendue que cela, puisque, un jour ou l'autre, chacun doit régler ses comptes avec les morts avant de reprendre le cours de sa vie. Nous avons vu les imposants forts vénitiens, plantés sur les prairies arides du Péloponnèse, telles des grenouilles accroupies sur une lande après l'incendie, près de Pylos, ville de la Grèce méridionale où, selon Homère, un vieux roi sympathique mais quelque peu prolixe du nom de Nestor aurait régné et jadis accueilli le jeune fils d'Ulysse, venu lui demander des nouvelles de son père disparu depuis si longtemps : c'est d'ailleurs ainsi que commence l'*Odyssée* – un fils parti à la recherche d'un parent absent. Et bien sûr, nous avons vu la mer, aussi, sous ses innombrables visages, lisse comme le verre et rugueuse comme la pierre, tantôt d'une clarté nonchalante, tantôt résolument insondable, parfois d'un bleu pâle si transparent que l'on distinguait sur le fond les oursins, aussi hérissés et chargés que les mines marines héritées de quelque guerre dont les causes comme les combattants ont sombré dans l'oubli, et parfois de ce violet impénétrable qui est la couleur du vin que nous appelons rouge mais que les Grecs disent *noir*.

Nous avons vu toutes ces choses lors de nos excursions, tous ces lieux, et nous en avons appris beaucoup sur les peuples qui y avaient vécu. Mon père, auquel une méfiance grincheuse à l'égard des dangers propres à tout déplacement avait inspiré de savoureuses maximes que ses cinq enfants se plaisaient à railler (*Un parking est l'endroit le plus dangereux qui soit : les gens y conduisent comme des fous !*), avait manifestement pris plaisir à jouer les touristes en Méditerranée. Mais en fin de compte, une série de contretemps indépendants de la volonté du capitaine et de son équipage, et sur lesquels je reviendrai bientôt, nous a empêchés de boucler la dernière étape de notre itinéraire. Nous n'avons donc jamais vu Ithaque, le lieu qu'Ulysse ne retrouva qu'à si grand-peine ; jamais atteint la destination sans doute la plus célèbre de la littérature. Cela étant, dans la mesure où l'*Odyssée* elle-même foisonne de soudaines péripéties et de détours surprenants, exerce son héros à la déception, apprend à son public à attendre l'inattendu, le fait que nous ne sommes jamais arrivés à Ithaque fut peut-être l'aspect le plus odysséen de notre croisière culturelle.

Attendre l'inattendu. À la fin de l'automne de cette année-là, quelques mois après que mon père et moi fûmes rentrés de notre voyage – que nous pouvions encore considérer comme inachevé, comme une entreprise en cours, disais-je souvent à papa en plaisantant –, mon père est tombé.

Il est un terme qui revient souvent lorsqu'on étudie la littérature grecque ancienne, que l'on retrouve autant dans les œuvres d'imagination que dans les ouvrages historiques, et qui désigne les lointaines origines d'un désastre : *arkhê kakôn*, « le début des maux ». Le plus souvent, les « maux » en question étaient des guerres. Ainsi, l'historien Hérodote, s'efforçant de déterminer la cause d'une grande guerre qui éclata entre les Grecs et les Perses dans les années 480 av. J.-C. (soit trois siècles après qu'Homère eut composé ses poèmes sur la guerre de Troie, qui elle-même, selon certains érudits antiques, avait eu lieu trois siècles auparavant), dit qu'en décidant d'envoyer des navires à leurs alliés plusieurs années avant l'ouverture des hostilités, les Athéniens furent à l'initiative du conflit – l'*arkhê kakôn*. L'*arkhê kakôn* peut également s'appliquer au point de départ d'autres types de situations. Le grand dramaturge tragique Euripide l'emploie ainsi dans l'une de ses pièces pour décrire un mariage malheureux, une union funeste qui déclencha une série d'événements dont l'issue désastreuse fournit le dénouement de sa pièce.

Guerre et mauvais mariages se liguent pour former ensemble le plus fameux *arkhê kakôn* qui soit : le moment où un prince de Troie, Pâris, enleva l'épouse d'un autre homme, la reine grecque Hélène. Telle fut, selon le mythe, la cause première de la guerre de Troie, la campagne que menèrent les Grecs pour récupérer l'inconstante Hélène et punir les habitants de Troie. (L'une des raisons pour lesquelles la guerre dura si longtemps était que Troie était entourée de remparts inexpugnables ; ils ne finirent par céder, au terme de dix années de siège, que grâce à une ruse imaginée par l'ingénieux héros de l'*Odyssée* : le cheval de Troie.) Quelles que soient ses bases réelles dans l'histoire ancienne – il y avait effectivement une ville antique sur le site turc que mon père et moi avons visité, et elle fut l'objet d'une destruction violente, mais au-delà de cela, nous en sommes réduits aux conjectures –, le cataclysme mythique déclenché par l'adultère que commit Hélène avec Pâris a fourni matière aux poètes, dramaturges et romanciers pour les trois mille cinq cents ans qui suivirent : d'innombrables morts de part et d'autre, l'effroyable pillage d'une grande cité, des asservissements et des humiliations, des infanticides et des suicides, et enfin, l'interminable voyage de retour des quelques Grecs qui avaient eu suffisamment d'intelligence ou de chance pour survivre à cette guerre.

Arkhê kakôn. Le deuxième terme de cette expression est une forme du mot grec *kakos*, « mauvais », que l'on retrouve dans des mots comme cacophonie, un « mauvais son » (mot qui décrirait fort bien les hurlements des femmes voyant leurs bébés précipités du haut des remparts d'une cité vaincue, l'une des « mauvaises choses » qui se produisirent après la chute de Troie). Le premier terme, *arkhê*, « le commencement » – parfois usité au sens de « primitif » ou « ancien » –, transparaît encore dans le lexique moderne, par exemple dans le mot *archétype*, qui signifie littéralement « type primitif ». Un archétype est le premier exemple d'une chose, qui fait autorité depuis si longtemps qu'il en devient à jamais un modèle. N'importe quoi peut être un archétype : une arme, un édifice, un poème.

Pour mon père, l'*arkhê kakôn* fut un banal accident, un simple faux pas sur le parking d'un supermarché de Californie où, avec mon frère Andrew, il était allé faire les courses pour un repas familial que nous n'avions que trop différé. Ses cinq enfants et leurs familles respectives s'étaient donné rendez-vous chez Andrew et Ginny, dans la région de la baie de San Francisco, pour le rejoindre, lui et maman, le temps d'un long week-end ; tous venaient de très loin : ma coparente, Lily, nos deux garçons et moi arrivions par un vol du New Jersey ; mon frère cadet Matt, sa femme et sa fille venaient de Washington ; Eric, notre benjamin, de New York ; notre sœur Jennifer, son mari et ses jeunes garçons de Baltimore. Mais aucun d'entre nous n'était encore arrivé que papa était tombé. Comme quelque personnage de la

mythologie poursuivi par le sort, il avait lui-même, sans
le vouloir, accompli ses sombres présages d'une manière
que nul n'aurait pu imaginer : pour lui, un parking était
effectivement devenu l'endroit le plus dangereux qui fût,
mais les chauffards n'y étaient pour rien. Avec Andrew, il
venait de charger les sacs de courses dans le coffre de la
voiture et, en allant ranger le chariot, il avait trébuché sur
un plot en métal. *Il n'arrivait plus à se relever*, me raconta
plus tard Andrew. *Il restait là, par terre, hébété.* Le temps
que nous arrivions, il était confiné dans un fauteuil
roulant. Il s'était fracturé un os du bassin et il devait
mettre des mois à se rétablir, mais, naturellement, nous
savions qu'il s'en remettrait car, comme tout le monde le
disait, *C'est un dur, Jay !*

Et de fait, il ne dérogea pas à sa réputation, maîtrisant
tout d'abord le fauteuil, puis le déambulateur, pour
ensuite remarcher avec une canne. Mais la chute qu'il
avait si longtemps redoutée avait entraîné une série de
complications dont l'issue devait être étonnamment
disproportionnée par rapport à l'incident qui les avait
déclenchées, la petite fracture du bassin menant à un
caillot qui imposa des anticoagulants, et les anticoagulants provoquant, en bout de chaîne, une attaque
cérébrale qui laissa mon père impotent, méconnaissable :
incapable de respirer tout seul, d'ouvrir les yeux, de
bouger, de parler. À un moment donné, on nous annonça
qu'il n'en avait plus pour longtemps ; mais il lutta et
revint à la vie. Oui, c'était un dur, Jay ; et pendant une
courte période, il se sentit même assez bien pour parler de
matchs de baseball, de maman, et d'une pièce de Bach
qu'il voulait absolument travailler sur son clavier électronique, tout en convenant qu'elle était trop difficile pour

lui. Ce fut pendant cette dernière période (comme nous le dirions par la suite, nous entre-racontant indéfiniment cette histoire remarquable comme pour nous convaincre qu'elle était bien réelle) qu'il avait retrouvé « sa bonne vieille nature », expression qui soulève des questions dont l'origine première remonte, comme par un fait exprès, à l'*Odyssée*, une œuvre dont le héros doit, au terme de dix ans d'absence, faire reconnaître sa vraie nature à ceux qui l'ont jadis connu.

Mais quelle est la vraie nature d'un homme, demande l'*Odyssée*, et combien de natures un homme peut-il posséder ? Comme je l'appris cette année-là, l'année où mon père a suivi mon cours sur l'*Odyssée* et où nous avons refait le voyage du héros, les réponses peuvent être surprenantes.

Toutes les épopées classiques commencent par ce que les érudits appellent un *proème* : les vers liminaires qui annoncent au lecteur le sujet de l'œuvre – le cadre de l'action, l'identité des personnages, la nature des thèmes. Ces proèmes, ou exordes, s'ils sont plus formels dans leur tonalité, peut-être un peu plus rigides que les histoires qui suivent, ne sont jamais très longs. Certains sont même étonnamment succincts, tel celui de l'*Iliade*, poème de quinze mille six cent quatre-vingt-treize vers clairement circonscrits à un unique épisode qui se déroule lors de la dernière année de la guerre de Troie : une vive querelle entre deux guerriers grecs – le commandant en chef, Agamemnon, fils d'Atrée, et son meilleur guerrier, Achille, fils de Pélée – qui met en péril l'expédition visant à détruire Troie et à venger le rapt d'Hélène. (Pour Agamemnon, roi de Mycènes, cette guerre est une affaire personnelle, car le mari trompé d'Hélène, Mélénas, roi de Sparte, n'est autre que son frère cadet.) Les deux guerriers finissent par se réconcilier et mènent à bien leur mission, mais on notera que rien, de la destruction de la citadelle, la ruse du cheval de Troie, l'attaque nocturne, le massacre des guerriers, l'asservissement des femmes et des enfants, la démolition des remparts d'Ilion, réputés imprenables – une issue bien connue des auditeurs grecs de l'épopée, qui y reconnaissaient leur propre expérience de la guerre, et que les nombreuses représentations littéraires et artistiques de la chute de Troie contribuèrent ensuite à populariser –, rien de tout cela n'est jamais abordé dans les quinze mille et quelques vers de l'*Iliade*. Aussi longues soient-elles, les épopées se concentrent en effet strictement sur le thème annoncé dans leur exorde. Celui de l'*Iliade* s'intéresse simplement à la querelle des deux guerriers grecs, ses causes et ses effets, et à ce qu'elle révèle de la conception qu'ont les personnages de l'honneur et de l'héroïsme, du devoir et de la mort. Mais grâce à toute une gamme de procédés narratifs propres à l'épopée – indices, effets d'annonce, voire bonds en avant de l'intrigue –, l'*Iliade* ne laisse planer aucun doute sur la façon dont tout cela finira.

Le proème de l'*Iliade* se compose de sept vers :

La colère ! Chante la colère, ô déesse, celle d'Achille, fils de
    Pélée,
funeste colère qui causa tant de souffrances aux Grecs
et précipita **dans** l'Hadès tant de fortes âmes
de héros, **jetant leurs** corps en pâture aux chiens
et aux oiseaux, **tandis que** le dessein de Zeus
    s'accomplissait –
depuis l'instant où s'opposèrent en querelle
le fils d'Atrée, prince des hommes, et Achille, l'égal d'un
    dieu.

En soi, ces sept vers ne nous disent pas grand-chose de l'intrigue de l'épopée. Tout au mieux savons-nous qu'il est question de colère, de mort et d'un dessein divin ; d'Agamemnon et d'Achille. La référence au dessein de Zeus est d'un laconisme saisissant : quel est donc ce projet ? En quoi la colère et les souffrances, les oiseaux et les chiens, contribuent-ils à son accomplissement ? Le poète ne nous le dit pas d'emblée, et il ne fait aucun doute que, s'il suggère sans expliquer, c'est en partie pour capter notre attention et nous engager à l'écouter jusqu'au bout – afin que nous découvrions quel est ce dessein. Mais il semble également évident que la référence à un « dessein » n'a rien d'innocent : elle implique que le *poète* lui-même a un projet, même si pour l'heure, nous n'avons qu'une très vague idée de ce dont il peut s'agir. Le proème est indispensable à l'épopée, car il nous donne l'assurance, au moment où nous nous embarquons sur ce qui ressemble à un vaste océan de mots, que cette étendue n'est pas un « vide informe » (tel celui sur lequel s'ouvre un autre grand récit fondateur, la Genèse), mais un parcours, un chemin qui nous mènera à un endroit qui vaut le voyage.

« Un endroit qui vaut le voyage » : voilà qui résume plutôt bien une grande préoccupation de l'*Odyssée* qui, par certains égards, est une suite de l'*Iliade*. Ce poème de douze mille cent neuf vers traite du retour tortueux et semé d'embûches de l'un des Grecs qui participèrent à la guerre contre les Troyens. Ce Grec est Ulysse, roi de la petite île d'Ithaque, homme plein de ruse dont les Grecs se plaisaient à conter les feintes et les stratagèmes, plus ou moins efficaces. L'une des légendes les plus célèbres prend place durant les préparatifs de la guerre de Troie : lorsque

les Grecs sollicitèrent Ulysse afin qu'il rejoigne leur coali-
tion, ce dernier – « un homme intelligent qui pressentait
l'ampleur que prendrait ce conflit », pour reprendre la
remarque laconique d'un ancien commentateur de
l'*Odyssée* – tenta d'échapper à la conscription en simulant
la folie : en présence de l'émissaire, il attela un bœuf et un
âne à sa charrue et sema du sel dans ses champs. Connaissant sa malice, l'émissaire s'empara de Télémaque, le tout
jeune fils d'Ulysse, et le déposa devant la charrue ; voyant
qu'Ulysse détournait son soc pour éviter le bébé, il
conclut que le roi n'était pas aussi fou qu'il le prétendait
et l'emmena à la guerre.

Ce fut effectivement un vaste conflit – à l'image des
épreuves d'Ulysse durant son interminable retour. Car le
héros fut sans cesse poursuivi et retardé, souvent naufragé
et rejeté sur les rivages, par les machinations du dieu des
mers, Poséidon, dont il avait déchaîné la colère (pour des
raisons qui ne nous seront révélées que plus loin dans le
poème) et qu'il apprendrait enfin à apaiser après son
retour au foyer. Les dix années de lointaines errances du
héros qui brave mille périls pour retourner auprès de sa
femme, Pénélope, et de leur fils s'opposent résolument
aux dix années du siège de Troie qui virent les Grecs
bloqués au pied des murailles. De même, l'attachement
mutuel du couple qui est au cœur de cette épopée
– Ulysse, dont la loyauté à l'épouse qu'il n'a pas revue
depuis vingt ans résiste aux tentatives de séduction de
diverses déesses et nymphes rencontrées en chemin, et
Pénélope, qui lui reste fidèle, refusant les brutales avances
des prétendants, des jeunes gens qui par dizaines ont élu
domicile dans son palais et se pressent pour l'épouser –,
de même cette fidélité conjugale marque un contraste

saisissant et ironique avec la relation adultérine entre Pâris et Hélène, qui fut la cause première de la guerre, l'*arkhê kakôn*.

La plupart des classicistes admettent que les dix premiers vers de l'*Odyssée* en constituent le proème :

> Un homme – conte-moi l'aventure, Muse, de l'homme
>   aux mille détours
> qui connut de vastes errances quand il eut pillé la sainte
>   citadelle de Troie ;
> il vit les villes et perça l'esprit de bien des hommes,
> et il souffrit tant d'angoisses dans son âme sur la mer
> luttant pour assurer sa vie et le retour de ses hommes ;
> mais il ne put en sauver un seul, si fort en fût son désir ;
> car ils périrent par leur folle témérité,
> insensés qui mangèrent les bœufs d'Hypérion,
> le Soleil ; et ainsi ils perdirent la journée du retour.
> En commençant ici ou là, fille de Zeus, conte-nous ses
>   exploits !

Étrange façon de commencer. Après avoir sobrement présenté son sujet comme, tout simplement, « un homme » – s'abstenant de donner le nom d'Ulysse –, le poète semble s'en écarter pour passer à d'autres hommes : ceux qui, placés sous le commandement du héros, nous disent ces premiers vers, sont morts par leur propre folie. Le proème prend autant de détours que l'homme « aux vastes errances ».

Ce récit vagabond d'un voyage de retour vagabond et étonnamment long a conduit, inévitablement peut-être, certains spécialistes à soutenir que le proème de l'*Odyssée* divague lui aussi, se prolongeant en réalité sur les *vingt et un* premiers vers du poème. Ces onze vers supplémentaires décrivent les circonstances dans lesquelles la divine

protectrice d'Ulysse, Athéna, déesse de la sagesse, exhorte
son père, Zeus, roi des dieux, à faire enfin rentrer Ulysse
chez lui, contre l'avis de l'irascible dieu des mers :

> … conte-nous ses exploits !
> Tous les autres – ceux qui avaient fui la mort –
> étaient enfin chez eux, loin de la guerre et de la mer ;
> lui seul, languissant après sa patrie et sa femme,
> était retenu – par Dame Calypso, divine parmi les
>   déesses,
> dans ses antres profonds : elle brûlait de l'avoir pour
>   époux.
> Puis, vint le temps, dans le cercle des années,
> où les dieux conçurent de favoriser son retour
> en Ithaque ; mais là encore, il trouva de nouvelles
>   épreuves,
> même lorsqu'il fut revenu parmi les siens. Son sort émut
>   tous les dieux
> hormis Poséidon, qui tourmenta sans cesse de sa haine
> Ulysse le divin, jusqu'à ce qu'il fût au pays.

Ainsi, non content de divaguer, le proème, tel Ulysse,
n'hésite pas à emprunter un circuit plus long que prévu.

Si l'*Iliade* et l'*Odyssée* sont les plus célèbres épopées de
la tradition occidentale, l'époque gréco-romaine nous en
a légué bien d'autres. De ces deux poèmes homériques du
VIIIe siècle avant notre ère jusqu'aux épopées chrétiennes
en vers composées au Ve siècle, le paysage de la littérature
classique grecque et latine est émaillé de poèmes épiques,
qui s'élèvent sur l'horizon comme Troie devait surgir de
sa plaine uniforme et se détacher sur la mer, l'air inébran-
lable et éternelle. Quand d'aventure les poèmes eux-
mêmes se sont perdus au fil des millénaires, comme il est

arrivé à beaucoup d'entre eux, leurs proèmes ont souvent survécu, précisément grâce à leur frappante concision.

Un proème peut aussi rendre hommage à d'autres poèmes épiques. Prenons par exemple le proème de l'*Énéide*, qui renvoie explicitement à ceux de l'*Iliade* et de l'*Odyssée* :

> Je chante les guerres et un homme : celui qui, le premier,
> vint de Troie en Italie et aux côtes de Lavinum,
> banni par le sort : lui qui, sur terre et sur mer,
> fut longtemps le jouet des puissances célestes,
> à cause de la rancune tenace de la cruelle Junon ;
> qui eut tant à souffrir de la guerre, pour fonder à ce prix
> une ville et installer ses pénates dans le Latium dont
>   sortirent
> la nation latine, Albe et ses Anciens et les murailles de la
>   noble Rome.

L'*Énéide* revisite l'univers des poèmes homériques, mais l'envisage sous un angle totalement différent : celui des vaincus. Elle retrace les aventures d'Énée, l'un des rares rescapés du sac de Troie par les Grecs. Après avoir fui les décombres fumants de sa ville, portant son père sur son dos et tirant son jeune fils à sa suite – l'un des détails les plus connus et les plus touchants de l'œuvre –, Énée connaît tout d'abord de difficiles errances – un parcours méandreux qui n'est pas sans rappeler l'*Odyssée* – avant de s'établir en Italie, terre qui lui fut promise pour qu'il y fonde un nouvel État, et où il doit encore affronter les autochtones en d'âpres combats (des guerres qui évoquent l'*Iliade*) afin de s'y installer définitivement avec son peuple. S'il n'a ni la fierté cruelle d'Achille dans l'*Iliade*, ni la ruse troublante d'Ulysse, Énée incarne un sens obstiné de devoir filial, qualité très prisée des Latins et rendue par l'épithète le plus souvent associée au héros de Virgile : *pius*, qui, contrairement aux apparences, ne signifie pas « pieux », mais « déférent », « respectueux » – envers les dieux, les ancêtres, la famille, et notamment le père. L'*incipit* de l'*Énéide*, dans lequel le poète annonce qu'il chantera « les guerres et un homme », *arma virumque*, est un double clin d'œil, à l'*Iliade*, qui est avant tout un récit de « guerres » ou de « faits d'armes », *arma*, et à l'*Odyssée*, dont le premier vers, nous l'avons vu, désigne comme objet du chant « un homme ».

Un proème peut donc non seulement résumer l'action d'une épopée, l'anticiper et annoncer, sommairement, ce qui se prépare, mais aussi rendre hommage aux épopées précédentes, les *archétypes*, auxquelles elle emprunte.

Quand j'étais enfant, mon père aimait à raconter une histoire liée à un long voyage que nous avions fait ensemble, et qui reposait sur une énigme. À un moment de son récit, il s'interrompait invariablement pour poser une question, en détournant légèrement le regard – une manie qui horripilait ma mère et lui valait parfois ses remontrances car, disait-elle, *tu as l'air de mentir quand tu fais ça*, ce qui ne manquait pas de nous amuser, car s'il était une chose que tout le monde savait sur mon père, c'était bien qu'il ne mentait jamais. *Comment*, demandait-il en racontant cette histoire, *peut-on parcourir de grandes distances sans jamais arriver nulle part ?* Étant moi-même un protagoniste de l'histoire, je connaissais la réponse, et comme je n'étais qu'un enfant à l'époque où mon père commença à rabâcher sa trouvaille, je prenais naturellement un malin plaisir à lui gâcher sa chute en donnant la réponse avant qu'il ne termine son récit. Mais mon père était un homme patient et, bien qu'il se montrât parfois sévère, il ne me grondait que rarement.

La clé de l'énigme était la suivante : *en voyageant en cercles*. Mon père, mathématicien de formation, savait tout des cercles, et je suppose que, s'il m'avait pris l'envie de le lui demander, il m'aurait fait partager son savoir ; mais l'arithmétique, la géométrie et les équations à deux inconnues, systèmes implacables qui ne laissent place à aucune zone d'ombre ni fioriture, aucune échappatoire ni aucun mensonge, m'ayant toujours mis mal à l'aise, j'étais déjà réfractaire aux maths. Quoi qu'il en soit, ce n'était pas par amour des cercles qu'il se plaisait à raconter cette histoire. C'était parce qu'elle montrait que je m'étais très bien tenu ce jour-là – mais maintenant que je suis adulte et que j'ai moi-même des enfants, je pense que cette histoire en dit plus long sur lui que sur moi.

Un long voyage que nous avions fait ensemble, un jour. Par souci de précision, qualité que mon père admirait beaucoup, je dois souligner que ce voyage que nous avons fait tous les deux était un retour au foyer. Au départ, c'est l'histoire d'un fils parti secourir son père, mais, comme il arrive parfois dans les voyages, le trajet du retour finit par éclipser l'événement déclencheur.

Le fils en question était mon père. En ce début des années 1960, il devait avoir dans les trente-cinq ans, son père dans les soixante-quinze ans, et moi, quatre ans et quelques. Quoi qu'il en soit, je sais que j'étais trop petit pour aller à l'école et c'était précisément pour cela qu'il m'avait choisi, moi, pour l'accompagner. C'était en janvier. Andrew, de quatre ans mon aîné, était en CE1, et Matt, qui avait deux ans de moins, était encore dans ses langes, si bien que ma mère resta avec eux à la maison. *Et si j'emmenais Daniel, Marlene ?* Je me rappelle avoir entendu mon père prononcer cette phrase, qui m'a d'autant plus marqué que, jusqu'alors, je pense que je n'avais jamais fait quoi que ce fût seul avec lui. C'était Andrew qui le suivait partout et faisait des choses avec lui : il lui passait les outils quand il était allongé sur le sol de béton du garage sous la grosse Chevrolet noire, il était à ses côtés devant l'établi de la cave quand ils se plongeaient ensemble dans le mode d'emploi d'une maquette d'avion. Moi, je me considérais entièrement comme l'enfant de ma mère. Mais Andrew avait école, et ce fut donc moi qui partis avec papa en Floride après le coup de fil de ma grand-mère qui lui avait dit *Viens vite*.

À cette époque, les parents de mon père vivaient au neuvième étage d'un immeuble de Miami Beach donnant sur la mer – un immeuble qui, comme par un fait exprès, était juste à côté de celui où habitaient mon grand-père maternel et sa femme. Je ne pense pas que les deux couples se voyaient très souvent. Le père de ma mère, *Grandpa*, était volubile et drôle, excellent conteur et charmeur ; vaniteux et dominateur, il consacrait une bonne part de ses journées à choisir sa tenue et à s'inquiéter de son système digestif. Il n'avait eu qu'un enfant, ma mère, mais quatre femmes – et une *maîtresse*, m'apprit un jour mon père tout offusqué. La durée moyenne de ses mariages était de onze ans.

Le père de mon père, en revanche – *Poppy*, l'objet de notre voyage en ce mois de janvier de mes quatre ans –, était plutôt taiseux. Contrairement au père de ma mère, Poppy n'était enclin ni aux demandes ni aux démonstrations d'affection. Ce petit homme d'un mètre soixante, dominé par toute la taille de ma grand-mère, Nanny Kay, avait toujours l'air vaguement surpris, lorsque nous allions les chercher à l'aéroport Kennedy, d'être accueilli d'une chaleureuse embrassade. Il aimait la solitude et le bruit le dérangeait. C'était un ancien électricien syndiqué. *Vous allez abîmer l'installation électrique !* grognait-il de sa voix forte, légèrement caverneuse, quand nous courions dans le salon ; nous nous calmions un quart d'heure, nous amusant à marcher sur la pointe des pieds en riant sous cape. Il s'adonnait à ses plaisirs simples (les feuilletons radiophoniques, la pêche à la ligne dans le silence du ponton à l'arrière de son immeuble) avec une précaution tranquille, comme si, en redoublant de prudence jusque dans ses loisirs, il espérait ne pas se faire remarquer de la tragique Furie qui, nous le savions, avait dévasté sa jeunesse : une misère si noire que son père avait dû placer ses enfants en orphelinat, lui qui, jeune homme, avait déjà été accablé par la mort de sa mère, de ses sept frères et sœurs et de sa première épouse – des pertes si terribles qu'il en était resté « en état de choc ». C'était le mot que j'avais un jour entendu Nanny Kay murmurer, par une après-midi d'été où elle bavardait sous un saule avec ma mère et mes tantes et que, à quatorze ans, j'écoutais leur conversation d'une oreille indiscrète. *Il était en état de choc,* avait dit Nanny en laissant échapper la fumée de sa longue cigarette, afin d'expliquer à ses brus pourquoi son mari, Poppy, était si réservé, pourquoi il ne discutait jamais beaucoup avec sa femme, son fils, ou ses petits-enfants ; un caractère taciturne qui, je le savais, pouvait se transmettre de génération en génération, comme l'ADN.

Car mon père aussi appréciait la paix et le calme, et aimait se réfugier dans un endroit tranquille pour lire ou regarder un match sans être dérangé. Ce qui n'avait rien d'étonnant. Je savais par ma mère qu'il avait grandi dans un minuscule appartement du Bronx, et j'avais toujours imaginé que son besoin de calme et de tranquillité était une réaction à cette enfance passée dans la promiscuité, à partager un lit pliant dans le salon avec son grand frère Bobby, handicapé par la polio (*je me rappelle le bruit de ses attelles métalliques qu'il posait contre le radiateur quand on allait se coucher*, me raconta-t-il des années plus tard, en secouant la tête), ses parents à quelques mètres de là, dans l'unique petite chambre à coucher où Poppy écoutait Jack Benny à la radio et où Nanny fumait et faisait des parties de solitaire. Comment avaient-ils fait jusqu'en 1938, avant que son frère aîné, Howard, quitte la maison pour s'engager dans l'armée ? Cela me paraissait inconcevable… Et pourtant, puisqu'il avait lui-même eu cinq enfants, force m'était de penser que, paradoxalement, mon père avait aussi eu envie d'une maison pleine d'animation, de bruit et de vie. Pour quelle autre raison, me demandais-je parfois, aurait-il eu autant d'enfants ? Un jour que je discutais de tout cela avec Lily – les garçons étaient encore petits, Peter devait avoir cinq ou six ans, et Thomas, qui passait ses nuits à se retourner dans son berceau en poussant de petits cris dans son sommeil, pas encore deux ans –, je posai tout fort cette question sur mon père. Lily me regarda et dit, *Mais toi aussi tu as grandi dans une maison surpeuplée avec plein de frères et sœurs, et toi aussi tu as voulu avoir des enfants, non ? Et pour toi, c'était encore plus compliqué !* J'esquissai un sourire, en repensant à la façon dont tout avait commencé et au chemin que nous avions parcouru depuis : quand elle avait songé à avoir un enfant, elle m'avait demandé avec une ombre de gêne si j'accepterais d'endosser le rôle de figure paternelle pour le bébé ; je me rappelai mon appréhension du début, et mon émerveillement aussi, après la naissance de Peter, et moi, qui avais de moins en moins envie de rentrer à Manhattan après quelques jours passés auprès d'eux dans le New Jersey ; puis, la venue de Thomas, qui avait en quelque sorte cimenté le tout. *Ton premier enfant te fait l'effet d'un miracle, d'une surprise presque*, avait commenté mon père quand je lui avais annoncé que nous attendions Thomas. *Après ça, c'est ta vie.* Depuis, cinq ans étaient passés ; et je m'étonnais maintenant que mon père ait eu autant d'enfants. Lily pencha la tête sur le côté. Je crus qu'elle tendait l'oreille vers la chambre de Thomas, mais non, elle réfléchissait. C'est bizarre, dit-elle lentement, que tu aies fini par faire exactement la même chose que ton père.

Pour cette raison – parce que les hommes de la famille ne se parlaient pas beaucoup, ne partageaient pas leurs sentiments et leurs malheurs de la même façon que dans la famille de ma mère –, il me semblait étrange que nous ayons dû partir toutes affaires cessantes en Floride pour nous rendre au chevet de Poppy, mon étrange et taciturne grand-père. J'ai mis du temps à comprendre la raison du coup de fil paniqué de Nanny : il était gravement malade. Nous sommes donc allés à l'aéroport, nous avons pris l'avion et nous avons passé une petite semaine en Floride dans la chambre d'hôpital, à attendre – qu'il meure, supposais-je. Le lit d'hôpital était abrité par un rideau imprimé d'un motif de poissons roses et verts, et la pensée que Poppy dût être caché m'emplissait de terreur. Je n'osais pas regarder derrière ce rideau. Alors je restais sagement assis sur une chaise en plastique orange à lire ou à m'amuser avec mes jouets. Je n'ai aucun souvenir de ce qu'a fait mon père pendant toutes ces journées à l'hôpital. Je savais que même à l'époque où son père se portait bien, ils ne se parlaient pas beaucoup. Je comprenais vaguement que le principal, c'était que papa soit là, qu'il soit venu. *Ton père, c'est ton père*, me dit-il dix ans plus tard, quand Poppy était vraiment mourant, cette fois-ci, dans un hôpital près de chez nous, à Long Island. Bon nombre de ses affirmations prenaient cette forme *X c'est X*, et sous-entendaient toujours que penser autrement, admettre que *X* pouvait être autre chose que *X*, revenait à se détourner des codes rigoureux qui régissaient sa pensée et tenaient le monde : *l'excellence, c'est l'excellence, point ; quand on est bon on est bon, on n'est pas mauvais « juste pour l'interro ».* *Ton père, c'est ton père.* Chaque jour, tout au long de la lente déchéance de Poppy à l'été 1975, mon père se rendait à l'hôpital pendant sa pause déjeuner, à un quart d'heure de voiture, et mangeait son sandwich en silence, assis près du lit haut sur lequel était étendu son père, qui paraissait de plus en plus petit jour après jour, ratatiné et figé comme une momie, absent, rêvant peut-être de sa défunte épouse et de ses nombreux frères et sœurs disparus. *Ton père, c'est ton père*, me répondit papa quand, à quinze ans, je lui avais demandé pourquoi, si son père n'était même pas conscient de sa présence, il s'obstinait à aller le voir à l'hôpital. Mais ça, ce serait plus tard. En 1964, à Miami Beach, assis dans un espace exigu derrière les rideaux à poissons, il parlait à voix basse avec sa mère et attendait. Et le minuscule vieillard qui était le père de mon père, qui avait eu une crise cardiaque, revint à la vie ; le drame était fini.

C'est quand nous avons repris l'avion pour rentrer à la maison que l'étrange retour, le voyage en cercles, a commencé.

Vastes errances

La langue anglaise possède plusieurs substantifs pour désigner l'acte de se déplacer d'un point à autre dans un espace géographique. La provenance de ces mots peut se révéler intéressante, en ceci qu'elle nous éclaire sur la façon dont nous avons envisagé, au fil des siècles et des millénaires, la nature de cet acte et sa signification.

« *Voyage* », par exemple, entré dans le lexique anglais par l'ancien français *voiage*, vient (comme c'est souvent le cas) du latin *viaticum*, le viatique, « les provisions pour un voyage ». On reconnaît dans la racine de *viaticum* le nom féminin *via*, « la route ». Le « voyage », pourrait-on dire, est ancré dans le champ du matériel par sa double référence à ce que l'on emporte lorsque l'on se déplace dans l'espace (« les provisions ») et à la surface que l'on foule en se déplaçant : la route.

« *Journey* », autre terme désignant la même activité, a en revanche une acception temporelle, puisqu'il est issu du vieux français *jornée*, mot dont l'origine remonte au latin *diurnum*, « l'étape quotidienne », qui lui-même est un dérivé de *dies*, « le jour ». On imagine aisément comment l'« étape quotidienne » a fini par représenter le voyage proprement dit : dans les temps reculés où un long trajet pouvait prendre des mois, voire des années – par exemple pour relier Troie, désormais réduite à un tas de ruines en Turquie, à Ithaque, île rocheuse de la mer

Ionienne qu'aucun vestige notable ne distingue – en ces temps-là, il était plus sûr et plus commode de parler non de « voyage », au sens de viatique – ce qui sert à faire la route –, mais du chemin parcouru en une journée. Avec le temps, la distance couverte en un jour en est venue à désigner, par métonymie, le temps nécessaire pour parvenir à destination – que ce fût une semaine, un mois, une année, ou même (comme nous le savons) dix ans. Ce terme « *journey* » est touchant car il nous rappelle qu'à l'époque où il est apparu, une simple journée de marche était un exploit assez spectaculaire, une entreprise assez pénible, pour mériter dans le vocabulaire anglais un mot particulier.

Cette idée de pénibilité m'amène à une troisième façon de nommer les longs déplacements dont nous parlons ici : « *travel* ». Dans son acception actuelle, le mot évoque davantage une activité plaisante, un loisir, ou encore une section du supplément dominical d'un journal. Quel est donc le rapport à la pénibilité ? Il se trouve que « *travel* » est un proche cousin de « travail », que le volumineux dictionnaire Merriam-Webster offert par mon père il y a près de quarante ans, à la veille de mon premier grand voyage – de notre banlieue new-yorkaise vers l'université de Virginie, du nord vers le sud, du lycée à la fac –, définit comme « un effort douloureux ou laborieux ». On entrevoit en effet comme une douleur diffuse en palimpseste sous les lettres qui composent le mot TRAVAIL et derrière son étrange étymologie : il nous vient, après un passage par le moyen anglais et une halte reposante dans l'ancien français, du latin médiéval *trepalium*, « instrument de torture ». « *Travel* » se rattache donc à la dimension émotive du voyage : il n'exprime ni sa nature, ni sa durée, mais les sensations qu'il procure. Car, aux temps où ces mots ont pris forme et sens, le voyage était avant tout une épreuve difficile, pénible et laborieuse, dont s'abstenaient scrupuleusement la plupart des gens.

Il n'existe dans la langue anglaise qu'un mot qui, à lui seul, traduit les diverses connotations présentes, isolément, dans « *voyage* », « *journey* » et « *travel* » – un mot qui fait référence à la distance mais aussi à la durée, à la durée mais aussi à l'émotion, à la difficulté et au danger, et ce mot ne vient pas du latin, mais du grec. Ce mot, c'est *odyssey* – « odyssée ».

Nous le devons à deux noms propres. Il est dérivé du grec ancien *odysseia*, le titre du poème épique contant les aventures d'un héros dont le nom grec est *Odysseus* – devenu, par déformation latine, Ulysse. Chacun ou presque sait à présent que l'histoire d'Ulysse est le récit de ses voyages : il parcourut de lointaines mers et (ironie du sort) perdit non seulement tout ce qu'il avait emporté au départ, mais aussi tout ce qu'il avait accumulé en chemin (autant dire, son viatique). Nous savons encore qu'il voyagea également dans le temps : la décennie durant laquelle, avec l'armée grecque, il fit le siège de Troie, et les dix années qu'il passa à accomplir son retour dans ses foyers, que les gens raisonnables ne se risquent pas à quitter.

Nous avons donc une idée des dimensions spatiale et temporelle de ce voyage. Or, ce que très peu de gens savent, à moins de connaître le grec, c'est que le troisième élément magique, l'émotion, est imbriqué dans le nom même de ce curieux héros. Un passage de l'*Odyssée* évoque le jour où le nourrisson reçut son nom. Ce

passage, sur lequel je reviendrai, nous fournit fort opportunément l'étymologie de ce nom. Tout comme l'on
devine la racine latine *via* dans *viatique* (et donc dans
voiage et *voyage*), un helléniste voit pointer sous le nom
Odysseus le mot *odynê*. Ce terme ne nous dira peut-être
pas grand-chose de prime abord, et pourtant... Songeons
par exemple à l'adjectif « anodin », que le dictionnaire
offert par mon père définit comme « un remède ou une
drogue qui apaise la douleur ; inoffensif ». « Anodin » est
en fait un composé de deux mots grecs, qui signifie « sans
douleur ». Sachant que le préfixe « an- » est un privatif
qui signifie « sans », le radical « *odynê* » ne peut avoir
qu'un sens possible : *douleur*. C'est la racine du nom
d'Odysseus-Ulysse, et du titre de l'épopée. Ce qui revient
à dire que le héros de cet épique récit de voyage est, littéralement, « l'homme de douleur ». Il est celui qui voyage
– celui qui endure des souffrances.

Et comment pourrait-il en être autrement ? Car tout
récit de voyage est, par définition, une histoire de séparation, d'arrachement aux êtres aimés qu'on laisse derrière
soi. Il n'est pas besoin d'avoir lu l'*Odyssée* pour connaître
la légende d'un homme qui passa dix années à tenter de
rentrer dans ses foyers auprès de sa femme, et pourtant,
comme nous l'apprenons dans les premières scènes de
l'épopée, au moment de son départ pour Troie, il a aussi
quitté un tout jeune enfant et un père vigoureux. La
structure du poème souligne l'importance de ces deux
personnages : il débute alors que l'enfant, devenu jeune
homme, part en quête de son père disparu (et ne consacre
pas moins de quatre chants aux errances du fils avant de
nous présenter le père) ; et il s'achève non sur les retrouvailles triomphantes de cet homme et de son épouse, mais

sur les retrouvailles larmoyantes de cet homme et de son propre père, devenu un vieillard brisé.

Si elle est bien une histoire de maris et de femmes, cette épopée est tout autant, sinon plus, une histoire de pères et de fils.

Et il perça l'esprit de bien des hommes

De Miami, nous avons repris un avion pour New York. C'était la nuit. Au moment où nous nous calions dans nos sièges, l'hôtesse nous avertit que « du mauvais temps » nous attendait à destination. Papa leva brièvement le nez du livre qu'il était en train de lire, enregistra l'information, puis se replongea dans sa lecture. Peu après, nous étions dans les airs, et le pilote annonça que, en raison des intempéries, notre atterrissage serait retardé ; nous ferions des « rotations ». L'appareil commença à s'incliner doucement sur l'aile et, pendant un long moment, nous avons tourné en rond. À l'altitude à laquelle nous volions, il n'y avait pas la moindre intempérie : la nuit était aussi dense et mate que le carré de velours noir sur lequel un bijoutier présenterait ses pierres – comme ce bijoutier chez lequel, me souffla un jour ma mère, son propre père lui avait acheté sa bague de fiançailles, marchandant dans une étroite arrière-boutique de la 47ᵉ Rue avec un vieux Juif, l'un des innombrables amis de Grandpa, qui faisait rouler quelques diamants bruts sur le carré d'étoffe noire tandis que mon grand-père et lui négociaient dur en yiddish, tout cela parce que mon père n'avait pas les moyens de payer une pierre assez belle pour sa fille – le ciel était comme un carré de velours noir et les étoiles pareilles à ces cailloux étincelants. Je savais que nous décrivions des cercles parce que la lune, aussi ronde, lisse et luminescente qu'une opale, disparaissait et reparaissait par intermittence derrière mon hublot. J'avais un livre, moi aussi, ce soir-là, mais j'ai cessé de m'y intéresser quand les rotations ont commencé, préférant regarder passer la lune une fois, deux fois, trois fois, quatre fois, jusqu'à ce que j'arrête de compter le nombre de fois où elle me montra son visage blafard.

Mon père ne regardait pas la lune. Il lisait.

Cela dit, il me semblait qu'il passait son temps à lire. Mon père, dont les parents n'avaient jamais fait d'études supérieures, m'a un jour raconté comment il est devenu un grand lecteur. Quand il était en cinquième, on lui avait diagnostiqué – à tort – des rhumatismes articulaires, de sorte qu'il avait dû rester alité des mois durant, et pendant cette période il avait noué un lien particulier aux livres. *Il n'y a rien que tu ne puisses apprendre à faire par toi-même, avec un livre*, se plaisait-il à dire à ses cinq enfants, et lui ne dérogeait jamais à sa règle. Il n'était jamais plus heureux que lorsqu'il s'absorbait dans la dernière pile qu'il venait de rapporter de la bibliothèque du quartier – des méthodes de guitare jazz, de batterie et de flûte à bec, de violon et de piano, un guide d'écriture de paroles de chansons pop, ou encore des manuels de bricolage pour monter un minibar avec évier intégré, ou construire un soufflet à barbecue, pour commencer un compost, fabriquer des meubles coloniaux ou même une harpe. À la fin du chant V de l'*Odyssée*, lorsque la nymphe amoureuse Calypso autorise enfin Ulysse à quitter son île pour reprendre le chemin de son pays, elle va chercher une panoplie d'outils qu'elle gardait jusqu'alors jalousement sous clé et les donne au naufragé : c'est avec ces quelques outils et les rares arbres et plantes qu'il déniche sur place que le héros se construit le radeau sur lequel il entamera la dernière étape de son voyage de retour.

Chaque fois que je lis ce passage, je pense à mon père.

En partie parce qu'il donnait l'impression d'être toujours penché sur un livre, en train de raisonner ou d'absorber les raisonnements des autres, quand j'étais petit, je ne voyais mon père que comme une tête. Cette impression que sa tête était la plus grande partie de son corps était accentuée par sa calvitie précoce, apparue sans doute alors que j'étais encore enfant, et j'imaginais que l'énorme cerveau qui se logeait à l'intérieur de sa boîte crânienne avait tellement grossi qu'à force d'appuyer sur les parois, il avait fini par faire tomber les cheveux de son crâne. Nombre de mes souvenirs de lui partent d'une image, non pas de son visage – l'ovale cireux souligné par l'arcade de ses sourcils et ses petits yeux marron foncé légèrement rapprochés, le long nez busqué, un peu tordu au bout, qui avait l'apparence du caoutchouc, la bouche aux lèvres fines qui avait tendance à se figer dans un pincement –, mais de sa tête, cette tête dégarnie qui semblait presque émouvante de vulnérabilité, comme exposée aux blessures. Une couronne de cheveux clair-semés dessinait un U à la base de son crâne, un U que j'ai connu brun pendant toute mon enfance, gris par la suite, puis rasé, et enfin, étrangement, un peu duveteux à nouveau, à cause des médicaments qu'il devait prendre. Et puis il y avait le front, presque toujours plissé dans un effort de concentration lorsqu'il réfléchissait à un problème – à une équation, à ma mère, ou à l'un d'entre nous.

C'était cette tête qui, pendant ce long vol de nuit en rond, était penchée sur un livre.

Que lisait mon père ? Il n'est pas impossible que ce fût une grammaire latine, ou peut-être l'*Énéide* de Virgile, l'épopée romaine qui rend si élégamment hommage aux archétypes grecs. Bien qu'il eût passé sa vie professionnelle parmi des scientifiques, des équations et des chiffres – d'abord lorsqu'il était employé chez Grumman, un constructeur aéronautique, où nous ne savions ni ne pouvions savoir ce qu'il faisait puisque les installations dans lesquelles il travaillait étaient classées secret-défense, et d'ailleurs, comme il me le fit plus tard remarquer, je n'aurais pas compris, et puis, après sa retraite dans les années 1990, lors d'une deuxième carrière de dix ans à enseigner l'informatique dans une université locale –, il ne manquait pas une occasion de rappeler fièrement qu'il avait fait du latin dans sa jeunesse, il y avait bien longtemps. *Oh*, disait-il parfois lorsque j'étudiais les lettres classiques à la fac, *oh, tu sais, moi, au lycée, j'ai lu Ovide en latin !* Et moi, au lieu d'être impressionné, comme il l'espérait, par cet exploit intellectuel précoce, je remarquais simplement qu'en bon béotien, il prononçait le nom du poète avec un *o* long et fermé : *Ôvide* – au lieu du *o* court et ouvert canonique, en anglais. Les erreurs de prononciation de mon père, qui, à un certain moment de ma vie, me mettaient terriblement dans l'embarras, étaient le résultat inévitable de son passé d'enfant avide de lectures, élevé par des parents qui n'avaient pratiquement aucune instruction ; je pense que bon nombre des noms propres et des mots sur lesquels il avait achoppé, le temps que je sois assez vieux pour me moquer de ses erreurs, étaient des mots qu'il n'avait jamais entendu quiconque prononcer à haute voix. Ce n'est que maintenant que je mesure combien était admirable son autodérision envers ces erreurs. *Ce n'est qu'à l'armée que j'ai compris qu'on ne disait pas « battle fa-ti-gyoo » !* disait-il avec un petit sourire pincé, et si je me trouvais là quand il racontait cette histoire, j'attendais, avec un plaisir mêlé, que son interlocuteur comprenne que le mot en question était « *battle fatigue* », un treillis.

Mon père se plaisait donc à rappeler qu'il avait été assez fort en latin pour lire *Ôvide* dans le texte, mais je devais par la suite apprendre que l'un de ses grands regrets était d'avoir dû arrêter le latin avant d'avoir pu attaquer Virgile. Savoir que mon père n'avait jamais terminé sa formation en latin, qu'il n'avait jamais lu l'*Énéide*, me procurait une satisfaction vaguement cruelle, puisque je poursuivais moi-même des études de lettres classiques, que je devais mener à leur terme, et que j'avais donc, pour ma part, lu Virgile en latin. Et le latin de Virgile, prenais-je parfois un malin plaisir à faire remarquer à mon père, était beaucoup plus dense, plus compliqué et plus difficile que celui d'Ovide.

Pendant toute mon enfance et mon adolescence, j'ai vu mon père se plonger épisodiquement dans des manuels scolaires, afin d'essayer de rattraper ce qu'il n'avait pas pu apprendre autrefois, à la fin des années 1940. Lorsque je rentrais à Long Island pour les vacances de printemps ou d'automne, il m'arrivait parfois de voir traîner ses exemplaire de *Latina pro populo* (« Le latin pour tous ») et de *Winnie ille Pu* à côté de son fauteuil relax de cuir noir, en bas, dans son bureau, où il espérait trouver la solitude à laquelle il aspirait tant – mais où l'on venait encore trop souvent le déranger. À sept ou huit ans déjà, je me régalais de lectures sur les Grecs et leur mythologie, attiré, sans doute, par le charme des corps nus et des positions lascives, par les héros et leurs armures, par les dieux, les temples en ruines et les trésors perdus et, même si cela ne m'effleurait pas à l'époque, je comprends maintenant que ma fascination pour l'Antiquité ne déplaisait pas à mon père.

Des années plus tard, longtemps après que j'eus démontré, au lycée, ma totale incapacité à saisir l'esprit mathématique et échoué aux examens qui m'auraient permis de m'orienter vers l'étude du calcul infinitésimal, mon père faisait de temps à autre remarquer que c'était dommage, car il était impossible d'avoir du monde une vision claire lorsqu'on ne maîtrisait pas le calcul différentiel et intégral. Il ne disait pas cela pour me blesser, mais avec, je crois, une pointe de regret sincère. C'était *dommage*, disait-il, tout comme, à d'autres occasions, il trouvait *dommage* que je ne puisse pas apprécier la « dimension esthétique » des mathématiques, expression qui, en soi, me paraissait totalement absurde car je n'associais les mathématiques qu'à des exercices stériles qui m'étaient imposés et n'avaient aucune finalité, et ce n'est que beaucoup plus tard que j'ai compris que s'ils me paraissaient aussi vains, c'était simplement parce que je ne travaillais pas assez, ou peut-être parce que la discipline n'était pas assez bien enseignée (*Comment se fait-il que ton prof n'explique pas ça mieux ?* s'indignait mon père en secouant son crâne luisant, mais quand je lui demandais de m'expliquer les mêmes choses, il secouait encore la tête, consterné par mon inaptitude à saisir ce qui, pour lui, était d'une telle évidence) ; j'ai donc traversé mes années de collège et de lycée sans rien comprendre aux schémas, formes géométriques ni aux équations du second degré que je recopiais bêtement, sans avoir la moindre idée de ce à quoi ils étaient censés aboutir. J'étais pareil à un élève que l'on aurait obligé à faire ses gammes à la guitare, au piano ou à la harpe et qui ne soupçonnait pas qu'il pût exister une chose que l'on nommait concerto. Or, des années après, alors que je commençais le grec à la fac, je retrouvais dans une salle de classe trois autres étudiants tous les matins de la semaine à neuf heures précises, et je récitais, exactement comme on ferait ses gammes, les déclinaisons et les conjugaisons, chaque substantif pouvant prendre cinq formes possibles selon sa fonction dans la phrase, chaque verbe déployant de terrifiantes métastases, dans des temps et des modes qui n'existent pas en anglais, et, si j'avais rencontré les voix active et passive à la faveur de mes cours de français au lycée, je découvrais aussi cette étrange voix « moyenne » où, dans un étrange repli sur soi ou dédoublement, le sujet est aussi l'objet, de la même manière qu'un homme pouvait être un père mais aussi un fils. Et pourtant, je me pliais de bonne grâce à ces exercices rigoureux car je savais très bien où ils me menaient. Je pourrais lire le grec, l'*Iliade* et l'*Odyssée*, les *Histoires* magnifiquement déroulées d'Hérodote, les tragédies construites aussi magistralement que des horloges, aussi implacablement que des pièges… Bien plus tard, lorsque mon père prétendait que qui ignore « le calcul infinité-simal » ne saurait avoir du monde une vision claire, je répondais invariablement que qui n'a jamais lu l'*Énéide* en latin ne saurait non plus en avoir une vision vraiment claire. Alors il faisait cette petite grimace que nous lui connaissions tous, un sourire en rictus qui lui déformait le visage, et nous riions de ce petit rire amer, avant de nous replier, chacun dans son coin.

Peut-être révisait-il son latin, ou peut-être même s'essayait-il à lire Virgile ce soir-là, lorsque nous avons décrit des cercles pendant des heures dans l'avion qui nous ramenait de Floride, où mon père, en bon fils, s'était précipité au chevet de son père taciturne. Lorsque, des années plus tard, il m'a annoncé qu'il voulait assister à mon séminaire sur l'*Odyssée*, je me suis dit qu'il était possible de se consacrer à la lecture d'une œuvre par pure culpabilité, poussé par un sentiment d'inachevé similaire au sentiment d'obligation que l'on éprouve parfois envers quelqu'un. Mon père était un homme qui avait un sens des responsabilités très prononcé, et je suppose que c'est pour cela que, lorsque je lui ai posé une certaine question des années plus tard, il a simplement répondu, *Parce qu'un homme ne part pas.*

Cette-nuit-là, quand, à quatre ans, j'étais sagement assis à côté de mon père si calme, tandis que l'avion virait serré sur une aile pour pouvoir décrire son vaste arc de cercle, un peu comme, dans les épopées homériques, un aigle géant tournoie très haut dans le ciel au-dessus d'une armée inquiète ou d'un homme solitaire à un moment de grand danger, l'aigle présageant de ce qu'il adviendra – la victoire ou la défaite de l'armée, la survie de l'homme ou sa mort –, cette nuit-là, je restai sagement assis tandis que l'avion tournait en rond et que mon père lisait. Je ne me rappelle pas combien de temps nous avons tourné, mais mon père affirma par la suite que cela dura « des heures ». Si c'était le père de ma mère qui avait raconté la même histoire, je serais tenté d'en douter. Mais mon père détestait l'exagération, tout comme il détestait d'ailleurs tous les excès, et j'imagine donc que nous avons bel et bien tourné en rond pendant des heures. Deux, trois ? Je ne le saurai jamais. J'ai fini par m'endormir. Puis, l'avion a arrêté ses rotations, amorcé sa descente et atterri et, au bout d'une demi-heure de route dans le froid, nous étions en sécurité à la maison.

Lorsque mon père racontait cette histoire, il passait rapidement sur ce qui, à moi, me semblait être la partie la plus intéressante – la crise cardiaque, sa précipitation (à mon sens) poignante à rejoindre mon grand-père, *l'action*, en un mot –, et s'étendait sur ce qui avait été pour moi, à l'époque, le moment le plus ennuyeux : les rotations. Il aimait raconter cette histoire, car pour lui, elle montrait que j'avais très bien su me tenir : j'avais supporté sans me plaindre l'assommante monotonie de tous ces ronds dans l'air, de toute cette distance parcourue sans avancer. *Il n'a pas fait la moindre histoire*, disait mon père, qui avait horreur que l'on fasse des histoires, et même à cette époque, malgré mon jeune âge, je comprenais vaguement qu'en donnant une légère inflexion caustique au mot « histoires », c'était en quelque sorte ma mère et sa famille qu'il visait. *Il n'a pas fait la moindre histoire*, disait papa d'un hochement de tête approbateur. *Il est resté sagement assis, à lire, sans un mot.*

De longs voyages, sans faire d'histoires. Des années ont passé depuis ce long périple de retour, et depuis, j'ai moi-même eu à voyager en avion avec des enfants en bas âge, et c'est pourquoi, lorsque je repense à l'histoire de mon père, deux choses me frappent. La première, c'est que cette histoire dit surtout à quel point *lui* s'était bien tenu. Elle témoigne de la façon exemplaire dont il a géré tout cela, me dis-je maintenant : en minimisant la situation, en faisant comme s'il ne se passait rien d'anormal, en donnant l'exemple et restant lui-même tranquillement assis, et en résistant – contrairement à ce que j'aurais fait car, à bien des égards, je suis davantage le fils de ma mère et le petit-fils de Grandpa – à la tentation d'en rajouter dans le sensationnel ou de se plaindre.

La seconde chose qui me frappe quand je repense aujourd'hui à cette histoire, c'est que pendant tout le temps que nous avons passé ensemble dans l'avion, l'idée de nous parler ne nous a pas effleurés un instant.

Nous avions nos livres et cela nous suffisait.

Tours et détours

Ce n'est pas un hasard si, dans la version originale en grec, le premier mot du premier des douze mille cent neuf vers qui composent l'*Odyssée* est *andra* : l'homme. L'épopée s'ouvre sur l'histoire du fils d'Ulysse, un jeune garçon parti à la recherche de son père disparu depuis longtemps, le héros de ce poème ; puis elle se concentre sur le héros lui-même, que l'on voit d'abord conter les fabuleuses aventures qu'il a vécues après son départ de Troie, puis lutter contre vents et marées pour rentrer chez lui, où il récupérera son identité de père, de mari et de roi, frappant de sa terrible vengeance les prétendants qui ont tenté de le destituer et de lui voler sa femme, sa maison et son royaume ; dans le dernier chant, enfin, elle nous donne un aperçu de ce à quoi peut ressembler « un homme » lorsque touchent à leur fin les aventures de sa vie : le vieux père du héros, la dernière personne que retrouve Ulysse, qui est désormais un vieillard brisé, seul dans son verger, fatigué de la vie. Le garçon, l'adulte, l'ancêtre ; les trois âges de « l'homme ». Ce qui revient à dire que, parmi les voyages que retrace ce poème, il y a aussi le voyage d'un homme d'un bout à l'autre de la vie, de la naissance à la mort. Comment arrive-t-on à destination ? Que se passe-t-il pendant le voyage ? Et comment le raconte-t-on ?

Les réponses sont profondément liées à la nature même d'Ulysse. Le premier adjectif utilisé pour décrire l'homme avec lequel le proème débute – le premier qualificatif de toute l'*Odyssée* – est un mot grec étrange, *polytropos*. Le sens littéral de ce mot est « aux nombreux détours » : *poly* signifie « beaucoup » et un *tropos* est un détour. Nous retrouvons dans la langue moderne des mots contenant le radical trope, dérivés de *tropos*. L'« héliotrope », par exemple, est une fleur qui se tourne vers le soleil. « Apotropaïque », pour prendre un exemple moins gai, est un adjectif qui signifie « qui détourne le mal » : il est utilisé dans des rites superstitieux censés conjurer le mauvais sort – telle cette coutume, chez les Juifs d'Europe de l'Est de l'époque de mes grands-parents, qui consistait à nouer un ruban rouge au poignet d'un petit enfant afin d'éloigner le mauvais œil. *Oh, ma mère t'aimait tant*, me dit parfois, encore maintenant, ma mère, *que quand elle t'emmenait au parc, elle t'attachait un ruban rouge autour du poignet !* Puis elle claque tristement la langue, *tsss*, et soupire. Je sais très bien que cette anecdote ne témoigne pas simplement de l'amour inconditionnel que me portait ma grand-mère : l'émotion profonde de la mère de ma mère sert de contrepoint à l'indifférence relative des parents de mon père à mon égard, qui ne m'ont connu que quand j'avais deux ans, à la suite de l'une de ces périodes de silence lourdes de ressentiment qui s'installaient par moments entre mon père et ses frères, entre mon père et ses parents.

Comment ne pas discerner une intention délibérée, l'annonce d'un programme, dans le choix de placer cet adjectif particulier, « aux nombreux détours », en tête du premier vers d'un poème de douze mille cent neuf vers sur un voyage de retour ? Ulysse, nous le savons, est un personnage rusé, célèbre pour ses manigances, ses pirouettes, ses mensonges et, surtout, pour son habileté à manier le verbe ; c'est l'homme qui a imaginé la ruse du cheval de Troie, un déguisement qui était aussi un piège. En un sens, donc, *polytropos* est à prendre au sens figuré : c'est un poème sur quelqu'un qui se distingue par ses tours d'esprit, quelqu'un qui a plus d'un tour dans son sac – pas toujours tout à fait loyaux. Il y a pourtant un autre sens, plus simple, à *polytropos*. Car ces « nombreux tours » font aussi référence à la trajectoire du héros dans l'espace ; c'est l'homme qui se rend à sa destination en tournant en rond. Au cours de ses aventures, il lui arrive plus d'une fois de ne quitter un endroit que pour y retourner, parfois contre son gré. Et, bien sûr, il y a le plus grand cercle de tous, le circuit qui le ramène à Ithaque, qu'il n'a pas revue depuis si longtemps que, lorsqu'il rentre enfin chez lui, ses proches ne le reconnaissent pas, et lui-même peine à les reconnaître.

Le récit de l'*Odyssée* parcourt le temps avec autant de circonvolutions qu'Ulysse parcourt l'espace. L'épopée débute dans un présent où le fils d'Ulysse, devenu adulte en l'absence de son père, part en quête de son parent disparu (chants I à IV) ; puis elle délaisse le fils pour se recentrer sur le père et nous présente Ulysse au moment où les dieux, ayant décidé que son errance a assez duré et qu'il faut à présent le laisser rentrer chez lui, le libèrent enfin de l'emprise de Calypso, la nymphe amoureuse, et le dirigent vers le royaume insulaire d'un peuple accueillant, les Phéaciens (chants V à VIII) ; puis, dans un retour en arrière qui n'occupe pas moins de quatre chants (IX à XII), c'est Ulysse lui-même qui raconte aux Phéaciens toutes les aventures dans lesquelles il a été entraîné depuis son départ de Troie. Après quoi, le récit revient au présent, reprenant là où il l'avait interrompu le périple de Télémaque, avant de se tourner à nouveau vers Ulysse lorsqu'il remet enfin le pied sur sa terre, puis les deux lignes narratives se rejoignent avec les retrouvailles du père et du fils qui, ensemble, s'emploient à rétablir leur autorité sur leur demeure, à punir les prétendants et leurs complices (chants XIII à XXII). Ce n'est qu'alors que le poème réunit le mari et sa femme (chant XXIII) et conclut, enfin, sur un tableau des hommes de la famille, le fils, le père, le grand-père, plus unis que jamais après avoir triomphé des préten-dants et de leurs parents (chant XXIV) : alors que l'épopée tire à sa fin, le futur, le présent et le passé se trouvent juxta-posés en un seul moment paroxystique.

À ces circonvolutions dans le temps et dans l'espace, correspond une technique que l'on retrouve dans de nombreuses œuvres de la littérature grecque, la *composi-tion circulaire*. Dans ce schéma narratif, le récitant commence à raconter une histoire pour soudain s'inter-rompre et revenir à un événement antérieur, qui éclaire un aspect de l'histoire qu'il est en train de dérouler – un détail de l'histoire personnelle ou familiale du héros, par exemple –, après quoi il peut encore digresser sur un moment, un objet ou un incident encore plus ancien, qui contribuera à expliquer cet épisode un peu moins ancien, pour ensuite remonter progressivement vers le présent, vers ce moment du récit qu'il a interrompu afin de replacer les événements dans leur contexte plus vaste. Hérodote recourt souvent à cette technique dans ses *Histoires*, immense fresque retraçant les longues guerres qui opposèrent les Grecs à l'Empire perse (conflit dans lequel Hérodote voulait voir un prolongement tardif de la guerre de Troie). À un point donné de son récit, par exemple, l'historien interrompt sa description des opérations militaires pour se lancer dans une longue parenthèse sur l'histoire de l'Égypte, son mode de gouvernement, sa culture, sa religion et ses coutumes, parce que l'Égypte faisait alors partie de l'Empire perse, et parce que l'invasion de la Grèce par les Perses en 490 avant notre ère et les conflits qu'elle déclencha constituent le sujet déclaré des *Histoires*. L'incroyable longueur de cette digression sur l'Égypte semble indiquer que les Anciens avaient une conception très différente de la nôtre de ce que peut être le « sujet » d'un livre.

La composition circulaire est bien antérieure à Hérodote et à ses *Histoires*, et est très certainement apparue avant même l'invention de l'écriture. C'est d'ailleurs dans l'*Odyssée* que l'on trouve l'exemple le plus célèbre de ce procédé : dans un passage du chant XIX, sur lequel je reviendrai plus longuement, au moment où Ulysse essaie justement de ne pas se faire reconnaître, quelqu'un remarque sur sa cuisse une cicatrice distinctive. Homère laisse alors son récit en suspens pour nous raconter comment Ulysse, dans sa jeunesse, s'est fait la blessure qui se graverait à jamais dans sa chair ; puis il remonte encore plus loin dans le temps pour nous donner des détails sur un épisode de la première enfance du héros (où intervient son grand-père maternel, un mauvais plaisant notoire) ; il revient ensuite à l'incident au cours duquel Ulysse s'est

Proème

blessé ; et enfin, il referme cette longue rétrospective en nous ramenant au moment où la personne remarque la cicatrice. Ce n'est qu'alors, après ces longs détours narratifs qui nous ont laissés en haleine, qu'il décrit la réaction du personnage qui a repéré le signe révélateur de l'identité du héros. Bien que, dans sa description, la technique puisse paraître compliquée, les spirales d'associations d'idées dont elle procède sont en réalité tout à fait courantes dans la façon dont nous racontons des histoires au quotidien, sautant d'un sujet à un autre afin de clarifier et d'expliquer le récit que nous avons commencé, le point de départ auquel nous finirons par revenir – quitte, parfois, à nous faire rappeler à l'ordre par un auditoire qui nous presse de boucler la boucle. En ce sens, la composition circulaire évoque elle-même un long voyage paresseux de retour, entrecoupé de détours et de brèves incursions vers des points d'intérêt qui piquent si bien notre curiosité qu'il arrive qu'on en oublie de reprendre la trajectoire qui nous ramènera à bon port.

Si, à première vue, elle peut s'apparenter à une digression, la composition circulaire constitue en fait une technique efficace pour intégrer à une même histoire le passé, le présent, et parfois même l'avenir, puisque certaines « spirales » se déroulent vers l'avant, anticipant des événements qui se produiront *après* la conclusion du récit principal. De cette manière, un seul récit, voire un seul moment, peut contenir toute la biographie d'un personnage.

En ce sens, la présence du mot *polytropos*, « aux mille détours », « qui a beaucoup circulé », dès le premier vers de l'*Odyssée*, nous renseigne non seulement sur le héros du poème, mais aussi sur le poème lui-même, laissant

53

entendre que le meilleur moyen de raconter un certain type d'histoire n'est pas de suivre une ligne droite mais de procéder par larges cercles chargés de récits secondaires et d'anecdotes.

Par tours et détours.

Insensés !

Le silence qui s'était installé entre mon père et moi dans cet avion qui nous ramenait de Miami Beach allait devenir pour longtemps caractéristique de nos relations. Pendant la première moitié de ma vie – jusqu'à la veille de la trentaine –, il flotta entre nous un long silence. Peut-être parce que je ne le voyais que comme une tête, un crâne, le mot qui me venait à l'esprit lorsque je pensais à lui était « dur », et cette dureté faisait que j'avais peur de lui dans mon enfance et mon adolescence, et même dans ma jeunesse, jusqu'à la vingtaine bien passée. Il pouvait être *dur avec les gens*, disaient certains membres de ma famille. Il est vrai qu'il était très exigeant, à pratiquement tous égards. Pour ses enfants, il était inflexible sur les notes, bien entendu ; mais sa rigueur ne se limitait pas à cela. En grandissant, j'ai fini par comprendre que pour lui, tout s'inscrivait dans un vaste combat, de dimensions presque cosmiques, entre les qualités à l'aune desquelles il expliquait pourquoi telle ou telle musique que nous aimions, ou tel ou tel film à succès, n'avait rien d'aussi « génial » que nous le disions, ne valait pas même le temps que nous lui consacrions – ces qualités étant la dureté et la durabilité et, si j'ai bien compris ce qu'il voulait dire, l'*authenticité* –, et des qualités plus futiles, plus légères, plus mièvres dont les autres s'accommodaient, que ce fût en matière de chansons, de voitures, de romans ou dans le choix d'un conjoint. Les paroles des morceaux de musique pop que nous écoutions en cachette, par exemple, étaient « gentillettes ». *L'assonance c'est l'assonance, une rime est une rime, ce n'est pas de l'à-peu-près !* Pour lui, plus quelque chose était difficile à accomplir ou à apprécier, fastidieux à faire ou à comprendre, plus cette chose avait de chances de posséder cette qualité qui faisait, selon lui, sa valeur.

X c'est X. Sa conviction selon laquelle toute chose possédait une essence profonde et insondable, une dureté irréductible que lui percevait intuitivement, mais que beaucoup, sinon la plupart des autres gens ne discernaient pas, déterminait également ses rapports à autrui. La rigidité de ses principes – ou plutôt, le fait que si peu de gens étaient à la hauteur de ces principes – avait laissé certains blancs dans sa vie, des blancs qui effaçaient des gens : ses parents, à un certain moment, durant les deux premières années de ma vie où ma mère et lui s'étaient brouillés avec mes grands-parents paternels ; et chacun de ses trois frères, aussi, pendant des périodes variables, pouvant aller de quelques semaines à plusieurs années, voire des décennies, périodes pendant lesquelles il n'adressait tout bonnement plus la parole à tel ou tel frère rétif. J'avais trente ans passés la première fois que j'ai eu une vraie conversation avec Oncle Bobby, que quelque violente querelle avec mon père (c'était du moins ce que nous imaginions, puisque papa n'en a jamais parlé) avait rayé de notre vie, jusqu'à ce qu'ils se réconcilient dans les années 1990, alors qu'ils avaient tous deux plus de soixante-dix ans. Et nous n'avons appris qu'il avait un autre frère aîné, fruit de l'éphémère premier mariage de Poppy, qu'au moment où mon grand-père était sur son lit de mort et que cet étrange demi-oncle qui nous tombait dessus, Milton, avait débarqué à l'hôpital. *Milton, Milton, où étais-tu tout ce temps ?* gémissait Poppy d'une voix caverneuse, tandis que mon père, excédé, détournait le regard.

J'étais tellement habitué à voir mon père s'enfermer dans le silence que je n'ai songé que relativement récemment à lui demander pourquoi il estimait que la façon la plus évidente de traiter les gens qui avaient déçu ses attentes était de faire comme s'ils n'existaient tout bonnement plus.

Longtemps, donc, j'ai eu peur de mon père. Quand j'étais en primaire et au collège et que je peinais sur un devoir de maths, j'approchais timidement de la porte de sa chambre où, assis à un petit bureau en teck, il réglait les factures ou lisait un article pour son travail, et je rassemblais tout mon courage pour lui demander de m'aider ; son agacement devant mon incapacité à comprendre quelque chose d'aussi limpide pour lui que le problème de maths sur lequel je butais m'emplissait de honte. Ce sentiment de honte a conditionné mes rapports avec lui pendant le plus clair de mes premières années, et me poussait à me cacher de lui. Il est vrai que j'avais beaucoup de choses à cacher à l'époque : j'étais un adolescent gay, c'était les années 1970 et nous vivions en banlieue. J'étais en permanence sur le qui-vive. Mais à vrai dire, mon combat angoissé et secret avec ma sexualité était bien la dernière des raisons qui me faisaient craindre mon père. Je savais pertinemment que maman et lui avaient l'esprit large et n'avaient aucun préjugé sur ce point. Quand, arrivé au lycée, plusieurs professeurs gays et charismatiques me tinrent lieu de mentors, mes parents me firent comprendre par des voies détournées qu'ils savaient parfaitement à quoi s'en tenir et que les orientations de ces messieurs ne les gênaient aucunement. Mon père réagit d'ailleurs avec une étonnante délicatesse quand, lors de ma deuxième année de fac, je révélai mon homosexualité à mes parents. (*Laisse-moi lui parler, Marlene. Je sais ce que c'est*, avait-il dit à ma mère – mais il m'aura fallu attendre encore des années – jusqu'à ce que nous entreprenions cette croisière sur les traces d'Ulysse – pour qu'il s'explique.) Non, ce n'était pas parce que j'étais gay. J'avais simplement l'impression que tout en moi était irréversiblement nébuleux et imprécis, le sentiment que jamais je ne saurais résoudre l'équation *x est x*. Je ne savais même pas ce qu'était *x* – je ne savais pas ce que j'étais ni ce que je voulais, je ne comprenais rien aux turbulences intérieures, aux emballements fiévreux et aux peurs cristallisées qui m'agitaient. Je me cachais, donc – de beaucoup de choses, mais surtout de lui, qui savait si bien ce qui était quoi.

C'était là la raison, du moins pour ma part, de la longue période de silence qui s'était installée entre nous. Je ne lui ai jamais demandé quelles étaient ses raisons, à lui.

La rancœur que m'inspiraient la dureté de mon père, son obstination à penser que la qualité ne pouvait naître que de la difficulté, que le plaisir était suspect et que l'effort était une valeur, m'apparaît aujourd'hui ironique, car, à mon sens, ce sont précisément ces qualités qui m'ont donné envie d'étudier les auteurs anciens. Même lorsque, encore assez jeune, je me plongeai pour la première fois dans des livres de mythologie grecque et latine, je devinai derrière la chair des récits sensuels que je lisais, emplis d'accouplements lascifs et de métamorphoses inattendues, une solide ossature qui représentait quelque qualité, aussi essentielle à la culture qui avait produit ces mythes qu'à l'étude de cette culture. J'avais quatorze ans quand, au lycée, mon professeur d'anglais nous demanda d'apprendre par cœur un passage d'une pièce de théâtre. Parmi les austères coffrets reliés alignés sur les étagères du rez-de-chaussée, près du rocking-chair en chêne tapissé de noir dans lequel mon père s'installait pour lire, j'avais repéré un titre en particulier : *Collection intégrale des tragédies grecques* ; la plupart des autres ouvrages étaient des recueils d'articles de mathématiques. J'ai donc ouvert au hasard l'un des quatre volumes du coffret et j'ai lu un discours qui se trouvait être un passage de l'*Antigone* de Sophocle, une pièce mettant en scène un conflit entre une jeune femme obstinée et son oncle, le roi, qui vient de faire proclamer un sévère interdit qu'elle n'a aucune intention de respecter. Le discours sur lequel j'étais tombé était celui où Antigone proteste, expliquant que les lois auxquelles elle obéit ne sont pas celles édictées par les mortels, mais les lois éternelles des dieux ; et, déclare-t-elle, ce sont ces lois divines qu'elle observera, fût-ce au prix de sa vie. « Ce n'est pas Zeus qui a proclamé cette loi,/ pas plus que cette Justice, assise aux côtés des dieux infernaux./ Non, ce ne sont pas là les lois qu'ils ont jamais fixées aux hommes. » En lisant ces lignes, je me souviens avoir pensé que je venais enfin de trouver l'ossature sous la chair : une pièce où x était x, un drame dont l'action reposait sur des choix tranchés ne laissant place à aucun compromis. Rien de *gentillet*, ici. Quand, quelques années plus tard, j'ai commencé à étudier la langue grecque, j'ai trouvé une intransigeance tout aussi satisfaisante dans les mythes et les drames eux-mêmes bien entendu, mais aussi dans leur ossature, dans la langue proprement dite : une syntaxe aussi rigoureuse que les choix auxquels étaient confrontée Antigone, qui n'autorisait aucune confusion, aucune approximation. Les déclinaisons des noms et des adjectifs qui s'étiraient sur les pages du petit manuel noir que nous utilisions en première année de grec étaient aussi précises et implacables que des théorèmes.

Bien plus tard, j'eus la satisfaction d'apprendre que mon instinct sur la « rigueur » des lettres classiques ne m'avait pas trompé. Les origines de la discipline remontent à la fin du XVIIIᵉ siècle, lorsqu'un savant allemand du nom de Friedrich August Wolf décréta que l'analyse des textes littéraires – entreprise que bien des gens, à commencer par mon père, considèrent volontiers comme un exercice d'interprétation subjective, vague, ouvert à tous les points de vue – devrait en fait être abordée comme une branche rigoureuse de la science. Wolf reprochait à une bonne part des théories sur l'éducation en vogue à l'époque leur sentimentalisme et leur légèreté – il pensait notamment à celles que défendaient John Locke en Angleterre et Jean-Jacques Rousseau en France, qui privilégiaient les objectifs pratiques de l'éducation, son rôle dans la préparation des élèves à « la vraie vie ». Que pouvait bien apporter l'étude des classiques de l'Antiquité aux jeunes esprits des temps modernes ? se demandaient ces philosophes. Locke, comme encore beaucoup de parents aujourd'hui, se gaussait : que gagnerait un ouvrier à savoir le latin ? À quoi Wolf répliquait : la connaissance de la nature humaine.

L'objet de cette nouvelle « science » littéraire – la philologie, « l'amour du langage », en grec – offrait à ses yeux rien de moins qu'un moyen de percer « le génie intellectuel, esthétique et moral de l'homme ». Mais pour étudier correctement les textes et les cultures de l'Antiquité, encore fallait-il les aborder de façon scientifique, de la même manière que l'on étudiait l'univers physique. Comme pour les mathématiques ou la physique, affirmait Wolf, une étude sérieuse de la civilisation classique ne pouvait se fonder que sur la parfaite maîtrise d'un ensemble de disciplines essentielles et étroitement liées entre elles : ce qui passait par l'étude approfondie du grec et du latin, naturellement – et souvent de l'hébreu et du sanskrit –, de leur lexique et leur grammaire, leur syntaxe et leur prosodie, mais aussi par une immersion dans l'histoire, la religion, la philosophie et l'art des peuples qui parlaient et écrivaient dans ces langues. À cette immersion, poursuivait-il, il fallait ajouter des savoir-faire spécialisés tel le déchiffrage des papyrus, manuscrits et inscriptions antiques, ces connaissances étant aussi nécessaires, en dernier ressort, à l'étude de la littérature ancienne que la connaissance de la géométrie euclidienne et de la géométrie dans l'espace, de l'arithmétique et de l'algèbre et, de fait, du « calcul infinitésimal », l'est à l'étude correcte du domaine que nous appelons les mathématiques.

Et c'est ainsi que la philologie classique vit le jour. Lorsque j'appris tout cela en troisième cycle, je m'empressai d'en parler à mon père. Il grimaça, secoua la tête et trancha : *Il n'y a que la science qui soit de la science.*

Le silence qui régnait entre mon père et moi commença à se dissiper quand, à vingt-six ans, j'amorçai mon doctorat de lettres classiques. Certes, seule la science était de la science, mais peu à peu, on aurait dit que la difficulté des études dans lesquelles je me lançais érodait sa résistance. S'il n'avait guère une très haute idée de la subjectivité nébuleuse de l'analyse littéraire, il vouait un véritable culte aux langues classiques proprement dites, dont la grammaire était aussi imperméable à l'émotion ou à la subjectivité que n'importe quelle démonstration mathématique ; en les possédant, j'avais acquis plus de mérite à ses yeux. Il commença à m'interroger, avec un intérêt réel, sur les progrès de mes études, sur ce que je lisais, et sur le déroulement des séminaires. Ce fut à cette époque qu'il me parla de ses propres études de latin, qui remontaient à si longtemps, et me raconta qu'il avait lu Ovide au lycée, mais avait arrêté avant de pouvoir attaquer Virgile.

Or, en première année de thèse, je suivais justement un cours sur l'*Énéide*. Mon père me demanda de lui photocopier quelques pages du chant II et de les lui envoyer ; il voulait essayer de les lire, me dit-il. Il se trouve que le chant II est la partie de l'épopée qui raconte dans un luxe de détails sordides la chute de Troie – le terrible dénouement qu'évoquent l'*Iliade* et l'*Odyssée* sans jamais le décrire entièrement, la première en se projetant brièvement dans la catastrophe imminente, la seconde en se retournant sur l'événement passé. C'est Virgile le Romain qui nous donne le fin mot de l'histoire, sans rien omettre : les Grecs cachés dans l'immense cheval de Troie, que les Troyens introduisent dans l'enceinte de leur ville ; puis l'embuscade dans l'obscurité, la fumée qui s'élève de la cité en feu, la panique et les flammes ; l'image du corps décapité du roi de Troie, Priam, pitoyable vieillard, figure par excellence du père dans l'épopée, assassiné sur les marches de l'autel devant lequel il priait désespérément pour sauver sa ville, frappé par la main de Néoptolème, fils du défunt Achille – un jeune guerrier qui, en tuant le vieux roi, cherche à surpasser la bravoure sanguinaire de son père. Mon père voulait voir quelques pages du chant II car, disait-il, il était curieux de savoir s'il pourrait suivre l'histoire dans le texte. Mais trop de temps s'était écoulé depuis l'époque où, des décennies plus tôt, il avait lu avec tant d'aisance *Ôvide* en latin.

Inutile d'insister, me dit-il un soir au téléphone, avec ce ton triste et pincé qu'il pouvait parfois prendre, un ton qui était l'équivalent vocal d'un froncement de sourcils et d'un revers de main, comme pour dire *À quoi bon ?*

Inutile d'insister, j'ai perdu la main, décréta-t-il après avoir tenté de décrypter la scène qui met aux prises Priam et Néoptolème. C'est trop tard.

Allons, le rassurai-je, c'est normal. C'était il y a si long-temps. Personne ne pourrait se rappeler tout ça.

À quoi mon père répliqua, Ce n'est pas grave. Tu le liras pour moi, maintenant.

C'était touchant de l'entendre dire cela. Mon père était dur, rude, mais il lui arrivait de dire certaines choses, de laisser échapper une remarque si inattendue par sa tendresse, sa générosité ou sa poésie que l'on en restait déconcerté – dans cet état que les Grecs appelaient l'*aporia*, « le désarroi ». (Le mot, qui signifie littéralement « absence de chemin », renvoie souvent au sentiment d'être « perdu » ou « dérouté ».) Et pourtant, c'était le même père qui, en dépit de toute sa dureté, en dépit de la sévérité qui s'était gravée sur ses traits – les austères lignes horizontales qui lui parcouraient le front telles les lignes des cahiers à la couverture marbrée de noir et blanc sur lesquels nous prenions scrupuleusement des notes, les plans verticaux enfoncés de ses joues creuses sous les pommettes anguleuses, et les arcs symétriques et hauts de ses orbites portant leur ombre sur les sphères qu'ils surmontaient, comme les illustrations d'un livre de géométrie –, avait acquis le surnom comiquement incongru de « Daddy Loopy * ». *Daddy Loopy !* piaillions-nous joyeusement les rares fois où il nous chatouillait ou nous taquinait. *Qui c'est ton Daddy Loooooopy ?* couinait-il, légèrement mal à l'aise mais, au fond, obscurément ravi, en me bordant *tout bien serré, enveloppé, emmailloté comme une momie !* comme je l'aimais quand j'avais quatre ou cinq ans et qu'il venait dans ma chambre, s'asseyait doucement sur le rebord du lit étroit qu'il m'avait fabriqué, pour me lire *Winnie l'ourson.*

Ce n'est pas grave, tu le liras pour moi. En l'entendant m'adresser cette parole gentille un soir d'automne, il y a de cela une moitié de vie, je me demandai, une fois encore : *Qui est cet homme ?*

Et c'est ainsi que, grâce à Virgile, mon père et moi avons renoué le dialogue. Pendant tout le trimestre, je l'appelais pour lui résumer ce dont nous avions débattu en cours, et parfois, il prenait les pages que je lui envoyais et nous en étudiions ensemble un passage au téléphone, reprenant laborieusement le texte mot à mot et, de temps à autre, je devinais un petit air de triomphe dans sa voix lorsqu'il reconnaissait une règle de grammaire qu'il avait

---

* « Daddy Loopy » (littéralement « papa Dingo ») évoque également les notions de boucles et de cercles (« loop »), de tours et de détours. (NdT).

apprise soixante-cinq ans plus tôt et oubliée, comme par exemple le jour où je l'aidai à décortiquer quelques vers du chant II, avec ses terrifiantes descriptions de la chute de Troie, des vers de la scène où le vieux roi Priam endosse sa vieille armure de combat, devenue trop lourde pour lui, dans le fol espoir de défendre une dernière fois sa ville bien-aimée. Ah, mais oui, je vois, « *sumptis armis* », c'est un ablatif absolu, ça ! s'écria mon père. Bien vu ! le félicitai-je. Puis nous analysâmes le vers « *ipsum autem sumptis Priamum iuvenalibus armis* », « Priam lui-même, ayant repris les armes de sa jeunesse », en nous attardant sur la façon dont le poète souligne que les armes que le vieillard s'efforce de brandir – parce qu'il tient tant à protéger son palais contre les Grecs surgis du ventre du cheval de bois, la fameuse ruse inventée par Ulysse – sont celles-là mêmes qu'il arborait à la ceinture à l'époque où il était jeune et fort, ce qui ajoutait une intensité poignante à la scène. Et mon père disait que oui, en effet, il était d'accord. Nous eûmes beaucoup de conversations de ce type à l'automne de ma première année de doctorat, des conversations qui n'avaient rien de commun avec nos échanges passés.

C'est ce qui me fait dire qu'avant de me mettre sérieusement à l'étude des lettres classiques, je n'ai pas vraiment eu le sentiment de connaître mon père.

En commençant ici ou là...
Contrairement au proème impeccablement circonscrit de l'*Iliade*, celui de l'*Odyssée* divague et foisonne d'ambiguïtés. Au premier vers de l'*Iliade*, le poète prie la Muse d'annoncer le thème moteur de son épopée, résumé dès le premier mot : « la colère ». La colère de qui ? Celle

d'Achille, fils de Pélée. Comparons cela avec l'ouverture de l'*Odyssée*, qui commence par demander à la Muse de lui faire le récit d'« un homme », sans donner son nom : ce pourrait être n'importe qui. Bien sûr, la suite nous en dit davantage dans un long enchaînement de propositions subordonnées : l'homme *qui* connut de vastes errances, *quand* il eut pillé la sainte citadelle de Troie, *qui* souffrit tant, *qui* essaya vainement de sauver ses hommes. Puis l'exorde s'écarte de son sujet initial, « l'homme », pour se tourner vers « ses hommes », entrant dans les détails étrangement minutieux d'un épisode particulier qui semble avoir causé leur perte : la dévoration sacrilège des bœufs du Soleil. Arrivés à la fin du proème, nous sentons déjà très bien le décalage entre le poids et la précision de certains éléments d'information qui nous sont livrés sur cet homme, et les blancs qui restent à remplir, à commencer, bien entendu, par son nom : une omission flagrante, pour dire le moins, pour un préambule censé nous présenter le héros. Nous savons bien sûr que « l'homme » n'est autre qu'Ulysse. Pourquoi Homère ne le dit-il pas d'emblée ? Peut-être parce que, en jouant dès l'abord de cette tension entre ce qu'il choisit de dire (« l'homme ») et ce qu'il sait que nous savons (Ulysse), le poète introduit un thème majeur, qui ne cessera de s'intensifier tout au long de son poème, à savoir : quelle est la différence entre ce que nous sommes et ce que les autres savent de nous ? Cette tension entre anonymat et identité sera un élément clé de l'intrigue de l'*Odyssée*. Car la vie de son héros dépendra de sa capacité de cacher son identité à ses ennemis – et de la révéler, le moment venu, à ses amis, à ceux dont il veut se faire reconnaître : d'abord son fils, puis sa femme, et enfin son père.

Cette habile pirouette par laquelle le proème s'abstient de révéler un nom trouve son pendant dans une autre esquive bizarre. Alors que l'aède de l'*Iliade* demande clairement à la Muse de commencer son chant à partir d'un moment précis de l'histoire – « Depuis l'instant où s'opposèrent en querelle/ Le fils d'Atrée, prince des hommes, et Achille, l'égal d'un dieu » –, celui de l'*Odyssée* ne semble en revanche guère soucieux de l'ordre qu'il donnera à son récit. La Muse peut commencer comme il lui plaira, « ici ou là », *hamothen*, à l'endroit où elle choisira de saisir Ulysse dans son voyage. Mais *hamothen*, « depuis un point quelconque », a également une connotation temporelle : « à partir de tel ou tel moment », « à n'importe quel instant du récit ». Dans le prologue de l'*Odyssée*, l'espace et le temps sont eux-mêmes opportunément flous, presque indistincts.

Ce va-et-vient étrangement hésitant entre des détails concrets et des généralités nébuleuses évoque un sentiment familier : celui d'être perdu. Le lecteur a parfois le sentiment d'être en terrain connu et, à d'autres moments, d'être en mer, à la dérive sur une immensité liquide et uniforme, sans aucun repère en vue. Ainsi, l'ouverture du poème sur cette sensation d'être perdu puis de trouver un chemin qui nous reconduise à bon port reflète précisément les oscillations entre l'indécision et la résolution qui caractérisent le voyage du héros.

En recréant cette impression de mouvement, de *voyage*, ces vers liminaires nous ramènent aux plus profondes racines du mot « proème ». Littéralement, il signifie « avant le chant » (*pro* : avant, et *oimê*, le chant). Voilà qui est logique. Mais remontons encore la chaîne étymologique : *oimê* a une origine fort intéressante ; il est dérivé d'un mot plus ancien, *oimos*, qui signifie « le chemin » ou « la voie » – peut-être parce que quelque ancienne expression comme « la voie du chant » s'est trouvée réduite, dans l'usage, à « la voie » et a fini par désigner simplement « le chant ». Il y a encore une certaine logique dans cette filiation de « chant » à « chemin » : toute forme de chant, depuis la ballade jusqu'à l'épopée de quinze mille vers, nous mène d'un début à une fin, et déroule le fil de son histoire pour la conduire à un dénouement, une conclusion. C'est un « chemin » qui va quelque part.

Et pourtant, si nous plongeons encore plus loin dans l'histoire de ces mots, autre chose transparaît : *oimôs*, « chemin », est aussi apparenté à *oima*, terme qui désigne un concept assez proche de ce que nous appellerions « l'élan » – une impulsion, un bond, un mouvement volontaire vers l'avant.

J'ai toujours trouvé cette étymologie du mot « proème » fascinante, car, partant de l'introduction d'un chant, elle nous entraîne vers l'idée élémentaire de mouvement : l'idée, tout simplement, de « cheminer ». Pour les Grecs, la poésie était mouvement.

Et de fait, elle est censée mettre en mouvement le corps et l'âme : mouvoir et émouvoir.

Conte-nous ses exploits

Un mercredi soir de janvier, un demi-siècle après le fastidieux voyage en rond dont mon père, *Daddy Loopy*, aimait à raconter sa version, je repensais aux longs voyages et aux longs silences.

Une fois de plus, je me retrouvai assis à côté de mon père, sans échanger un mot avec lui. Cette fois-ci, nous n'étions pas dans un avion. Mon père était allongé, aussi imperturbable qu'un pharaon dans ses bandelettes, sur un lit compliqué de l'unité de soins intensifs du service de neurologie d'un hôpital, à une trentaine de kilomètres de la maison où il avait emménagé cinquante-deux ans plus tôt, celle qu'il avait continué à habiter à mesure qu'elle s'emplissait de cinq enfants puis lorsqu'elle s'en était vidée, le laissant seul avec ma mère, celle dans laquelle ils avaient passé toute leur vie, une vie relativement circonspecte et réglée, en partie parce que maman n'avait jamais aimé voyager.

Attendre l'inattendu. Mon père était tombé et il était évident que nous ne ferions plus de voyage culturel. Mais nous avions eu notre odyssée – nous avions, pour ainsi dire, voyagé ensemble dans ce texte pendant un semestre, texte dont il m'apparaissait de plus en plus clairement, alors que de ma chaise, je contemplais le visage immobile de mon père, qu'il parlait du présent plus que du passé. Car au fond, c'est une histoire de familles étranges et compliquées, une histoire de deux grands-pères – le père de la mère, excentrique, volubile, et grand farceur devant l'Éternel, et l'autre, le père du père, taciturne et obstiné ; l'histoire d'un long mariage et de brèves infidélités, d'un mari qui entreprend un voyage au long cours et d'une femme qui reste au foyer, aussi attachée à sa maison que l'arbre l'est à la terre ; d'un fils et d'un père qui ne se reconnaissent que très tardivement, et se retrouvent enfin pour partager une grande aventure ; l'histoire, à l'approche de son dénouement, d'un homme parvenu au milieu du chemin de sa vie, un homme qui, il faut s'en souvenir, est un fils aussi bien qu'un père, et qui, à la fin, s'agenouille et pleure parce qu'il a vu en face le spectacle de la vieillesse de son père, le spectre de son inévitable mort, une vision si terrible que cet homme, qui est pourtant un conteur chevronné, passé maître dans l'art de déformer la vérité et de mentir sans vergogne, rompu à manipuler les mots et, partant, les gens – cet homme est tellement bouleversé à la vue de son père décrépit qu'il ne peut plus se résoudre à raconter ses mensonges et à tisser ses récits, et qu'il doit, au bout du compte, dire la vérité.

Telle est l'*Odyssée*, que mon père a souhaité étudier avec moi il y a quelques années ; tel est Ulysse, le héros dans les traces duquel nous avons un jour mis nos pas.

TÉLÉMACHIE
(Éducation)

Janvier-février 2011

Le prétexte du voyage de Télémaque est la quête de son père ; mais pour Athéna, qui l'y engage, l'objectif est de faire son éducation. Le fils n'aurait pas été digne de son père s'il n'avait pas entendu les récits de ses exploits de la bouche de ses compagnons ; grâce à ces histoires, il sait à présent comment se conduire envers lui.

Ancien commentateur de l'*Odyssée*, I, 284
(« Va d'abord à Pylos questionner le divin Nestor »)

1

Paideusis
(Pères et fils)

L'une des rares histoires que mon père aimait à raconter sur sa jeunesse – rare, du moins, quand nous étions enfants, car en vieillissant il devint de plus en plus prolixe sur son passé, même si son répertoire d'anecdotes n'a jamais vraiment été à la hauteur des récits drôles et palpitants dont nous régalaient ma mère et mon grand-père maternel – portait sur la façon dont sa formation classique s'était brutalement achevée.

Un jour, commençait-il, un jour de printemps vers la fin de la guerre (mon père disait toujours « la guerre » pour parler de la Seconde Guerre mondiale, un peu comme un barde antique aurait dit « la guerre » en référence à « Troie »), ce devait être la fin de ma première au lycée, mon professeur de latin, un type tiré à quatre épingles, un réfugié européen – un Allemand, je me rappelle, il avait fui juste à temps –, mon prof de latin nous a demandé ce que nous comptions faire l'année suivante. Nous faisions du latin depuis quatre ans, depuis la quatrième, et cette année-là, nous lisions des extraits d'Ovide.

Ôvide.

73

Parvenu à ce point de son récit, mon père s'éclaircissait parfois la voix. C'était un Allemand, répétait-il. Je me souviens qu'il faisait toujours attention à être bien habillé, mais entre son col élimé et les coudes lustrés de son costume, on voyait bien que ses vêtements avaient été souvent lavés. Toujours est-il que ce jour-là, il a fait le tour de ses élèves et nous a demandé qui, parmi nous, envisageait de continuer le latin en terminale. Car la terminale, c'était le couronnement des études de latin, l'année où l'on lisait enfin Virgile. L'*Énéide*.

Dans les variantes plus récentes qu'il donnait de cette histoire, je remarquais qu'il s'attardait sur les détails vestimentaires de son professeur : le col élimé, les coudes lustrés. Le simple fait qu'il eut remarqué de pareils détails m'aurait paru étrange, auparavant, car tout le monde savait que mon père se contrefichait de ce qu'il portait ; il avait le don de s'attifer comme un as de pique, comme d'autres savent spontanément s'habiller avec goût. Le premier soir de notre croisière sur les traces d'Ulysse, alors que nous nous préparions pour le cocktail de bienvenue du capitaine, en le voyant enfiler une chemise marron aux reflets satinés, j'avais craqué : Non, papa, nous sommes en croisière sur la Méditerranée et tu ne peux pas porter du polyester marron ; sur ce, je lui arrachai sa chemise, je sortis sur le balcon et je la jetai à la mer. *Non mais t'es pas bien ?* hurla-t-il, tu sais combien je l'ai payée, cette chemise ? Il traversa au pas de charge le salon et, penché au bastingage, regarda tristement sa chemise, qui au contact de l'eau avait pris un puissant éclat animal, comme une peau de phoque, flotter un instant avant de couler enfin sous son propre poids. Vers l'époque, relativement tardive, où il entra dans sa phase nostalgique – je

devais alors avoir dans les trente-cinq ans –, il me surprit
par une anecdote qui expliquait son attention méticuleuse
à la tenue de son ancien professeur. Au début de ses études
à l'université de New York, confia-t-il un jour (une université, se plaisait-il à nous rappeler, qu'il avait pu intégrer
grâce à la bourse du GI Bill, à laquelle il avait eu droit
puisqu'il s'était engagé dans l'armée à dix-sept ans, précisément pour pouvoir faire des études supérieures), quand il
était à l'université, donc, il avait travaillé chez Brooks
Brothers, la grande marque new-yorkaise de prêt-à-porter
masculin. Il ne put réprimer son petit sourire narquois en
me voyant écarquiller de grands yeux. *Bon*, ajouta-t-il, *je
n'étais qu'au service emballages, mais j'ai appris quelque
chose !* Je sentis une pointe d'orgueil timide et obstinée
percer sous sa modestie, comme s'il tirait quelque vanité
de cette brève incursion dans le monde très fermé de
l'élégance à l'américaine : *Tu vois où j'en suis arrivé ? Pas
mal pour un gamin du Bronx, non ?* semblait-il insinuer.
Aux mots *Mais j'ai appris quelque chose*, je l'imaginai
soudain en jeune homme de vingt ans, d'une maigreur
extrême, le pantalon maladroitement serré sur une taille
trop étroite, maintenu par une ceinture, se déplaçant sur
la pointe des pieds dans le vaste magasin lambrissé
d'acajou de Madison Avenue, un paquet emballé de
papier jaune sous le bras, allongeant le pas sous les
plafonds à caissons et les lustres, bouche bée devant les
boiseries étincelantes et leurs élégantes appliques de cuivre
– cette vision me rappela irrésistiblement la scène, au
chant IV de l'*Odyssée*, où le fils d'Ulysse contemple, émerveillé, le somptueux décor du palais du roi de Sparte
Ménélas, l'époux malheureux d'Hélène de Troie, auprès
duquel Télémaque vient chercher des nouvelles de son

père disparu. « Voilà bien à quoi doit ressembler la cour de Zeus sur l'Olympe ! » s'extasie le garçon naïf qui, dans le temps du poème, a vingt ans, exactement l'âge qu'avait mon père quand il travaillait chez Brooks Brothers.

Donc, répéta mon père, revenant à son professeur de latin, le réfugié allemand qui s'efforçait de rester élégant en dépit de ses pauvres vêtements miteux, donc, il nous a demandé qui, parmi nous, ferait sa cinquième année pour lire Virgile.

Là, mon père s'interrompait pour mieux évoquer la chape de silence qui s'était abattue sur la classe du Bronx des décennies plus tôt.

Personne n'a rien dit, reprenait-il en esquivant légèrement mon regard. Le professeur a répété sa question une fois, puis une seconde, mais personne n'a réagi – rien, pas un mot.

Soixante-cinq ans après cette scène, longtemps après que le professeur, ses cols élimés et ses espoirs déçus avaient disparu, longtemps après que les élèves qui s'étaient tortillés dans ce silence gêné du Bronx étaient devenus des hommes, puis des pères, puis des grands-pères et ensuite, comme mon père, des vieillards auxquels d'anciennes erreurs irrattrapables inspiraient une soudaine et improbable nostalgie, soixante-cinq ans plus tard, mon père secouait la tête et pinçait ses lèvres étroites qui ne formaient plus qu'une fine ligne d'amertume.

Je revois encore la salle, dit-il, enveloppée de ce silence pesant. Aucun de nous n'osait parler. Et tout d'un coup, le professeur nous a regardés et nous a pointés du doigt l'un après l'autre – (là, mon père prenait un accent allemand outrancier) – et il a dit, « Fous refusez donc les

richesses de *Firgil* ? Fous le regretterez toute fotre fie ! »,
et là-dessus il a refermé sa mallette et il est parti.

Au bout d'un moment, mon père disait : Pour moi,
c'est resté l'image de la fin de ma formation en latin dans
ce lycée.

Rappelle-toi, ajoutait-il, ce n'était pas le meilleur lycée,
mais c'était tout de même une bonne école.

Je me rappelais vaguement : une histoire que quelqu'un nous avait un jour racontée, ma mère, ma tante, je
ne sais plus qui, peut-être l'un de mes oncles. Papa était
le meilleur élève de première, le fort en maths, mais pour
une raison ou une autre, il n'avait pas continué au Bronx
Science, le lycée le plus prestigieux, très sélectif, où les
génies en maths et en sciences allaient faire leur terminale.
Mais j'avais oublié le reste de l'histoire, et je ne savais pas
pourquoi, finalement, il n'était pas allé dans la meilleure
école.

C'était donc un très bon lycée, disait mon père. Nous
n'étions pas très nombreux à faire du latin, et le maintien
du cours dépendait donc de nous ! Mais on n'a pas tenu
la distance. Et je crois qu'un ou deux ans après cela, il n'y
a plus eu d'inscrits, et le cours de latin a tout bonnement
disparu.

On voyait bien que, même après toutes ces années,
cette histoire le travaillait encore – la façon dont ses camarades de classe et lui avaient refusé les enseignements du
Juif allemand distingué, venu de si loin avec, pour tout
bagage, ce savoir rare à offrir. On voyait, quand il racontait cette histoire, qu'il s'en voulait encore, alors que lui-
même était déjà arrivé si loin dans son étude de la langue
ancienne, de n'avoir pas accompli la dernière étape de son
parcours de lettres classiques et donc, de n'avoir jamais lu

la plus grande œuvre latine – un poème dont le héros sauve son vieux père des ruines fumantes de sa cité vaincue, puis entreprend un lointain voyage vers un pays inconnu, emmenant à sa suite son père et son jeune fils, afin d'entamer avec eux une nouvelle vie là-bas. *Énée*, parangon de la piété filiale ; une vertu qui, comme le savait fort bien mon père, n'est pas rien.

Enfant, lorsque j'ai entendu pour la première fois l'histoire de mon père qui n'avait pas pu continuer le latin – et même plus tard, lorsque j'étais en fac, puis en doctorat et que le thème des études supérieures, des diplômes ou des lettres classiques revenait sur le tapis, ce qui lui donnait l'occasion de raconter une fois encore son histoire, sur ce ton légèrement songeur, presque comme si, en la racontant indéfiniment, il parvenait enfin à comprendre pourquoi le reste de sa vie avait été ce qu'il avait été –, quand j'étais jeune et que j'entendais cette histoire, j'étais tellement touché par la vision théâtrale et poignante du pauvre Juif allemand qui avait fui juste à temps, des adolescents désinvoltes regardant par la fenêtre le ciel bleu d'une chaude journée à New York juste après la fin de la guerre, indifférents aux richesses du passé, et surtout par cette image presque insupportable d'un professeur riche d'un savoir dont plus personne ne voulait, qu'il ne m'est jamais venu à l'esprit de demander pourquoi mon père avait abandonné une discipline dans laquelle il excellait, où il faisait l'admiration de tous, pas plus qu'il ne m'avait effleuré de demander pourquoi un élève aussi exemplaire s'était retrouvé dans l'établissement de deuxième ordre.

Un garçon, assis tout seul à l'écart dans une salle comble, rêve de son père absent.

Ce garçon, c'est le fils d'Ulysse, Télémaque. Vingt années ont passé depuis que son père est parti guerroyer à Troie, pour ne plus jamais donner de ses nouvelles. Depuis, le palais a été pris d'assaut par des dizaines de jeunes gens d'Ithaque et des îles environnantes qui, convaincus qu'Ulysse n'est plus de ce monde depuis longtemps, courtisent une encore très belle Pénélope, chacun espérant devenir son mari et ainsi régner sur le royaume d'Ithaque. Or leur présence en ce lieu est à elle seule une insupportable offense aux règles de la galanterie et du mariage : car loin de se plier à la coutume, au lieu de combler Pénélope d'offrandes et de présents, ils ont pris leurs aises en sa demeure, pillent ses vivres et boivent son vin, festoient jour et nuit et séduisent les servantes. Le royaume insulaire a perdu sa cohésion sociale et n'est plus gouverné. Une petite poignée de sujets demeurent fidèles au roi absent, mais d'autres ont choisi de lier leur destin à celui des prétendants ; mais depuis le départ d'Ulysse aucune assemblée des citoyens n'a été convoquée.

La famille du roi absent se désintègre. La reine éplorée s'est retirée dans ses appartements, au-dessus de la salle de banquet, ayant épuisé depuis longtemps son répertoire de ruses pour éloigner les prétendants ; alors que, jour après jour, ceux-ci la pressent de faire son choix, elle ne vit plus qu'entre larmes et malaises. Quant au père d'Ulysse, Laërte, vieillard accablé de chagrin, il est tellement révulsé par la confusion qui s'est emparée du palais qu'il

ne vient plus jamais en ville,
mais travaille seul à la campagne, loin des hommes ;
une vieille suivante, à ses côtés, lui sert à boire et à
manger

lorsque ses bras et ses jambes sont fourbus de fatigue
pour avoir arpenté tout le jour les coteaux escarpés de ses
vignes.

Télémaque a donc non seulement été abandonné de
son père, mais aussi du père de son père. À l'orée de l'âge
adulte, le garçon mélancolique n'a personne pour lui
indiquer la voie.

Ainsi commence l'*Odyssée* : le héros disparu, les crises
précipitées par son absence prennent le devant de la
scène. Qu'il occupe les dix ou les vingt et un premiers
vers, le proème est trompeur : il nous avait annoncé
l'histoire d'« un homme », mais de cet homme, nous ne
voyons dès l'abord qu'un souvenir, un fantôme à propos
duquel nous n'entendons que des histoires, de vagues
réminiscences, des rumeurs. Il est sur le chemin du
retour, assure quelqu'un ; un autre dit l'avoir aperçu à
Troie déguisé en mendiant pour une mission d'espionnage. Et ce bruit mauvais, qui circule : Ah, Ulysse ?...
Oui, il est venu un jour chercher des flèches empoison-
nées. (Des armes, nous le comprenons, indignes d'un
noble guerrier.) Les rumeurs se propagent et enflent, mais
le héros lui-même – « l'homme » – reste invisible, à
Ithaque comme dans le récit d'Homère. Et pendant tout
ce temps, l'épouse pleure, le peuple grogne, et le fils
s'abandonne à ses vaines songeries. Tout se passe comme
si la Muse s'était fait un malin plaisir à prendre le proème
au pied de la lettre, à commencer au hasard, « ici ou là »,
et à choisir un point de départ totalement différent de
celui que nous attendions.

On conçoit aisément qu'en décidant d'obscurcir, de
brouiller et de retarder notre rencontre avec le personnage

principal de l'épopée, Homère veuille piquer notre curiosité sur cette figure évanescente qui, dans ces premières pages essentielles, semble tapie dans les marges de sa propre histoire, étrangement petite et presque indiscernable, comme l'un de ces minuscules personnages d'un tableau hollandais que l'on risque de ne pas remarquer parce que le regard est irrésistiblement attiré vers le thème apparent de l'œuvre, le personnage du premier plan, et ce n'est qu'à examiner la toile de plus près que l'on remarque que cette petite silhouette, plus lointaine, voire fragmentaire, est en fait bien plus intéressante, qu'elle mérite une observation plus serrée – qu'elle est peut-être le vrai thème du tableau. L'exemple le plus célèbre de cette feinte visuelle est un tableau du maître hollandais Pieter Bruegel, *La Chute d'Icare*, exposé dans un musée de Bruxelles, et qui prend pour thème un autre drame antique entre père et fils : le mythe du grand inventeur Dédale et de son fils Icare, qui tenta de voler en fixant sur ses épaules des ailes artificielles faites de plumes assemblées à la cire. Dans la version la plus connue du mythe, qui apparaît dans un poème d'Ovide, Dédale avertit son fils que, s'il s'élève trop haut, la chaleur du soleil fera fondre la cire ; mais le garçon impulsif, emporté par son enthousiasme, n'écoute pas son père, s'élève dans les airs, se brûle les ailes et s'écrase en mer. Ce tableau de Bruegel illustre avec une ironie poignante la fraction de seconde qui succède à la chute d'Icare. La toile est presque entièrement mangée par une scène champêtre en bordure de mer et plus particulièrement par trois paysans vaquant à leurs occupations. L'un laboure, un autre fait paître ses moutons et le troisième jette sa ligne aux poissons, et aucun ne voit la catastrophe qui se joue à quelques mètres d'eux – dont l'unique signe est un minuscule détail dans un coin : une paire de jambes s'agitant à la surface de l'eau, celles du malheureux Icare. Sous le pinceau de Bruegel, la fable d'Ovide sur un fils ignorant délibérément les sages conseils de son père devient un conte moral sur la nécessité de conserver une forme d'humilité – une remise en perspective, pourrait-on dire, une mise en garde sur ce à côté de quoi nous passons lorsque nous sommes trop absorbés dans nos propres récits, sur l'écueil qui consiste à prendre le premier plan pour l'ensemble du tableau.

Le personnage qui, au début de l'*Odyssée*, occupe le premier plan et le centre du tableau, et qui continue de capter notre attention tout au long des quatre premiers chants, est celui qui recueille peu à peu le flot de rumeurs, de bavardages et d'histoires à propos de son père : le fils d'Ulysse. Lorsque nous le rencontrons, un peu après la fin du proème, Télémaque nous frappe par sa mélancolie. Il a « le cœur en peine » nous dit Homère, tristement assis tout seul dans un coin de la grand-salle du palais royal d'Ithaque, regardant, impuissant, les prétendants rire à gorge déployée et faire bombance autour de lui. Incapable de s'imposer, le fils unique d'Ulysse en est réduit à caresser de stériles espoirs,

> songeant à son bon père, et l'imaginant de retour,
> qui dispersait les prétendants par la demeure.

Or personne ne sait très bien où se trouve son « bon père » et, plus grave, nul ne sait s'il est même encore en vie. Cette incertitude pose d'autres questions : Pénélope est-elle une épouse ou une veuve ? Est-elle mariée ou désormais à prendre ? Le fils du héros peut-il, le cas échéant, être le roi et l'homme que fut son père ? Pour l'heure, la réponse à cette dernière question est de toute évidence non.

L'insoutenable suspens dans lequel cette situation maintient la famille royale, les prétendants et le peuple est fort bien évoqué par une histoire qui nous est contée dans ces premiers livres de l'*Odyssée*, ceux, précisément, dont Ulysse est absent. L'histoire, celle de la ruse la plus connue qu'imagina Pénélope pour tenir les prétendants à distance, revêt un sens symbolique évident. La reine, se plaint l'un des prétendants, s'est engagée à épouser un jour l'un d'entre eux, mais seulement après qu'elle aura terminé de tisser le linceul qu'elle destine à son beau-père, Laërte, le vieillard qui soigne désormais tristement ses vergers loin du tumulte où se joue l'humiliation de son fils absent. Les prétendants ont accepté sa condition. Mais chaque soir, l'habile reine défait en secret ce qu'elle a tissé dans la journée, reportant ainsi indéfiniment l'achèvement de son ouvrage. Ce subterfuge a tenu pendant plusieurs années, jusqu'au jour où une suivante de Pénélope, une fille de peu qui couchait avec l'un des prétendants, dénonça sa maîtresse. Face à la colère des prétendants, la reine fut contrainte de terminer sa toile. Depuis – nous apprenons que tout cela se passait trois ans avant le début de notre récit, trois ans avant le moment où nous trouvons le prince rencogné au fond de la salle, rêvant de voir miraculeusement apparaître son père –, la reine s'est retirée à l'étage, dans ses appartements.

Cette histoire nous en dit très long sur le désespoir de Pénélope – et sur son ingéniosité, qui n'a rien à envier à la cautèle de son mari. Mais plus encore, à tisser et détisser, nouer et dénouer, accélérer et retarder, cette image traduit magnifiquement la torpeur, l'immobilité qui pèse sur Ithaque durant la longue absence d'Ulysse. Or ce mouvement permanent de va-et-vient correspond, lui aussi, au rythme de l'*Odyssée* : l'intrigue progresse, puis est freinée par les retours en arrière, les remises en contexte et les digressions sans lesquelles le fil principal du récit paraîtrait bien léger, sans grande substance.

La grande ode aux voyages, donc, aux navigations et aux périples s'ouvre sur des personnages figés sur place. Cette étrange paralysie qui s'est abattue sur Ithaque pose aussi une série de questions qui sont, fondamentalement, d'ordre littéraire. Comment amorcer un poème ? Où débute l'histoire ? Comment tourner la page du passé pour ouvrir sur le présent ?

Une façon de répondre à cette question est : par un acte de volonté. Après le proème, l'action se déplace vers les hauteurs du mont Olympe, séjour des dieux, où Athéna, prenant pitié de son protégé, supplie son père, Zeus, de mettre un terme à ces dix années de stagnation. Connaissant l'affection que porte sa fille à l'astucieux mortel, le roi de l'Olympe accepte. Les dieux s'accordent alors sur un plan en deux volets pour aider Ulysse à rentrer chez lui. Ils dépêcheront tout d'abord Hermès, leur messager, sur l'île où la nymphe Calypso retient Ulysse depuis sept ans, et il lui ordonnera de laisser partir son prisonnier. Mais le poète choisit de reporter cette scène au chant V – celui où le fil de l'intrigue reprend l'histoire d'Ulysse. Entre-temps, le poème se concentre sur le deuxième volet du dessein des dieux, qui se déroule à Ithaque et concerne le fils du héros.

Athéna s'est envolée vers le royaume insulaire et s'introduit dans le palais sous les traits d'un vieil ami d'Ulysse, Mentès. Elle se glisse dans la salle du banquet où les prétendants dansent et ripaillent, et parvient à prendre langue avec le prince Télémaque (dont le nom signifie « le guerrier qui se bat au loin » : le fils qui se définit par l'absence de son père porte un nom qui rappelle tout à la fois l'absence et la raison de cette absence). Au cours de son aimable conversation avec Athéna, Télémaque lui confie avec amertume les terribles angoisses qui le tiraillent : il laisse à un moment donné entendre que, bien que sa mère, Pénélope, lui ait toujours assuré qu'Ulysse était son père, il ne peut en être certain. Athéna s'interrompt un instant pour commenter « l'odieuse arrogance » et la conduite insultante des prétendants, puis s'efforce d'apaiser le désarroi du jeune homme. Elle commence par lui assurer qu'Ulysse n'est pas mort mais qu'il vit sur une île, captif « de brutes » (elle omet avec une amusante pudeur de parler de la charmante nymphe Calypso) ; elle flatte également le jeune homme pour sa forte ressemblance physique avec son père : la tête, les beaux yeux…

Mais elle sait aussi que le meilleur des remèdes serait pour lui de passer à l'action, et elle le prend donc par la main. Elle lui conseille tout d'abord de convoquer l'assemblée des citoyens d'Ithaque et de leur « parler franchement » : « ordonne aux prétendants de s'en retourner dans leurs terres ». Après quoi, poursuit-elle, il lui faudra armer un navire afin de se rendre chez deux des compagnons d'armes de son père, Nestor, le vieux roi de Pylos, et Ménélas, mari d'Hélène et roi de Sparte :

Si tu apprends que ton père est en vie
et sur le chemin du retour, patiente une année encore ;
Mais si l'on te dit qu'il n'est plus,

alors, reviens sur la terre de tes ancêtres,
élève-lui un tombeau, charge-le d'offrandes
dignes de ce qu'il fut, et donne ta mère en mariage.

Ce passage donne en fait le fil directeur de l'intrigue des trois chants suivants de l'*Odyssée*. Au chant II, Télémaque convoque l'assemblée des citoyens d'Ithaque, trop longtemps retardée, et dit leur fait aux prétendants en présence du peuple. Au chant III, il s'éloigne pour la première fois de sa vie de son pays, mettant le cap sur Pylos, où il rencontre Nestor et en apprend un peu plus long sur les faits d'armes de son père ; au chant IV, il quitte Pylos pour Sparte, où il rencontre Ménélas et Hélène dans leur somptueux palais, qui tous deux se font un plaisir d'évoquer pour lui leurs souvenirs sur la ruse et le bon sens d'Ulysse.

Cela pour dire que, tout au long des quatre premiers chants de l'épopée, le fils d'Ulysse vivra enfin ses propres aventures. Ces voyages lui permettront de partager les expériences d'Ulysse, à savoir, comme l'annonce le proème, « de voir les villes et percer l'esprit de bien des hommes ». De cette manière, le poème apporte de façon ingénieusement détournée à Télémaque l'assurance qu'il est bien le fils de son père.

La tradition a donné un nom à cette introduction inattendue mais expressive, comme à certains autres épisodes de l'*Odyssée*. De la même façon qu'*Ilias*, l'*Iliade*, est un chant sur Ilion (l'autre nom de Troie), qu'*Odysseia*, l'*Odyssée*, est un chant sur Odysseus-Ulysse, *Telemakheia*, la Télémachie – titre de la première grande partie de l'épopée –, est un chant sur Télémaque. Et comme l'indique la trajectoire de ces quatre chants, ils racontent comment le fils d'un père absent découvre son père et le monde.

C'est l'histoire de l'éducation d'un fils.

Je ne vois vraiment pas ce qui fait de lui un si grand héros !

Il était onze heures et quart ce 28 janvier 2011. La première séance de mon séminaire « Classics 125 : The *Odyssey* of Homer » avait débuté depuis une heure. Et depuis une heure mon père n'avait pas cessé de pester contre Ulysse.

Il était arrivé chez moi à neuf heures. Malgré le mauvais temps, il avait tenu à venir en voiture. Ce serait plus facile que de prendre deux trains, m'avait-il dit au téléphone l'avant-veille, ce qui naturellement était faux ; mais mon père n'avait jamais aimé être passager. Ce matin-là, en l'attendant, je l'imaginais déjà roulant au pas sur l'épaisse couche de neige dans sa grosse voiture blanche, emmitouflé dans l'un de ses sweats blancs flottants qu'il affectionnait tant. Pour arriver au campus et se laisser un peu de temps avant le début du cours, à dix heures dix, il avait dû quitter la maison de Long Island bien avant sept heures ; et même s'il n'en disait rien, j'étais bien conscient que cette difficulté supplémentaire, ou ce désagrément, lui rendait l'idée de conduire encore plus plaisante. *Si ce n'est pas dur, ça ne vaut pas la peine de le faire.* Je l'entendais d'ici, tout faraud la semaine suivante, faisant mine de se plaindre auprès de ses copains du Town Bagel, Ralph, Milton, Lenny et les autres, réunis autour des tables de formica orange vif devant de grands godets de polystyrène fumants de café chaud, à bavarder, comme ils le faisaient chaque matin depuis des années, de

choses et d'autres : leurs femmes, leurs enfants, les
divorces et les petits-enfants, les matchs de baseball,
l'arthrite et les prostates. *J'ai dû me lever à cinq heures et
demie !* leur dirait papa.

Je l'imaginais, l'air renfrogné, accroché à son volant,
parlant tout seul, remuant silencieusement les lèvres sur
des dents étroites que des années de tabagisme avaient fait
virer au gris-jaune – habitude à laquelle il avait renoncé
un beau jour de 1970, sans doute parce que arrêter d'un
coup était la façon la plus dure d'arrêter, la plus douloureuse. J'avais observé mon père au volant des milliers de
fois au fil des années : faire vrombir son moteur dans les
rues calmes de notre quartier, ombragées d'érables et de
chênes des marais, bordées de maisons qui, derrière leurs
volets fermés, semblaient épier le dehors avec méfiance ;
rouler sur des nationales et des autoroutes asphyxiées par
les gaz d'échappement pour nous emmener à des barbecues d'été et des fêtes de vacances, vers les immeubles de
Brooklyn ou du Queens où vivaient de mystérieux
parents de ma mère, des personnes âgées que nous entendions vaguement, après avoir appuyé sur la sonnette,
traîner les pieds pour venir ouvrir les portes d'acier
repeintes en faux bois, avec leurs innombrables verrous
cliquetants et le judas par lequel ils regardaient prudem-
ment quand nous avions sonné, collant sur la surface du
verre un œil énorme, presque comique, pareil à l'œil
unique de quelque monstre mythique. Je le voyais nous
conduire aux répétitions des concerts, des madrigaux, de
l'orchestre, de la fanfare, de la chorale de l'école, en
automne, en hiver et au printemps ; nous accompagner à
la colonie de vacances, aux cours de piano, de contrebasse
et de guitare, nous conduire aux bar-mitsvah et aux

mariages et, à mesure que les années passaient et que mes grands-parents et les parents des amis de papa et maman décédaient les uns après les autres (et plus tard, quand leurs propres amis ont commencé à disparaître), il suivait également en voiture les lentes processions funèbres, profitant de l'occasion pour pester contre les automobilistes infichus de s'arrêter pour laisser passer le cortège, car s'il tenait en horreur tout ce qui pouvait ressembler de près ou de loin à une cérémonie, il avait un profond respect pour les morts, même ceux qu'il n'avait pas beaucoup aimés de leur vivant – une forme de révérence, je suppose, envers ceux qui avaient enfin accompli la chose la plus dure, la plus douloureuse qui soit.

Lorsqu'il était au volant, mon père relevait machinalement l'épaule gauche, aussi étroite et osseuse qu'une aile de poulet, vers l'oreille, comme dans un spasme et, dans le même temps, il retroussait les lèvres en une moue dubitative, telle que vous pouvez en esquisser inconsciemment quand vous réfléchissez, vous parlant à vous-même, peut-être de vos nombreux enfants, de leurs projets de voyage si souvent retardés, ou de l'argent qu'il leur faut pour faire le long trajet jusqu'à chez vous ; à moins que vous ne vous repassiez une fois encore une vieille dispute avec votre femme, peut-être sur sa réticence à voyager (et c'est d'ailleurs pour cela que vous-même, qui êtes si curieux du monde, si impatient de le voir, n'allez jamais nulle part) ; ou bien que vous pensiez à quelque chose d'autre, quelque chose d'encore plus ancien, à des échanges devenus si familiers, maintenant, que vous pouvez jouer les deux rôles avec autant d'aisance en conduisant votre grosse voiture blanche, l'un des rares luxes que vous vous autorisez – une sorte de compensation, peut-être pour tous les endroits où vous n'êtes jamais allés.

Ce n'est pas ce que tu as dit, c'est la façon dont tu l'as dit.
Oh, ne viens pas me dire ce que j'ai à faire.
Papa ne les aurait jamais laissé me parler sur ce ton.
Ah, ton, père, parlons-en de ton père ! En fait de héros, il se posait-là, crois-moi ! Je sais des choses…
Le corps malingre de mon père se tendait quand il se repassait ces anciennes conversations, l'épaule gauche se tordant vers le haut, la main droite à midi sur le volant, les lèvres remuant silencieusement.

Je supposais qu'il remuait ainsi les lèvres lorsqu'il s'est garé dans mon allée ce jour de janvier, manœuvrant sa grosse voiture avec un zèle exagéré, comme pour dire *C'était pas facile d'arriver jusqu'ici.* Et comme je m'y attendais, la première chose qu'il a dite, en sortant les deux jambes de la porte du conducteur et en s'agrippant d'une main à la poignée intérieure au-dessus de la vitre pour se hisser de son siège – chose que je ne l'avais jamais vu faire jusqu'à récemment –, fut « Il y avait une circulation d'enfer ! »

Il adorait se plaindre de la difficulté qu'il y avait à se déplacer. *Il y avait une circulation d'enfer !* était l'un des refrains qui berça notre enfance, notre adolescence et même notre vie adulte, longtemps après que nous avions quitté la jolie maison blanche et la voiture impeccablement blanche et les pulls blancs trop larges ; la phrase lui explosait en bouche dès qu'il arrivait quelque part, formule aussi invariable et convenue que les phrases toutes faites auxquelles Homère recourt pour décrire certains types de scènes ou d'actions typiques, des levers

90

de soleil, des banquets ou des disputes. « Quand parut la fille du matin, l'Aurore aux doigts de rose », ou « Quand on eut satisfait la soif et l'appétit », ou encore « Quelle parole a franchi la barrière de tes dents ? ». De même, mon père avait son répertoire pour tout ce qui touchait à la conduite. *L'autoroute était un cauchemar !* s'exclamait-il à peine franchi le seuil d'une maison amie, ou bien, *Le Long Island Expressway n'est qu'un immense parking !* lorsque, comme d'habitude, nous arrivions en retard à quelque cérémonie et confirmions tous d'un petit hochement de tête entendu même si, dans certains cas, nous savions que ce n'était pas tout à fait vrai, que ce n'était pas vraiment la raison de notre retard. (Si, par exemple, nous devions nous rendre à un service religieux, il quittait la maison à l'heure où le service devait commencer, puis quand nous arrivions avec une heure de retard, il mettait cela sur le dos d'embouteillages imaginaires.) Même lorsqu'il voulait arriver à l'heure quelque part – chez son ami Nino, par exemple, avec lequel il avait travaillé à l'époque où ils préparaient tous deux leur thèse de mathématiques, ou au court de tennis où, le jeudi soir, il retrouvait son collègue de travail Bob McGill – tout se passait comme si quelque implacable divinité de la circulation lui jouait des tours. Nous nous entassions dans la voiture, tous les sept, Andrew sur la banquette avant car il était malade à l'arrière, Matt, Eric et Jennifer dans le coffre et moi sur la banquette arrière avec maman (qui aimait s'asseoir à l'arrière pour pouvoir mettre sa jambe droite, violacée par les varices dues à ses nombreuses grossesses, sur le siège avant entre l'épaule droite de mon père et l'épaule gauche d'Andrew, *comme ça je peux étirer ma jambe malade*), et il démarrait, mais même s'il avait tout le temps devant lui, il tombait sur des bouchons, la voie expresse était aussi encombrée qu'un parking et nous arrivions en retard.

Il y avait une circulation d'enfer ! s'exclama mon père en s'extirpant de sa voiture ce matin de janvier, posant dans la poudreuse blanche ses deux pieds, qui laissèrent dans la neige des empreintes pareilles à des points d'exclamation furieux. Je l'attendais debout sur le porche et je remarquai qu'il montait les escaliers d'un pas prudent, tant il avait peur de tomber. En s'accrochant à la rampe, il leva les yeux vers moi, me demanda par quoi nous allions commencer ce premier jour de cours, et je répondis : Par le commencement.

Une heure après le début de notre première séance, il était évident qu'il n'avait pas une très haute idée d'Ulysse.

Une semaine plus tôt, j'avais envoyé un mail aux étudiants inscrits au séminaire pour leur demander de lire le chant I avant notre première rencontre, et de réfléchir à la façon dont commence l'épopée. Nous nous retrouverions chaque vendredi pour un peu moins de deux heures et demie, de 10 h 10 à 12 h 30, entrecoupées d'une petite pause vers 11 h 15. Pour la séance inaugurale, leur avais-je écrit, nous consacrerions la moitié du cours au chant I. Après la pause, je leur ferais un exposé magistral sur les bases de la poésie homérique : nous aborderions la controverse sur l'origine des poèmes homériques, les particularités de la poésie orale, les techniques narratives propres à l'épopée, et pour finir je leur dirais ce que j'attendais d'eux dans ce cours.

Je leur avais également annoncé que mon père assisterait au cours. Il valait mieux les avertir, m'étais-je dit, afin qu'ils ne se laissent pas déstabiliser par sa présence au premier jour de classe.

Donc, déclarai-je en regardant la table du séminaire à 10 h 15, je vous ai demandé de réfléchir à la façon dont commence l'*Odyssée*. Nous ne pourrons pas analyser entièrement le chant I aujourd'hui – nous reviendrons plus en détail sur les chants I et II la semaine prochaine –, mais nous pouvons au moins lancer la discussion. Qu'est-ce qui vous frappe dans l'ouverture du poème – quelque chose d'étrange, quelque chose qui mérite d'être relevé ?

Un garçon assis au bout de la table esquissa un sourire et lâcha : C'est long ! De profondes fossettes juvéniles cassaient complètement l'effet du côté cool qu'il cherchait à se donner par sa mise faussement débraillée. Je levai les yeux au ciel, et la mince jeune fille aux yeux noirs assise à sa gauche lui donna un coup de coude dans les côtes. Tiens, un petit couple. Elle avait les yeux si noirs qu'on ne distinguait pas l'iris de la pupille.

Allez, creusez un peu, repris-je sèchement. Comment t'appelles-tu ?

Jack, répondit le garçon au négligé artistique. Nina, dit la fille.

J'avais posé sur mon bureau la liste que m'avait envoyée le secrétariat. Je la parcourus du regard, cherchant leurs noms. À côté de celui du garçon, j'écrivis « Jack-aux-fossettes ». Devant celui de la fille « Nina-aux-yeux-noirs ».

J'avais pris cette habitude vingt ans auparavant, quand j'avais commencé à enseigner comme assistant pendant mes études. Le premier jour de cours, à mesure que les étudiants se présentaient, j'associai leur nom à quelque caractère physique mémorable afin de me rappeler qui ils étaient. Du coup, il arrivait souvent que, même lorsque je connaissais bien les étudiants, je continue à les associer par réflexe à leur signe particulier, comme Zack-aux-fines-lunettes-rondes ou Maureen-aux-yeux-verts, comme si ces traits et particularismes physiques, loin d'être superficiels, étaient en fait révélateurs de quelque essence intérieure inaliénable, un goût de la précision ou une irrésistible espièglerie. Ce n'est pas très différent de la façon dont, dans les épopées homériques, certains personnages sont identifiés par des épithètes consacrées faisant référence à une caractéristique ou à un attribut physique (« Achille au pied léger », ou « Athéna aux yeux pers ») ou encore à une posture ou une gestuelle particulière. Par exemple, chaque fois que Pénélope descend de sa chambre vers la grand-salle du palais où les prétendants festoient, la scène est décrite exactement de la même façon que la première fois, au chant I :

> Elle descendit, en sa demeure, le grand escalier,
> mais elle n'était pas seule : deux suivantes l'escortaient,
> et quand cette divine parmi les femmes fut face aux
>   prétendants,
> elle resta debout au seuil de la grand-salle,
> et ramena son voile brillant sur ses joues,
> ses fidèles suivantes à ses côtés.

Certains lecteurs modernes trouvent quelque peu déroutantes ces répétitions de phrases mot pour mot, cette récurrence étrangement mécanique de gestes et de postures. Mais de l'avis de certains spécialistes, au-delà de la fonction technique que ces vers préfabriqués pouvaient remplir, ils nous éclairent sur l'état d'esprit des poètes archaïques, en particulier sur leur conviction que, par-delà les distorsions de l'histoire, de la violence et du temps, il existait une cohérence sous-jacente à la nature des gens et des choses – cohérence à laquelle il était essentiel de croire dans un poème dont les personnages ne parviennent plus à se reconnaître les uns les autres après des dizaines d'années de séparation et de traumatisme. Cette vision de la fonction de l'épithète est plutôt rassurante, et de fait, leur récurrence finit par nous paraître réconfortante. Tels des pitons plantés sur l'immense paroi de l'épopée, elles permettent aux lecteurs de se raccrocher à quelque chose à mesure qu'ils se fraient un chemin dans les méandres du texte.

Balayant la salle du regard, je répétai ma question : qu'avaient-ils trouvé d'intéressant dans l'ouverture du poème ?

Un garçon à la pomme d'Adam saillante et à la grosse tignasse noire, qui, depuis mon point de vue plongeant, me parut trop grand pour ses vêtements – en ce matin de fin janvier, ses poignets dépassaient de beaucoup des manches de son pull – brisa la glace. Ce que je trouve bizarre, c'est qu'Ulysse est à peine présent dans le chant I.

Un caricaturiste aurait pu représenter ce garçon par un simple trait vertical surmonté d'une tache sombre. Il ressemblait exactement au Don Quichotte d'un dessin de Picasso que mes parents avaient à la maison quelque part, l'une des reproductions du Metropolitan Museum que ma mère avait fait encadrer.

Bonne remarque, dis-je. En effet, le centre d'attention est ailleurs, au début.

Je lui demandai son nom.

Tom.

En face de son nom, j'inscrivis : « Tom-Don-Quichotte ».

Bonne remarque, répétai-je. Ulysse est une sorte de fantôme dans le chant I. Mais alors, quel est le sujet du chant ?

Une fille aux yeux gris assise près de moi leva le menton et se présenta en hochant la tête, Moi c'est Trisha. Une masse de boucles blondes tressaillait quand elle parlait.

Je pris note sur la liste. « Trisha-aux-boucles-botticelliennes. »

Tout le chant est centré sur la situation à Ithaque, dit-elle.

Exact, dis-je. Et quelle est la situation, au juste ?

On dirait qu'il y a… une certaine stagnation, au début, poursuivit-elle.

Bien. Donc, pourquoi pensez-vous qu'au chant I, Homère se concentre sur la stagnation à Ithaque au lieu d'en venir directement à Ulysse ?

Je dévisageai les étudiants tour à tour, essayant de les encourager, mais aucun ne réagit.

De temps en temps, lorsque l'on enseigne – pas souvent, mais parfois –, on tombe sur un groupe avec lequel le courant ne passe pas. On parle, on leur pose des questions pour les guider, on leur souffle le début de la réponse, pour les faire démarrer, mais ils restent là, sagement assis, prenant poliment des notes et risquant de temps à autre une remarque hésitante, avec cette manie de terminer leur phrase sur l'intonation montante d'une question. Les échanges sont poussifs, unilatéraux, et n'ont pas cette dynamique des va-et-vient pétillants qui est la marque d'un bon séminaire. Il était un peu tôt pour se faire une idée, mais je craignais que ce groupe-là ne soit un peu réticent. *Eh zut*, me dis-je. *Il fallait que ce soit le cours que papa vienne observer.*

Enfin, un grand gaillard blond au visage rond et aux yeux bleus perçants derrière des lunettes à grosse monture leva la main.

Je m'appelle Tom, moi aussi, dit-il.

Sur la liste, je notai : « Tom-Sancho-Pança ». Puis je rayai et corrigeai : « Tom-le-Blond ».

Ce ne serait pas un genre de mise en scène ? Il veut nous montrer comme tout va mal au pays, et comme ça, quand Ulysse reviendra enfin, son retour sera vécu comme une apothéose.

L'idée me plaît, dis-je. Mais dites-moi une chose : à partir de ce que nous savons d'Ulysse au chant I, ce genre d'apothéose vous paraît-elle plausible ?

Une étudiante toute menue au fond de la rangée de droite souleva une main pâle à dix centimètres au-dessus de sa table et l'agita légèrement, comme quelqu'un qui essaierait de faire signe à une amie pendant la messe à l'église. Elle avait une chevelure magnifique : roux foncé, presque de la couleur du henné, retombant droit sur ses épaules comme un rideau luisant.

Non, ça s'annonce mal, dit-elle. Moi, je l'ai trouvé un peu morfondu, en fait…

Pardon, mais comment t'appelles-tu ?

Elle rougit et dit : Excusez-moi.

Tu n'as pas à t'excuser. Continue.

Je m'appelle Madeline.

Je repérai son nom sur la liste. « Madeline-au-roux-flamboyant. »

Très bien, Madeline. Qu'est-ce que tu entends par « morfondu » ?

Il est juste totalement *déprimé*, reprit-elle. Quand Athéna discute avec Zeus, au début, quand ils décident du sort d'Ulysse et qu'elle raconte qu'il est coincé sur l'île avec Calypso, elle dit qu'il passe son temps à broyer du noir sur l'île, à pleurer.

Les boucles de Trisha dodelinaient tandis qu'elle prenait des notes. Elle releva la tête et dit, Je pense que le chant I est conçu un peu comme une surprise. Nous sommes au début d'une grande épopée sur ce héros fameux, et la première fois qu'on nous parle de lui, on nous le présente comme un loser. C'est un naufragé, un prisonnier, il n'a aucun pouvoir et aucun moyen de rentrer chez lui. Il est loin de tout ce qui compte pour lui. On dirait qu'il a touché le fond et qu'il ne peut donc que rebondir.

Excellent, commentai-je, En effet. Le verbe grec *kalyptein* signifie « cacher ». Calypso est donc littéralement « celle qui cache ». Elle le cache au beau milieu de la mer, au milieu de nulle part. Et sur cette île perdue au milieu de nulle part, elle vit dans une caverne, et cette caverne est entourée d'arbres, des cyprès, des peupliers et des aulnes, avec des massifs de plantes aromatiques à l'arrière et des chouettes hululant dans les arbres – nous y reviendrons, lorsque nous aborderons le chant V, mais cela vous donne déjà une idée. C'est un espace sombre, clos, fertile, dérobé. Certains chercheurs y ont vu une sorte de matrice maternelle, une cavité féminine dont Ulysse ressortira comme d'une nouvelle naissance.

Je parcourus l'assistance du regard. Les étudiants affichaient une expression aussi vide et lisse que des galets.

Bon, nous devrions peut-être garder cela pour plus tard, balbutiai-je. En tout cas, Trisha a raison : au début, il apparaît un peu comme un loser, mais ça fournit une base pour la trajectoire du héros.

Ce fut à ce moment-là que mon père leva la tête et dit, Un « héros » ? Moi je trouve qu'il n'a rien d'un héros.

Toutes les têtes se tournèrent à l'unisson dans sa direction. Au lieu de s'asseoir avec les autres étudiants autour de la table, il s'était installé dans un coin de la pièce, sur ma gauche et un peu derrière moi, à huit heures, dans une grosse chaise en bois sous une fenêtre qui donnait sur une morne étendue de neige remblayée mêlée de cailloux. Il garderait cette place tous les vendredis pendant les quinze prochaines semaines.

Je vais vous dire, moi, ce que je trouve intéressant chez Ulysse.

Je me retournai et lui fis les gros yeux. Quand nous avions évoqué l'idée qu'il assiste à mon cours, il m'avait promis qu'il n'interviendrait pas en classe. *Naaan*, avait-il dit à un moment, peu après le jour de novembre 2010 où il m'avait appelé pour me dire, Je suis en train de lire l'*Odyssée* sur mon iPad, mais il y a pas mal de choses qui m'échappent. Tu ne m'as pas dit que tu allais faire cours là-dessus au semestre prochain ? – et c'est ainsi que tout avait commencé. J'avais hésité, dans un premier temps. Avait-il vraiment envie de faire deux heures et demie de route dans chaque sens chaque semaine, et de passer encore deux heures et demie avec des gamins de première année ? *Mais oui*, avait-il répondu. Pourquoi pas ? N'oublie pas que j'ai enseigné, moi aussi. Je sais m'y prendre avec les jeunes ! J'avais réfléchi un moment. Bon, d'accord, avais-je fini par dire. Mais souviens-toi que c'est un séminaire, pas un cours magistral – il y aura un groupe de gamins assis autour d'une table pour parler du texte. Aucun moyen de se dérober. Tu ne crains pas d'être un peu mal à l'aise dans ce genre de cadre ? Non, ne t'en fais pas, m'avait répondu mon père. Je resterai sagement assis et *j'écouterai.*

Et voilà qu'au premier jour de classe il prenait la parole. Je vais vous dire, *moi,* ce que je trouve intéressant, répéta-t-il.

Il était penché au-dessus de son pupitre, la main en l'air. Le voir là, dans cette salle, avec ces très jeunes étudiants, me fit un effet curieux : pour la première fois, il me parut soudain très vieux, plus petit que dans mon souvenir, plus pâle. Ce choc, reconnaître mon père sous les traits d'un vieillard, ne m'était plus totalement nouveau, mais parfois, sous une certaine lumière ou dans des situations données, son apparence arrivait encore à m'étonner. Quelques mois plus tôt, en septembre, j'avais pris le train à Manhattan pour aller passer deux ou trois jours chez mes parents, à l'occasion du quatre-vingt-unième anniversaire de mon père. Je l'avais appelé pour lui donner mon heure d'arrivée, Non, avait-il dit, ne prends pas de taxi, je viendrai te chercher. En descendant sur le quai à Bethpage, j'ai jeté un coup d'œil sur la masse des voitures garées au parking, en me demandant pourquoi un vieil homme tout desséché flottant dans ses vêtements me faisait signe, et c'est là que ça m'est tombé dessus : *Papa.* Un peu gêné, j'ai descendu les marches vers le parking, et il a pincé les lèvres comme il le faisait parfois quand quelqu'un l'exaspérait par son inexplicable bêtise – un automobiliste qui lui avait grillé la politesse, la caissière qui se trompait dans la monnaie – et il a grogné : *J'étais là, juste sous ton nez à te faire signe !* Je n'ai rien trouvé de mieux à dire que, Désolé, j'avais le soleil dans les yeux.

Très bien, m'entendis-je répondre à mon père. Qu'est-ce qui est intéressant, alors, d'après toi ? Et qu'est-ce qui te fait dire qu'il n'a rien d'un « héros » ?

Il s'éclaircit la voix et désigna Trisha d'un geste évasif. D'abord, je suis d'accord avec elle : c'est un loser – mais pas seulement parce qu'il est prisonnier et perdu.

Les étudiants avaient l'air amusé.

Il n'y a que moi, ici, que ça chiffonne qu'Ulysse soit *seul* au début du poème ?

Comment ça, « seul » ? Je ne voyais pas où il voulait en venir.

Eh bien, reprit-il. Vingt ans plus tôt, il est parti combattre à la guerre de Troie, non ? Et à ce que l'on sache, c'est lui qui dirigeait l'armée du royaume…

En effet… Le chant II de l'*Iliade* énumère toutes les armées grecques qui ont convergé vers Troie. Et il est dit qu'Ulysse a levé l'ancre avec un contingent de douze navires.

Justement ! répliqua triomphalement mon père. Ça représente plusieurs centaines de soldats. Et donc, ma question est : où sont passés ces douze navires et leurs hommes de bord ? Comment se fait-il qu'il soit le seul à rentrer chez lui vivant ?

Quelques étudiants échangèrent des regards perplexes. D'autres compulsèrent leur exemplaire de l'*Odyssée* et plissèrent les yeux sur les pages, comme s'ils espéraient soutirer une réponse au papier.

En fait, c'est une bonne question, dis-je. Quelqu'un veut-il essayer d'y répondre ?

Je scrutai un à un les visages, dans le fol espoir que l'un ou l'autre de ces jeunes gens réponde à la question de mon père, mais ils ne me renvoyaient que des regards vides.

Je repris donc la main. Eh bien, d'après moi, il y a deux façons de répondre à cette question. La première porte sur l'intrigue. Si vous avez bien lu le proème, vous vous souviendrez qu'il qualifie les marins d'« insensés », qui ont péri « par leur folle témérité ». À mesure que nous avancerons dans le poème, nous en apprendrons davantage sur les événements qui ont causé la mort de ces hommes, des groupes différents, à différents moments. Et alors, vous me direz si vous pensez que c'est vraiment par leur folle témérité qu'ils sont morts.

Mon père grimaça, l'air de dire qu'il se serait mieux débrouillé qu'Ulysse et que lui aurait ramené sans encombre ses douze navires et leur équipage. Donc, tu admets qu'il a perdu tous ses hommes ?

Oui, répliquai-je, sur la défensive. J'avais l'impression d'avoir onze ans, qu'Ulysse était un camarade de classe qui avait fait une bêtise et que j'avais décidé de le défendre, quitte à être puni avec lui.

Il n'était visiblement pas convaincu.

Nina, la jeune fille aux yeux noirs, m'interpella. Vous avez dit qu'il y avait deux façons d'expliquer pourquoi il rentrait tout seul. Et la deuxième, c'est quoi ?

Eh bien, cette réponse-là porte davantage sur la technique narrative. Si on y réfléchit bien, il doit *absolument* être le seul à rentrer.

Je mesurai mon petit effet, laissai planer un instant de suspens, et repris : Si Ulysse est le seul à être toujours debout, alors ?…

Trisha leva le nez de son cahier. Alors il devient le héros de l'histoire.

Exactement. *Elle est vive, cette petite*, me dis-je.

Imaginez... À quoi ressemblerait l'*Odyssée* s'il était rentré avec une douzaine d'hommes, ou cinq, ou même un seul ? Ça ne marcherait pas. Pour être le héros d'une épopée, il faut se débarrasser de la concurrence, pour ainsi dire.

Mon père revint à la charge. Eh bien moi, je ne trouve pas qu'il ait grand-chose d'un héros. Il prit à témoins les étudiants. Un chef qui perd tous ses hommes ? Vous parlez d'un héros !

Les étudiants éclatèrent de rire. Puis, comme s'ils craignaient d'avoir franchi une ligne rouge, ils se recroquevillèrent avec un petit regard contrit, attendant ma réaction. Pour leur montrer que j'étais bon joueur, je fis un grand sourire.

Mais intérieurement, je bouillonnais. *Ça va être l'horreur, ce cours !*

Ils revinrent de la cafétéria un peu avant onze heures et demie, leurs gobelets de café à la main, tapant des pieds pour secouer la neige de leurs chaussures. Quand tout le monde eut repris sa place, je me lançai dans mon cours magistral, qui devait occuper pratiquement toute la dernière heure.

C'est la dernière fois que je parlerai autant dans ce cours. Le principe du séminaire, c'est que ce soit vous qui parliez. Moi, on ne me paie pas assez pour ça.

Quelques rires gênés crépitèrent dans la salle.

Je commençai par la fameuse controverse de la « question homérique », un débat vieux de plusieurs siècles sur la façon dont les épopées homériques étaient apparues – était-ce à l'origine un texte écrit ou des compositions orales ? Il était important que les étudiants saisissent bien les grandes lignes de ce débat, car des points essentiels d'interprétation changent du tout au tout selon que l'on penche pour l'une ou l'autre de ces théories.

Les Grecs eux-mêmes s'accordaient généralement à penser qu'il avait existé un poète du nom d'Homère qui coucha ses poèmes sur le papier. Hérodote supposait qu'Homère avait vécu vers le VIIIe siècle avant notre ère, soit quatre cents ans avant le temps de l'historien ; quatre siècles après Hérodote, Aristarque de Samothrace, directeur de la bibliothèque d'Alexandrie (la plus grande institution savante de l'Antiquité) et autorité reconnue sur les textes homériques, situait pour sa part la vie du poète aux alentours de 1050 avant notre ère, soit un siècle et demi après la date présumée de la guerre de Troie. S'il était largement admis qu'Homère avait écrit l'*Iliade* et l'*Odyssée*, certains savants antiques, les « séparatistes » ou « analystes », soutenaient qu'il y avait eu en fait deux auteurs distincts. Dans l'Antiquité, pas moins de sept villes prétendaient avoir vu naître Homère.

La controverse en était là quand, à la fin du XVIIIe siècle, un savant français, un certain Villoison, découvrit au fin fond d'une bibliothèque de Venise un manuscrit de l'*Iliade* datant du Xe siècle. Ce manuscrit ne ressemblait à aucun de ceux qui circulaient depuis des siècles : car en regard du texte grec, il comportait des transcriptions des notes marginales de commentateurs anciens, depuis les sages byzantins jusqu'aux fameux bibliothécaires d'Alexandrie, qui écrivaient aux IIe et Ier siècles avant notre ère. Et il ressortait de ces notes que ces premiers commentateurs avaient manifestement eu accès à des versions différentes, et parfois contradictoires, du poème. S'emparant de cette révélation, un chercheur allemand qui préparait une recension du livre de Villoison – et qui se trouvait être Friedrich August Wolf, le père de la philologie, l'étude scientifique de la littérature – fit une découverte révolutionnaire : les textes de l'*Iliade* et de l'*Odyssée* qui nous sont parvenus n'avaient pu être mis par écrit qu'à une date relativement tardive de leur histoire, pour la simple et bonne raison, affirmait Wolf – au grand dam de beaucoup de ses contemporains –, qu'Homère lui-même était sans doute illettré. Au lieu d'écrire ses poèmes, comme on l'avait jusqu'alors pensé, il avait plutôt composé une série de ballades, ou de « lais » assez courts pour être appris par cœur, et qui se transmirent oralement pendant des générations, peut-être par l'intermédiaire de guildes de rhapsodes professionnels. Puis, à un moment donné, ces lais épars auraient été réunis pour composer les poèmes immensément longs et complexes que nous connaissons aujourd'hui, par quelque éditeur/compilateur érudit qui, contrairement à ses prédécesseurs, maîtrisait l'art de l'écriture.

L'hypothèse de Wolf a ouvert la voie à ce que nous appelons aujourd'hui la théorie orale de la composition homérique, qu'admettent la plupart des hellénistes modernes. Selon cette théorie, il n'y aurait pas eu un seul Homère : les rhapsodes qui récitaient les épopées, des récitants itinérants dépositaires d'une tradition séculaire, reprenaient le matériau que d'autres poètes avaient composé tout en le raffinant et en y ajoutant leur patte, improvisant parfois au fil de leur récitation. (Pour des raisons pratiques, la plupart des hellénistes continuent de nommer « Homère » cet auteur collectif, comme je le fais ici.) Cette composition au fil du récit, comme le soutinrent par la suite les partisans de Wolf, était rendue possible par certains caractères conventionnels de la poésie homérique. Prenons par exemple les fameuses épithètes homériques – « Agamemnon, roi des guerriers », « l'Aurore aux doigts de rose ». Imaginez que vous improvisez en racontant une histoire en vers ; si vous savez que le prochain vers que vous aurez à chanter se termine par « dit Agamemnon, roi des guerriers », vous pouvez déjà prévoir comment vous allez compléter le début de ce vers, et ainsi concentrer sur la partie manquante votre énergie créative.

L'un des avantages de la théorie orale était qu'elle expliquait un certain nombre d'incohérences et d'étrangetés dans l'*Iliade* et l'*Odyssée*. Certains de ces points sont en fait assez techniques : il arrive par exemple que soient mentionnés dans une seule et même scène des outils et des objets, voire des techniques de guerre datant de périodes extrêmement diverses de l'histoire grecque. (D'autres discordances sont plus apparentes : quelques personnages meurent deux fois.) La structure des épopées présente également des anomalies flagrantes. Un exemple, repris aussi bien par les partisans de Wolf que par ses opposants, qui attribuaient les épopées à un auteur unique, était justement celui de la Télémachie. Pour ceux qui voulaient voir dans ces deux poèmes l'œuvre composite d'auteurs multiples assemblée sur plusieurs générations, l'absence manifeste de continuité entre d'une part les quatre premiers chants de l'épopée, résolument centrés sur Télémaque et sur sa quête du père disparu, et d'autre part l'histoire d'Ulysse et de son voyage de retour, qui commence au chant V, était la preuve que les chants I à IV étaient à l'origine des lais distincts, qui furent ajoutés au *corpus* principal par un éditeur ultérieur, laissant, pour reprendre les termes de Wolf, « des articulations visibles et des sutures imparfaitement cousues » entre les deux parties. Ceux qui en revanche restaient persuadés que les poèmes étaient le fait d'un seul et même génie créateur faisaient valoir les divers éléments qui assuraient, selon eux, la continuité et la cohérence entre la Télémachie et le reste du poème. Pour eux, le voyage en mer du prince aux chants II et IV, ses rencontres avec des inconnus passionnants ayant des histoires passionnantes à raconter, sont des répliques en miniature des aventures de son père contées aux chants suivants. Ces savants soulignaient également que les différentes descriptions de la crise dans laquelle est plongée Ithaque, aux chants I à IV, sont indispensables pour préparer le terrain au retour d'Ulysse. Tout cela, affirmaient-il, se rattachait à une vision artistique globale subsumant la diversité des thèmes et des épisodes de l'épopée.

Quoi qu'il en soit, le fait que ces deux camps ont pu utiliser les mêmes exemples à l'appui d'interprétations théoriques diamétralement opposées est révélateur de la façon dont les uns et les autres nous lisons et interprétons les textes littéraires – une interprétation sans doute elle-même ancrée dans les mystères de la nature humaine. Là où les uns ne voient que confusion et incohérence, d'autres trouvent du sens, des parallélismes et une logique d'ensemble.

Tout cela est-il bien clair ? demandai-je au terme de mon long exposé sur la question homérique lors du premier cours « Classics 125 : The *Odyssey* of Homer ». Je sais que cela fait beaucoup de choses à assimiler, mais il est important que vous sachiez comment ces poèmes ont pu être assemblés lorsque vous avancerez dans le texte, car je vous demanderai de repérer ces effets de rupture ou au contraire d'unité qui faisaient la matière de ce savant débat.

Ils hochèrent dûment la tête.

Eh oui, tout ça, dis-je, déclenchant des rires nerveux.

Je sais, cette histoire d'improvisation au fil du récit paraît impossible, mais en fait, nous le faisons tous, à divers degrés.

Sur ce, je leur racontai une histoire.

Quand mes garçons étaient petits, leur passage préféré de l'*Odyssée* était l'épisode de la méchante nymphe Circé. Pendant ses voyages, Ulysse aborde à son île et, à un moment donné, Circé transforme ses marins en porcs. C'était peut-être pour cette métamorphose comique que Peter et Thomas adoraient ce passage et ne se lassaient pas de me l'entendre raconter. Peter avait dans les sept ans et Thomas était encore en maternelle. Les jours de semaine, quand Lily était partie au travail, je harnachais les garçons dans leurs sièges auto et, en roulant sur les petites routes de campagne sinueuses qui menaient à leur école, je leur inventais une version inédite de l'épisode de Circé : l'arrivée sur l'île, la transformation des hommes en cochons, et l'intervention d'un dieu bienveillant qui donne à Ulysse une herbe magique pour rompre le maléfice de la sorcière. (À la fin de l'épisode, Ulysse et Circé couchent ensemble, mais j'omettais ce détail.) À l'époque, mes garçons traversaient une phase difficile, où ils n'aimaient rien de ce qu'ils avaient dans leur assiette.

Pour les inciter à manger, j'intégrais à mon histoire ce que j'avais mis dans leur lunchbox du jour. *Et quand Ulysse et ses hommes ont débarqué sur l'île d'Aiaé, qu'ont-ils trouvé dans la clairière ? De la délicieuse compote de pommes !* À mesure que je brodais sur mon thème, tout en calculant le temps qu'il me faudrait pour arriver à la conclusion – *Et quand elle a compris qu'elle avait trouvé plus fort qu'elle, elle a autorisé Ulysse et tous ses hommes à séjourner dans son palais pendant un an, ils sont devenus très bons amis, et tout le monde aidait tout le monde !* –, je sentais presque la force de leur attention peser sur ma nuque, tant ils espéraient que je trouve moyen de conclure au moment même où nous arrivions devant l'école – et bien sûr, j'y arrivais toujours. *Dépêche-toi, Nano, dépêche-toi !* soufflait Peter quand nous tournions dans l'allée de l'école, m'appelant par le surnom qu'il m'avait donné quand il avait commencé à parler et qu'il ne pouvait pas encore prononcer « Daniel »... Des années plus tard, au lycée, il s'est inscrit, pour mon plus grand bonheur, à un cours de mythologie – lorsque nous en parlions à nos amis, je m'empressais de préciser que je ne l'avais pas « forcé » à quoi que ce fût pour lui donner le goût la littérature classique. Un soir, il vint me trouver, hilare. Dis, Nano, cette histoire que tu nous racontais, avec Circé, les mandarines et les sandwichs au beurre de cacahuètes, c'est *pas du tout* comme ça dans le livre ! Je lui fis un sourire en coin. Et alors, je fais la même chose qu'Homère, voilà tout. Comment ça ? s'étonna Peter. Eh bien, j'improvise !

Mon récit avait amusé les étudiants. Si vous y réfléchissez bien, ajoutai-je, vous serez surpris de voir à quel point on brode et on invente quand on raconte une histoire en public.

En prononçant ces mots, je pensai... Ou quand on enseigne.

Je passai ensuite au catalogue des particularités de la poésie homérique, commençant avec le long mètre composé de six mesures, appelé l'hexamètre dactylique, qui imprime son rythme à chacun des douze mille cent neuf vers de l'épopée :

TA-ta-ta TA-ta-ta-TA ; ta-ta TA-ta-ta TA-ta ta TATA

Je leur parlai des épithètes traditionnelles, si utiles pour identifier rapidement les personnages, et si essentielles à la composition orale. Je leur demandai de chercher des « comparaisons épiques », ces passages dans lesquels le poète s'interrompt pour comparer un personnage ou une action de son récit fabuleux, au prix parfois de très longues digressions, à quelque réalité triviale familière à son public – à nous. (Ma préférée se situe dans une scène de bataille de l'*Iliade*, où le poète compare un guerrier qui transperce d'une lance le crâne d'un ennemi et embroche le malheureux pour le faire basculer de son char, à un pêcheur adroit tirant un poisson de l'eau.) Ces longues comparaisons ont une double fonction, paradoxale : rendre l'action plus vivante, plus abordable, mais aussi, en revenant brièvement aux réalités quotidiennes de son auditoire, labourer, pêcher, cuisiner, lui offrir un répit en mettant un instant entre parenthèses le monde du poème, souvent implacablement violent ou étrange.

Je leur parlai encore de la composition circulaire, cette remarquable technique narrative qui mêle passé et présent, et permet, à partir d'un épisode donné de la vie d'un personnage, d'évoquer son entière biographie.

Je repris mon souffle. Des questions ?

Jack, le gamin débraillé, prit un petit air mutin. Euh, vous pourriez nous parler du plan de cours ?

Quelques-uns ricanèrent.

J'expliquai comment fonctionnerait le séminaire. Après la séance de ce jour, nous étudierions deux chants à chaque séance, un avant la pause, et un autre après. Je leur rappelai que la semaine suivante, nous finirions de discuter du chant I et que nous attaquerions le chant II. Je leur donnai la marche à suivre pour accéder au site web, où j'avais mis en place un forum de discussion pour chaque séance. Chaque semaine, ils devraient rédiger un ou deux paragraphes sur le passage à l'étude, à mettre en ligne le jeudi soir à minuit au plus tard. Mon expérience passée m'avait appris que c'était un bon moyen d'amorcer la conversation, de les aider à formuler leurs réflexions avant la classe. J'expliquai mes critères de notation – sujet qui les inquiétait toujours terriblement – et répondis aux inévitables questions sur le programme des partiels et de l'examen final et sur le poids relatif des examens, des dissertations et de la participation orale dans la note finale.

Lorsque j'eus terminé, il était midi moins le quart. Encore un quart d'heure…

Autre chose ?

Le garçon qui semblait trop grand pour ses vêtements leva un long bras. Tom-Don-Quichotte.

Euh, j'ai une question ?

C'est une question ou tu en as une ?

Cette manière qu'ont les étudiants de finir leur phrase sur une intonation interrogative a le don de m'exaspérer, et j'étais bien décidé à leur en faire passer l'habitude.

Tom gloussa nerveusement. Alors voilà, vous nous avez averti dans un mail que votre père assisterait au cours, mais on peut vous demander *pourquoi* il suit ce cours ?

Tout le monde rit.

J'allais ouvrir la bouche pour répondre, pour expliquer une situation dont je commençais à me dire qu'elle risquait de sérieusement perturber le séminaire, quand mon père leva la main.

Professeur *Mendelsohn*, vous permettez ? dit-il d'un ton légèrement affecté.

Je lui renvoyai une grimace obséquieuse, pour amuser la galerie.

Oui, *papaaa ?*

Quelques rires fusèrent à nouveau, mais notre public était surtout curieux.

Tandis que mon père prenait le temps de jauger la salle, je me demandai quel genre de prof il avait pu être. Je n'avais jamais compris ce qu'il avait pu faire de toutes ces journées, durant toutes ces années chez Grumman, puisqu'une grande part de son travail était confidentiel, et que tout cela m'échappait parce que j'étais si mauvais en maths et en science, même si, de temps en temps, il parlait de tel ou tel projet sur lequel il travaillait et essayait même à l'occasion de nous y intéresser : comme cette fois, au début des années 1980, où il avait dit qu'il travaillait en « optique numérique », m'expliquant patiemment qu'il s'agissait « d'essayer d'apprendre aux ordinateurs à voir » (je n'ai compris que bien plus tard que c'était le début de l'imagerie numérique, technologie qui, pour un constructeur aéronautique, servait à créer des systèmes de reconnaissance de cibles) ; ou encore, dans les années 1970, une décennie où il partait souvent pour de longs voyages d'affaires – périodes pendant lesquelles force était de constater que l'ambiance était bien plus détendue à la maison, et que maman retrouvait un peu de son humour pétillant –, quand il nous a appris que Grumman diversifiait ses activités aérospatiales et qu'il travaillait sur un projet pour mettre au point un cœur artificiel. Je devais avoir quatorze ou quinze ans, et nos rapports étaient plutôt tendus. *Un cœur artificiel*, pensai-je avec un brin d'amertume, *ça ne lui ferait pas de mal*. Et avant cela encore, à la fin des années 1960, quand nous étions encore petits, il y avait eu la première mission Apollo sur la Lune. Grumman avait construit le module lunaire et, pendant les deux semaines d'enthousiasme qui avaient précédé l'événement, nous éprouvions tous – non seulement notre famille, mais des dizaines de nos amis et leurs familles, puisque Grumman était le premier employeur de Long Island – une grande fierté à l'idée que c'était « notre » réussite. Nous, les enfants, avions eu le droit de veiller jusqu'après minuit pour suivre en direct l'alunissage de la capsule à la télé. Plus tard, sur le bar qu'il avait construit au rez-de-chaussée, mon père exposa fièrement les verres à cocktail au logo du module lunaire que Grumman avait offerts à ses employés, des verres en cristal sur lesquels la silhouette du célèbre véhicule se détachait en bleu. Nous les trouvions un peu kitsch, mais ils n'ont jamais quitté l'étagère où papa les avait exposés.

Puisque j'avais moi-même fini par enseigner à la fac, je m'étonnais que mon père ne m'eût pas parlé plus de sa deuxième carrière, celle de prof d'informatique, que de la première ; mais peut-être sentait-il que sa discipline ne m'intéressait pas. Quand il prit sa retraite, vers l'âge de soixante-quinze ans, je remarquai à l'occasion d'un passage à la maison qu'il avait récupéré la grosse plaque en plastique blanc gravée à son nom qui était clouée à la porte de son bureau à l'université Hofstra pour la coller sur la porte de son bureau à la maison, l'ancienne chambre que je partageais avec Andrew, avec ses lits jumeaux étroits, ceux que mon père avait construits, disposés perpendiculairement. Les lits avaient depuis longtemps laissé place à un immense bureau en L sur lequel mon père entassait ses papiers, parmi lesquels cinq épaisses chemises cartonnées, une pour chacun de ses enfants et de leurs familles respectives, qu'il tenait scrupuleusement à jour avec des photos et des coupures de presse. Le plateau de ce grand bureau disparaissait sous les imprimantes, scanners et ordinateurs portables auxquels il vouait une sorte d'affection, comme à des animaux de compagnie, tandis qu'au sol la grosse unité centrale dont les câbles noirs s'enroulaient dans un épais entrelacs sous le plan de travail ronronnait et bipait. À l'autre bout de la pièce, il restait l'unique vestige de notre chambre d'antan : le petit bureau de chêne sur lequel nous faisions nos devoirs. Au-dessus, papa avait vissé une étagère à CD remplie de coffrets, Ella Fitzgerald, l'intégrale des symphonies de Mahler par Bernstein, et Django Reinhardt, et, au grand désespoir de ma mère, il avait scotché sur les murs des photos de nous, de nos enfants, et de personnalités qu'il admirait, Billie Holiday, Einstein, Bach. Notre chambre était donc devenue son bureau. PROF. JAY MENDELSOHN, annonçait la plaque en plastique blanc sur la porte.

Je l'imaginais mal dans son rôle d'enseignant. Je voyais très bien ma mère en institutrice, à l'époque où elle enseignait en maternelle et en primaire, dans les années 1950,

114

d'abord, peu après leur mariage, puis après vingt ans d'intermède, quand elle a eu fini de nous élever, dans les années 1980 et 1990. Maman était exubérante, vive, pleine d'entrain et intelligente ; tout le monde disait qu'elle était faite pour enseigner. Avec mes frères et sœur, nous avons d'ailleurs profité de son instinct pédagogique même si, à l'époque, nous ne l'appréciions pas à sa juste valeur : quand nous rentrions de l'école, l'après-midi, nous trouvions sur la table de la cuisine une rose dans un soliflore, ou une orange soigneusement coupée en deux, ou un poivron vert, et elle nous faisait asseoir autour de la table et disait : *Regardez les enfants comme la nature est merveilleuse ! Admirez cette géométrie parfaite des pétales, des tranches, des cosses !*

Quand nous avons été grands et qu'elle a recommencé à enseigner, elle aimait bien nous appeler pour nous raconter de petites anecdotes amusantes sur ses collègues et ses élèves, sur les gamins de l'école publique où elle travaillait quand elle était jeune mariée, dans le Queens, qui arrivaient aux réunions de parents d'élèves avec leurs « tantes », parce qu'ils n'avaient pas de parents ; ou de ce petit garçon juif qu'elle avait eu dans une autre classe et qui, lorsqu'on lui avait demandé de dessiner un poisson pour un exposé sur la faune des lacs et des fleuves, avait rendu une simple feuille de papier cartonné sur laquelle il avait tracé un ovale parfait surmonté d'une unique nageoire dorsale, et quand ma mère, un peu déroutée, lui avait demandé d'expliquer à la classe de quel poisson il s'agissait, il avait répondu *Gefilte* – une carpe farcie. Entre son tempérament joyeux et son sens de l'humour espiègle, son talent pour confectionner des décorations de fête saisissantes de créativité, ses mimiques théâtrales et son imagination débridée, je l'imaginais très bien en institu-trice idéale pour les tout-petits.

Mais j'étais totalement incapable de me figurer mon père devant une classe. Je repensais à l'œil sévère qu'il posait sur les exercices et les interros de maths que je rapportais à la maison, sur les X rouges griffonnés en marge, comme une broderie furieuse festonnant le côté du papier, et j'en étais réduit à me demander quel genre d'enseignant PROF. JAY MENDELSOHN avait pu être.

Et maintenant, en ce premier jour du séminaire sur l'*Odyssée*, il était assis dans ma classe la main en l'air. *Effectivement*, je suis son *père*, dit-il.

Contrairement à ma mère, il n'aimait pas être au centre de tous les regards. Lorsqu'il se trouvait sur la sellette, lorsqu'il devait parler devant une salle pleine de gens, il accentuait ses mots au hasard, comme si cette scansion aléatoire pouvait donner du poids à son discours.

Je suis le *cours* de Dan (quelques étudiants s'amusèrent de l'entendre m'appeler par mon prénom) parce que j'ai eu envie de relire les *Classiques*, que j'avais lus au lycée. C'était pendant la Seconde Guerre mondiale, dans les années 1940.

Il resserra les lèvres, souriant pour lui-même.

Pour la plupart d'entre vous, vos parents n'étaient même pas *nés* à l'époque.

Il inclina son crâne luisant dans ma direction, Je connaissais tout ça bien avant lui.

Les étudiants étouffèrent des pouffements.

Enfin, j'en connaissais *un bon bout*, poursuivit-il après une pause, tapotant vaguement la couverture de son iPad, sur lequel il avait téléchargé le texte de l'*Odyssée*. J'ai lu Ôvide en *latin*. Je connaissais ma mythologie. J'ai lu l'*Iliade* et l'*Odyssée*, mais juste des extraits. Alors je me suis dit que maintenant, j'allais les lire à fond.

Deux ou trois gamins le fixaient, bouche bée. Ils étaient sous le charme.

Je me suis dit que c'était l'occasion de le relire avant de mourir, ajouta mon père.

Puis il me désigna à nouveau d'un geste désabusé et son visage s'anima d'une expression – les yeux plissés, les lèvres pincées, les commissures des lèvres baissées, hochant imperceptiblement le front étroit et luisant en parlant, comme pour se convaincre de la réalité de ce qu'il disait ou entendait –, une expression dans laquelle quelqu'un qui ne le connaissait pas aurait pu voir de l'humour. Mais je le connaissais.

Si ce garçon est helléniste, dit-il en braquant un doigt pâle sur moi, c'est parce qu'il le tient de moi.

J'affectai un air amusé en refermant mon cartable, geste que les étudiants interprétèrent comme le signal du départ. Mais alors qu'ils commençaient à s'agiter et à se lever, fourrant leurs cahiers et leurs livres dans leurs sacs à dos, mon père prit une nouvelle inspiration sifflante et s'éclaircit la voix. Je me retournai vers lui, et là, je sus ce qu'il allait dire.

Laissez-moi vous dire une chose. On n'est jamais trop vieux pour apprendre.

Il le tient de moi.

Ce soir-là, quand mon père fut parti se coucher, dans le lit étroit qu'il m'avait fabriqué un demi-siècle plus tôt, et tandis qu'il se glissait entre les draps en poussant un gros soupir sonore, chose qu'il faisait souvent quand il se retrouvait enfin seul après avoir passé un long moment en société, comme si l'effort d'être avec des gens était un poids physique qu'il avait enfin réussi à poser, ce soir-là, en vidant mon cartable sur la table de mon bureau, je repensai à ce qu'il avait dit. *Il le tient de moi.* Peut-être, concédai-je. Mais aussi de quelques autres, tout de même.

Je sortis délicatement de mon cartable les livres que j'avais apportés en classe et empilés devant moi sur la table du séminaire, non tant parce que je pensais m'en servir pour ce premier cours mais parce que leur présence était rassurante. C'étaient les livres qui m'avaient accompagné la première fois que je m'étais vraiment plongé dans la lecture de l'*Odyssée*.

Il y avait **en premier** lieu les deux volumes OCT de l'*Odyssée* – **les** Oxford Classical Texts, publiés par Oxford University Press, l'édition de référence des auteurs classiques, pour la plupart des universitaires anglo-saxons. Il existe quatre volumes d'Homère dans cette série, deux pour chaque épopée : les volumes 1 et 2 pour l'*Iliade*, et les 3 et 4 pour l'*Odyssée*. Les OCT présentent les textes grecs et latins dans leur version originale, sans commentaire ni traduction. La couverture bleu ciel des œuvres grecques et l'encre bleu foncé des titres, toujours donnés en latin (*Homeri opera, Tomus III, Odysseæ libros I-XII continens*), l'absence de toute illustration susceptible d'alléger le texte ont une rigueur féroce. Derrière ces couvertures austères, il y a une préface, également en latin, rédigée par le chercheur qui a édité le volume, puis le texte proprement dit, des vers grecs avançant page après page sur le papier crème, un halo d'accents graves, aigus et circonflexes planant au-dessus de chaque mot comme des nuées de moucherons furieux. Et, en bas de page, l'*aparatus criticus*, une liste des propositions de substitution, d'altérations et de corrections apportées au texte par différents érudits au fil des siècles, lorsque l'authenticité d'un mot, d'une expression ou d'un vers de l'original paraissait douteuse, ou lorsqu'il semblait manquer quelque chose au texte primitif.

Ce soir-là, en vidant mon cartable, j'ouvris le premier volume de l'édition OCT de l'*Odyssée*, sautant l'introduction latine pour passer à la première page du chant I, reproduite ci-contre.

En caressant la page, je me remémorai soudain très précisément la première séance du séminaire sur l'*Odyssée* que j'avais suivi en deuxième année de thèse. Il était animé par Froma Zeitlin, celle-là même qui, devenue une amie proche, m'engagerait à faire la croisière sur les traces d'Ulysse. C'était au début de l'automne 1987, et en ce premier jour de classe, Froma, debout devant une table rectangulaire très semblable à celle devant laquelle j'avais officié ce matin-là, brandissait d'une main le *Homeri opera, Tomus III, Odysseæ libros I XII continens*, en nous parlant des livres les plus importants de la bibliographie qu'elle nous avait préparée pour ce semestre – huit pleines pages, en interligne simple. *Voici le texte que j'utiliserai*, avait-elle annoncé en agitant devant nous l'OCT, nous regardant au-dessus de la monture bleu cobalt de ses lunettes de lecture en demi-lunes, tandis que ses grosses bagues jetaient des étincelles dans l'air. Froma était considérée à l'époque comme une pionnière de l'application de la critique féministe aux textes classiques, notamment à l'étude de la tragédie grecque, sa spécialité. La première fois que j'entrai dans son bureau, empli d'une fumée si épaisse des fines cigarettes brunes qu'elle fumait à

Une odyssée

ΟΔΥΣΣΕΙΑΣ Α

Ἄνδρα μοι ἔννεπε, Μοῦσα, πολύτροπον, ὃς μάλα πολλὰ
πλάγχθη, ἐπεὶ Τροίης ἱερὸν πτολίεθρον ἔπερσε·
πολλῶν δ' ἀνθρώπων ἴδεν ἄστεα καὶ νόον ἔγνω,
πολλὰ δ' ὅ γ' ἐν πόντῳ πάθεν ἄλγεα ὃν κατὰ θυμόν,
ἀρνύμενος ἥν τε ψυχὴν καὶ νόστον ἑταίρων.   5
ἀλλ' οὐδ' ὧς ἑτάρους ἐρρύσατο, ἱέμενός περ·
αὐτῶν γὰρ σφετέρῃσιν ἀτασθαλίῃσιν ὄλοντο,
νήπιοι, οἳ κατὰ βοῦς Ὑπερίονος Ἠελίοιο
ἤσθιον· αὐτὰρ ὁ τοῖσιν ἀφείλετο νόστιμον ἦμαρ.
τῶν ἁμόθεν γε, θεά, θύγατερ Διός, εἰπὲ καὶ ἡμῖν.   10
    Ἔνθ' ἄλλοι μὲν πάντες, ὅσοι φύγον αἰπὺν ὄλεθρον,
οἴκοι ἔσαν, πόλεμόν τε πεφευγότες ἠδὲ θάλασσαν·
τὸν δ' οἶον, νόστου κεχρημένον ἠδὲ γυναικός,
νύμφη πότνι' ἔρυκε Καλυψώ, δῖα θεάων,
ἐν σπέσσι γλαφυροῖσι, λιλαιομένη πόσιν εἶναι.   15
ἀλλ' ὅτε δὴ ἔτος ἦλθε περιπλομένων ἐνιαυτῶν,
τῷ οἱ ἐπεκλώσαντο θεοὶ οἶκόνδε νέεσθαι
εἰς Ἰθάκην, οὐδ' ἔνθα πεφυγμένος ἦεν ἀέθλων,
καὶ μετὰ οἷσι φίλοισι.   θεοὶ δ' ἐλέαιρον ἅπαντες
νόσφι Ποσειδάωνος· ὁ δ' ἀσπερχὲς μενέαινεν   20
ἀντιθέῳ Ὀδυσῆϊ πάρος ἣν γαῖαν ἱκέσθαι.
    Ἀλλ' ὁ μὲν Αἰθίοπας μετεκίαθε τηλόθ' ἐόντας,
Αἰθίοπας, τοὶ διχθὰ δεδαίαται, ἔσχατοι ἀνδρῶν,
οἱ μὲν δυσομένου Ὑπερίονος, οἱ δ' ἀνιόντος,

1 πολύκροτον quidam ap. schol. Ar. Nub. 260, Eust. ; υἱὸς Λαέρταο
πολύκροτα μήδεα εἰδώς Hes. fr. 94. 22   πολλὰ πάντων ο   3 νόμον
Zen.   7 αὐτοὶ a Eus Praep. Εν. vi. 8. 3, Porph. qu. Od. 5. 9
12 ἴσαν a (ἐπορεύθησαν gl. H³)   19 σὺν ἑοῖσι a : οἷς ἑτάροισι b e
    21 ἰδέσθαι e, cf. β 152 e 408 κ 175 ρ 448, Batr. 72   23 Αἰθίοπες
Strab. 6, 30, Apoll. Dysc. synt. 93. 10. Steph. Byz. in v., schol Z 154.
coni. Bentley coll. Z 396   24 ἡμὲν . . . ἠδ' Crates ap. Strab. 30,
103 (ex Posid. fr. 68)

l'époque, ce fut à peine si je la vis, assise derrière un immense bureau d'où des piles de livres s'élevaient telles des stalagmites, les contours délicats de sa silhouette, le visage rond aux yeux noisette perçants émergeant des ombres et de la fumée comme une divinité pourrait apparaître à un mortel dans un mythe, les bijoux artisanaux qu'elle se plaisait à qualifier d'« objets » (*Comment tu trouves mon nouvel objet ?* minaudait-elle quand on la croisait dans le couloir du département de Lettres classiques, brandissant un collier plastron, une broche émaillée en forme de clown ou des bracelets en argent qui lui remontaient sur le bras tels des serpents) tout brillant parmi les volutes de fumée comme les décorations d'une statue d'autel, la première fois que je pénétrai dans son bureau, je remarquai immédiatement les mots « Femmes », « Féminin » et « Genre » qui étincelaient sur la tranche d'un grand nombre des centaines de livres sous lesquels ployaient les étagères métalliques. Et pourtant, bien qu'elle fût spécialisée dans les études féministes et la tragédie, Froma est toujours revenue, tout au long de sa longue carrière, à l'*Odyssée*, comme si elle ne pouvait s'affranchir de son champ magnétique. De fait, mon souvenir le plus marquant de mes années de thèse est resté ce séminaire sur l'*Odyssée*, trois heures et demie hebdomadaires pendant un semestre de quatorze semaines, des séances dont nous ressortions avec une expression hébétée d'épuisement mêlé de ravissement, tant nos échanges étudiants-professeur, tant les arguties sur des détails d'interprétation, les éclairages qu'elle nous donnait étaient *bigrement brillants*, comme elle se plaisait à s'écrier (expression que j'ai reprise et que j'utilise maintenant si souvent que les étudiants sont persuadés que c'est moi qui l'ai inventée).

J'ai passé sept années émerveillées à travailler sous la houlette de Froma, mon mentor, sept ans de plaisir et de frustration, où j'avais en même temps envie de rester et de claquer la porte, de passer à autre chose, une période qui a encadré l'étrange évolution qui se produit entre le moment où l'on entre en troisième cycle et le moment où l'on en sort avec le titre de *docteur* (« celui qui est autorisé à enseigner »), aussi méconnaissable à soi-même que le papillon l'est à la chenille qu'il fut.

Je passai la main sur le papier bleu clair et je souris en pensant à Froma, ce soir-là, à *bigrement brillant*, et à tant d'autres choses qu'elle m'avait apprises au cours de ces années. Lequel des jeunes gens qui étaient assis en face de moi ce matin-là, me demandais-je, finirait-il par absorber, digérer et transmettre ? Ou bien seraient-ils tous, comme jadis mon père et ses amis dans cette classe du Bronx, ceux qui *ne tiendraient pas la distance* ? Seraient-ils de ceux qui, pour une raison ou une autre, ne sauraient pas saisir la perche qui leur était tendue ?

Puis, délicatement, avec précaution presque, je sortis deux autres livres de mon sac. C'était un autre coffret de deux volumes : le « red Macmillan ». Reconnaissable à sa reliure rouge vif, cette édition de l'*Odyssée* est destinée aux étudiants du secondaire et du supérieur : à la fin de chaque tome, après le texte grec, il y a un *corpus* de notes très complet sur la grammaire et la scansion de pratiquement chaque vers du poème. Mon red Macmillan était bien plus usé sur la tranche que les volumes bleus d'Oxford ; je les possédais depuis beaucoup plus longtemps. Le bougran rouge foncé avait déteint en rose, les reliures étaient déchirées et recollées avec du scotch qui, ayant depuis longtemps perdu ses propriétés adhésives, était maintenant aussi cassant que du vieux cellophane, les couvertures bougeaient tellement qu'elles menaçaient dangereusement de tomber chaque fois que je les ouvrais et que, sur la page de garde, je voyais mes initiales et une date : « D.A.M. 1979 ».

À l'automne de ma deuxième année de licence, je lus pour la première fois des extraits de l'*Odyssée* en grec. J'avais commencé le grec un an plus tôt et j'avais choisi de me spécialiser en lettres classiques. C'était un an après cette première rencontre avec Homère que nous devions avoir un nouveau professeur, une femme, la première du département, dont tout le monde disait qu'elle était une grande spécialiste de l'*Odyssée*. Quelqu'un donna son nom : Clay, et quelque chose dans ce monosyllabe aux accents de terre et d'argile m'évoqua une dame d'âge mûr plutôt corpulente, peut-être même avec un chignon gris. Avec deux autres étudiants de grec, je m'inscrivis immédiatement à son cours, qui serait entièrement consacré à l'*Odyssée*. Ainsi, par une journée torride de fin août, nous nous présentâmes tous trois dans sa salle. Là, appuyée contre le bureau, un visage félin au sourire espiègle, cigarette aux lèvres, la célèbre spécialiste d'Homère nous attendait.

Jenny Strauss Clay. Elle n'avait pas quarante ans. Tant d'autres souvenirs se sont depuis lors superposés à cette première image d'elle qu'il m'est difficile de me rappeler aujourd'hui la surprise que nous avons éprouvée en entrant dans la salle. La silhouette souple, prête à bondir, le calme d'un chat, la coupe au carré à la Louise Brooks,

les cigarettes. Pendant les dix-huit mois suivants, je béné-
ficiai des enseignements de Jenny : le grec et le latin, bien
sûr, Homère et Hérodote, Horace et Catulle, mais aussi,
à mesure que nous devenions plus proches, après qu'elle
eut commencé à m'inviter à dîner chez elle avec deux
autres étudiants, elle me fit découvrir d'autres choses.
Proust, par exemple, et sa *Recherche* dont, quand j'avais
vingt ans, nous avons lu le premier tome ensemble, à
haute voix, au cours d'un été très chaud, assis sur le plancher luisant à deux extrémités de son salon, dans une
chaleur presque trop accablante pour parler. La poésie
grecque moderne, en particulier un poème de George
Séféris d'où vient le vers « La première chose que Dieu
créa, ce fut l'amour ». *Il ritorno d'Ulisse in patria* de
Monteverdi, qu'elle était souvent en train d'écouter
quand nous franchissions sa porte, une étrange combinaison baroque de tintements et de résonances qui flottait
dans l'air chargé de tabac, sortie d'une chaîne hi-fi
suédoise restituant un son impeccablement pur et que
l'on pouvait accrocher au mur comme un tableau (objet
qui laissait entrevoir l'extraordinaire possibilité qu'une
professeur de lettres classiques, une autorité sur Homère,
pût être branchée), tandis qu'elle tranchait des citrons
verts dans sa cuisine. D'ailleurs, elle m'a aussi appris bien
des choses en matière culinaire : je me rappelle ce jour où
je restai bouche bée devant une cassolette de linguinis
recouvertes d'une sauce qui – miraculeusement pour moi
qui n'avais jamais mangé de pâtes qui ne sortent pas d'une
boîte – n'était pas rouge mais verte, une sauce au nom
italien qu'elle préparait avec des feuilles fraîchement
cueillies dans son jardin, un petit carré à l'arrière de sa
maison, dans lequel elle se promenait, coupant des herbes

et chantonnant pour elle-même comme une sorcière surgie de quelque vieille légende.

Mais derrière ce luxe, cette générosité, ces raffinements exotiques, fruits de toute une vie de voyages – et, comme je devais l'apprendre par la suite, d'expatriation forcée –, on percevait une certaine rigueur, aussi inflexible et implacable qu'une déclinaison dans une grammaire. Ce fut Jenny qui me dit un jour, avec un naturel désarmant, alors que, vers la fin de son cours sur l'*Odyssée*, je la sollicitais à propos d'une source secondaire pour une dissertation que je voulais rédiger sur un passage du chant IV mettant en scène une vive querelle entre un mari et sa femme, *tu ne peux pas commencer à écrire quoi que ce soit avant d'avoir tout lu*. La phrase me parut étrangement exaltante, avec sa promesse tout académique de rigueur et de difficulté. Je me disais que si je me lançais dans une spécialité dont l'apprentissage était douloureux, mon père pourrait lui trouver quelque vertu. En l'écoutant parler, je balayais la pièce du regard : les étagères de bois méthodiquement couvertes de livres en grec, en latin, en français, allemand, italien et anglais, le lourd buste de plâtre d'une Athéna sévère au sommet d'une haute étagère, une pointe d'humour distillée çà et là à travers les innombrables images et figurines de chouettes, l'oiseau d'Athéna, que Jenny adorait. *Tu ne peux rien écrire avant d'avoir tout lu.* J'entendis cette phrase en observant son bureau, et j'encaissai le coup.

Je ne pouvais le savoir encore, car je ne savais à l'époque que très peu de choses sur l'histoire familiale ou personnelle de Jenny, mais cette phrase trahissait un certain héritage intellectuel, aussi sûrement que l'étrange circonflexe d'un sourcil ou le galbe ferme d'une joue édouardienne peut être l'expression de gènes transmis de génération en génération. Jenny tenait son ADN intellectuel, cette propension à la rigueur, de son père qui avait également été son professeur, un certain Strauss, spécialiste de lettres classiques et de philosophie politique qui avait grandi en Allemagne et était le produit de la formation classique particulièrement intransigeante qui faisait la réputation de ce pays ; elle le tenait aussi du professeur de Strauss et de son maître avant lui, et ainsi de suite jusqu'à remonter à Friedrich August Wolf en personne, le fondateur allemand de la philologie classique. Ces chaînes de filiation entre les étudiants et leurs professeurs – les Allemands, avec leur mélange unique de sentimentalisme et de respect pour l'autorité intellectuelle appellent fort justement ces mentors intellectuels *Doktorväter*, « des docteurs pères » – remontent dans le temps aussi sûrement que les rameaux effilés d'un arbre généalogique, formant une lignée d'études et d'érudition, de goûts et de particularismes intellectuels, qui s'exprime, tout comme les vrais liens du sang, dans des ressemblances qui persistent d'une génération à l'autre.

On pouvait, pensai-je ce soir-là en replaçant mes red Macmillan dans ma bibliothèque, retracer ces généalogies intellectuelles en une ligne presque ininterrompue jusqu'aux temps anciens. Dans mon cas, de Jenny à son père et à ses maîtres jusqu'à Wolf ; puis de Wolf aux humanistes italiens de la Renaissance, qui rassemblèrent avec passion les manuscrits des textes classiques copiés et recopiés sur parchemins et vélins pendant un millier d'années et les imprimèrent pour la première fois, offrant au monde les premières versions imprimées et diffusant ainsi les auteurs classiques auprès d'audiences plus vastes

qu'ils n'en avaient jamais eu ; et, de ces humanistes de la
Renaissance, poursuivre plus loin encore le voyage dans le
temps et dans l'espace jusqu'aux érudits hellénophones de
Byzance qui, en près d'un millénaire entre les VIIe et
XVe siècles, avaient préservé le savoir des Grecs de la
Méditerranée orientale longtemps après qu'il eut disparu
d'Europe, après la chute de l'Empire romain d'Occident,
des érudits qui avaient minutieusement transcrit et
retranscrit des textes telle la copie abondamment annotée
du manuscrit de l'*Iliade* que Villoison avait découvert
dans une réserve humide de la bibliothèque vénitienne ;
puis des Byzantins aux savants de cette période des Ve et
VIe siècles que l'on nomme l'Antiquité tardive, et avant
leur temps encore, aux amateurs de littérature grecque
qui avaient prospéré avec l'avènement de l'Empire
romain, un mélange de critiques éclairés et de vulgarisa-
teurs sans prétentions intellectuelles (dont l'un des
représentants les plus connus était un lettré surnommé
Bibliolathos, « celui qui oublie les livres », car il avait écrit
tant de traités qu'il en avait perdu le compte) ; et de là,
enfin, arriver aux plus anciens et aux plus fiables spécialistes d'Homère, les érudits qui, dès le IIIe siècle avant
notre ère, dirigèrent la grande bibliothèque d'Alexandrie,
et qui se consacrèrent tout particulièrement à l'étude des
textes de l'*Iliade* et de l'*Odyssée*, des savants de métier qui,
les premiers, se penchèrent sur les questions auxquelles
l'*apparatus criticus* figurant en bas de chaque page de
l'édition d'Oxford des textes classiques essaie de
répondre : quels étaient les mots que « Homère » chantait
réellement ?

Pour un helléniste, le simple fait d'ouvrir un exemplaire de l'*Iliade* ou de l'*Odyssée* est un rappel de cette

longue lignée, de l'immense travail d'abeilles qui en vingt-cinq siècles a lentement ajouté des gouttes de savoir à notre compréhension de ce que sont les poèmes et de ce qu'ils racontent.

Tout cela, compris-je en éteignant mon bureau après avoir rangé mes livres, le bleu ciel, le rouge décoloré, était ce que Jenny avait à l'esprit trente ans plus tôt lorsqu'elle avait marmonné *tu ne peux pas commencer à écrire quoi que ce soit avant d'avoir tout lu*. J'avais eu tellement de chance d'avoir ces professeurs, qui m'avaient invité à devenir un maillon de cette chaîne qui relie le passé au présent ! Et je prenais maintenant conscience de tout ce à côté de quoi mon père était passé lorsqu'il avait refusé l'invitation.

Tel père, tel fils. Pas toujours. Toutes les généalogies, me dis-je ce soir de janvier après la première séance de mon séminaire, ne sont pas génétiques.

Le Télémaque des premiers chants de l'Odyssée, qui oscille sans crier gare entre d'attachantes fanfaronnades et la naïveté la plus totale, pourrait par certains côtés rappeler un étudiant de première année. Dans le chant I, par exemple, il se montre d'une grossièreté déplaisante envers sa mère. Encouragé, peut-être, par les remontrances d'Athéna (« Quiconque ayant un peu de sens serait indigné par leur comportement ! » s'exclame la déesse en regardant dans la grand-salle les prétendants se repaître des vivres et du vin d'Ulysse), le jeune prince ne s'en prend pas aux prétendants mais à sa mère, Pénélope, qui, pour sa première apparition dans les poèmes, descend de ses appartements afin de prier l'aède de la maison, qui chantait un lai sur le retour des héros grecs

de la guerre de Troie, de choisir un thème moins douloureux. C'est le moment où elle adopte pour la première
fois ce qui sera sa position habituelle, dans l'embrasure de
la porte, ramenant son voile sur son visage, deux
suivantes à ses côtés.

> Rentre donc chez toi, retourne à tes travaux,
> à ton métier et à ta quenouille ; et dis à tes suivantes
> de se mettre à l'ouvrage ; c'est aux hommes – et à moi –
> de donner des ordres. Car je suis maître en cette demeure.

Pénélope, stupéfaite, remonte à son étage, où Athéna
verse le sommeil sur ses yeux pleins de larmes. C'est l'un
des nombreux exemples où la reine au désespoir est
endormie par la déesse – ce qui arrive d'ailleurs si souvent
que certains étudiants m'ont demandé si Pénélope était
dépressive, hypothèse qui ne m'avait jamais effleuré
quand j'étais en fac. Il est vrai que, dans cette entrée en
scène, par son comportement, la femme d'Ulysse semble
démentir son épithète « celle dont les pensées sont
sages » : à bout de forces et tremblante, elle se laisse intimider par son fils, puis fond en larmes et sombre enfin
dans le sommeil. Mais ne serait-ce pas là une stratégie
narrative d'Homère ? Car, après tout, s'il présente
l'épouse notoirement forte et sage du héros comme une
épave soumise et impuissante – comme un personnage à
problème –, son auditoire ne pourra être qu'agréablement
surpris, au fil de l'épopée, par les traits positifs qui se
dessinent peu à peu.

Les prétendants, eux, sont moins faciles à dompter.
Lorsque Télémaque leur annonce qu'il prévoit de convoquer une assemblée des citoyens d'Ithaque le lendemain,
ils s'étonnent de son audace nouvelle, sans pour autant

cesser de le rabrouer et de le moquer. « Quelles paroles hardies ! » s'exclame Antinoüs, chef de file des prétendants, et le plus odieux de tous. (Son nom signifie « l'anti-esprit » ; dès le début, il apparaît ainsi non seulement comme le grand méchant de l'épopée mais aussi comme l'ennemi désigné d'Ulysse, qui démontre en permanence le pouvoir de la ruse et de l'esprit.) « C'est au dieux qu'il revient de choisir », roucoule Eurymaque, second prétendant en lice, moins imbuvable en apparence qu'Antinoüs mais tout aussi haïssable sous ses dehors obséquieux.

Les hésitations adolescentes de Télémaque entre maladresses et bravades sont à nouveau pointées du doigt dans la scène de l'assemblée, au chant II. Lorsque le peuple d'Ithaque est réuni sur l'agora, le héraut chargé de régler la cérémonie tend un sceptre au prince, lui cédant ainsi la parole – et, précise Homère, le jeune homme « brûle d'impatience » de parler. Télémaque commence par répondre à la question d'un ancien sur la raison de cette assemblée : se pourrait-il, s'interroge le vieillard, que les Ithaquiens partis depuis si longtemps pour Troie reviennent enfin ? Hélas, non, réplique Télémaque : il a convoqué ses concitoyens non pour leur exposer quelque grande affaire publique, mais pour une question privée. Le roi Ulysse – qui, rappelle-t-il habilement, « régna jadis sur vous avec la tendresse d'un père » – a quitté ce bas monde depuis longtemps. Télémaque, pour lequel ce père absent n'a jamais été qu'une vague abstraction, déclare qu'il est désormais confronté à un « plus grand malheur » : sa maison a été investie par les prétendants, qui harcèlent sa pauvre mère de leurs assauts au mépris de tous les rituels de la galanterie, font ripailles dans son palais, dilapident ses biens et ses vivres – tant et si bien que la pauvre femme en est réduite à se réfugier dans sa chambre. Mais au fil de son discours, Télémaque perd son sang-froid. Il s'étend maladroitement sur sa propre incapacité à défendre sa maison contre les prétendants (« Il n'est pas ici/un homme tel qu'Ulysse pour protéger notre toit/ et nous ne sommes pas en mesure de nous défendre ») ; il dévoile son jeu en dénonçant ouvertement la conduite scandaleuse des prétendants et l'immobilisme des citoyens (« vous devriez rougir de vous-mêmes ! ») ; puis, s'adressant à ses tourmenteurs, il s'apitoie sur son propre sort (« je vous en conjure : cessez ! Laissez-moi seul, accablé de mon funeste chagrin ») ; et il finit par éclater en sanglots et jeter à terre le sceptre du royaume. Même après qu'il a repris contenance et commencé à préparer le voyage à Pylos et à Sparte qu'Athéna, sous son déguisement, lui a enjoint d'entreprendre, il ne fait pas grand-chose : c'est en fait Athéna qui trouve le navire et réunit un équipage fiable. Il ne reste à Télémaque qu'à s'occuper des provisions : là encore, sur ordre de la déesse, il va discrètement piller les réserves de son père avec l'aide d'une vieille servante fidèle, Euryclée, dont nous apprenons au passage qu'elle fut la nourrice d'Ulysse et qui, au retour du héros, jouera un rôle déterminant dans l'intrigue.

Athéna, à laquelle le tour désastreux qu'a pris l'assemblée n'a sans doute pas échappé, revient vers la fin du chant II réconforter le jeune prince. Elle se présente cette fois-ci sous les traits d'un autre vieil ami de son père, Mentor. (C'est d'ailleurs de cette scène de l'*Odyssée* que vient le mot « mentor », qui désigne un conseiller expérimenté et fiable.) Mentor annonce au garçon qu'il a toutes les chances de réussir pour la simple et bonne raison qu'il est le fils de son père : « Si tu n'étais pas de son sang, et de celui de Pénélope/ je craindrais pour l'issue de tes projets/ [...] Mais étant celui que tu es,/tu as bon espoir de mener ton entreprise à bien. »

Pourquoi le poète fait-il tant de place à ces scènes où Télémaque s'exprime mal, mêle affaires publiques et affaires privées, perd son sang-froid et se laisse dépasser par les événements ? Il y a à cela plusieurs explications possibles. La scène de l'assemblée, par exemple, vient rappeler qu'Ithaque traverse une grave crise politique – ce que le lecteur, obnubilé par la crise familiale, pourrait être tenté d'oublier. Mais surtout, en s'attardant sur les piètres qualités d'orateur de Télémaque, Homère souligne, par contraste, l'importance capitale de l'éloquence, l'un des plus grands talents d'Ulysse.

Une autre raison, pourtant, m'apparaît avec plus d'évidence encore lorsque je relis maintenant le poème. En faisant ressortir les défauts du fils, le poète nous donne aussi envie de rencontrer le père, dont l'autorité et la compétence sont incontestées. De cette façon, l'*Odyssée* démontre la vérité de l'un de ses vers les plus célèbres et les plus troublants, que le poète met dans la bouche d'Athéna à la fin de la scène de l'assemblée : « Peu de fils sont l'égal de leur père ; la plupart en sont indignes, et trop rares ceux qui le surpassent. »

Le vendredi 4 février, je retrouvai mes étudiants pour la deuxième séance du séminaire sur l'*Odyssée*. Quelques jours plus tôt, mon père avait appelé pour m'annoncer que cette semaine-là, il partirait le jeudi après-midi plutôt que le vendredi aux aurores, comme la semaine précédente.

Ça m'évitera de tomber sur les *embouteillages* du vendredi, grogna-t-il au bout du fil. Le matin, c'est un *cauchemar*, l'Expressway ! J'arriverai jeudi en fin d'après-midi, on ira dîner quelque part, on rentrera tranquillement et je dormirai chez toi. Comme ça, je serai plus en forme vendredi matin pour le cours. Je repartirai après déjeuner.

Très bien, ça me va, répondis-je. Je pensais au lit étroit de mon bureau, qui servait de chambre d'ami quand j'avais de la visite. Tu es sûr que ça ne t'embête pas de passer la nuit dans ce petit lit ?

Si ça m'embête ? répéta-t-il de ce ton badin qu'il prenait pour raconter une bonne blague. À sa voix, je le sentais plus détendu. Pourquoi veux-tu que ça m'embête ? C'est moi qui l'ai fabriqué, ce lit !

La première fois que mes parents étaient venus me voir quand j'avais emménagé dans cette maison du campus, mon père n'avait pas pu cacher son plaisir en constatant que le divan de mon bureau était, sous sa couverture et ses nombreux coussins, le lit qu'il m'avait construit quand j'étais enfant, celui qu'il avait fabriqué à partir d'une porte. *Il tient plutôt bien pour son âge, hein !* s'était-il exclamé en se penchant dessus et en le secouant légèrement. *Je n'étais pas si mauvais bricoleur que ça.* Ma mère poussa un long soupir théâtral *Oh, Jay, s'il-te-plaît ! J'ai encore toute une caisse de trucs que tu n'as jamais réparés depuis quarante ans.*

Pendant tout le reste du semestre, il revint donc chaque semaine la veille du séminaire et dormait dans le lit qu'il avait fabriqué. Trouve-nous un bon restaurant, dit-il juste avant de raccrocher le soir où il appela pour annoncer qu'il voulait venir le jeudi plutôt que le vendredi. Et c'est ainsi que, la veille de la deuxième séance du séminaire, nous nous sommes retrouvés autour d'une table à un grill du coin, le Flatiron, à discuter du chant II – de la scène de l'assemblée et du comportement déconcertant de Télémaque.

Il écarta avec une certaine exaspération l'idée que Télémaque était en fait en train de grandir, qu'il apprenait réellement quelque chose au cours des premiers chants de l'*Odyssée*.

Tu parles ! ricana-t-il au moment où la serveuse arrivait avec nos plats. Télémaque a toujours besoin de se faire aider, et à chaque coup, Athéna débarque pour le tirer d'affaire. Au chant I, c'est *elle* qui le persuade de partir à la recherche de son père. *Elle* qui lui donne ce conseil. *Elle* qui lui ordonne de réunir l'assemblée au chant II, et quand il bafouille pendant la réunion, c'est encore *elle* qui vient lui remonter le moral. *Elle* qui lui dit d'aller à Pylos et à Sparte, et il ne part qu'une fois qu'elle a tout préparé à sa place.

Il se tut une minute et, fronçant les sourcils, ajouta : Tout est tellement *facile* pour lui.

Et alors ? demandai-je en sachant déjà ce qu'il allait dire. Qu'est-ce que ça a de mal ?

Ça a que dans la *vraie* vie, ça ne se passe pas comme ça.

Même si j'en connais pertinemment les ressorts psychologiques profonds, je pense que le culte que vouait mon père à l'effort, à la difficulté, devait aussi beaucoup aux conditions dans lesquelles il avait grandi. Sa prime enfance coïncidait avec le début de la crise de 1929. Son propre père, électricien syndiqué, avait du mal à joindre les deux bouts. *Il fallait toujours racler les fonds de tiroir pour régler le terme*, m'avait un jour confié papa avec une ironie mêlée d'amertume, m'expliquant pourquoi, au début des années 1930, sa famille avait dû si souvent déménager. Il voyait le monde comme un endroit dur, hostile au bonheur des gens simples. Ce n'était pas facile d'être le *pauvre gars*, comme il le disait. Cette expression, qu'il prononçait invariablement avec une inflexion qui associait une solidarité admirative à une résignation lasse, revenait souvent lorsqu'on parlait politique, domaine qu'il considérait à de rares exceptions près, comme il considérait la plupart des choses, à savoir comme un rapport de force entre les riches et puissants et les petites gens – *les pauvres gars*. Ce prisme conditionnait ses jugements sur tout, depuis les élections présidentielles jusqu'au baseball, son sport préféré – parce qu'il aimait ses « géométries », ses longues pauses de réflexion entre deux brefs moments d'action. *C'est le sport des contemplateurs.* Comme il avait grandi dans le Bronx, les gens supposaient qu'il soutenait l'équipe de son quartier, les Yankees. Or il détestait les Yankees, qu'il voyait comme une équipe de riches. *Ils achètent leur réussite*, disait-il d'un air méprisant. Pendant toute mon enfance, je l'ai vu défendre les Mets, dont je pense aujourd'hui que les débuts catastrophiques, dans les années 1960 et 1970 – contrairement à l'invincibilité éclatante, homérique des Yankees –, devaient l'émouvoir, parce que, même s'il prenait un air affligé devant un lancer raté ou une faute d'arbitrage, les défaites de l'équipe pour laquelle il avait choisi de prendre fait et cause confirmaient sa conviction que le monde se liguait contre lui et tous les autres pauvres gars. (Il fut atterré d'apprendre que mes propres fils étaient fans des Yankees ; au point qu'un jour, ne plaisantant qu'à demi, il proposa cent dollars à Peter pour qu'il change d'équipe, mais quand Peter, qui avait alors quatorze ans, refusa en secouant vigoureusement la tête, mon père lui dit, *Eh bien tu n'as pas de goût, mais tu as un sacré caractère, mon gars !* Puis, se tournant vers Lily, il ajouta, *Tu l'as pas trop mal élevé, finalement.*)

Tout est trop facile pour Télémaque, disait-il ce soir-là au Flatiron. Tout ce qu'il a à faire, c'est de suivre les ordres d'Athéna.

On pourrait la voir comme une pédagogue, non ? Elle fait son éducation.

Naan, répliqua mon père. Parce qu'un bon professeur ne te dit pas ce que tu dois faire ou penser. Un bon professeur te montre la voie, t'explique les choses. Un professeur n'est pas là pour te mener à la baguette, il doit t'aider à arriver à tes propres conclusions.

Je me revis à douze ans, debout devant le bureau en teck de sa chambre, en train de lui tendre mon interro de maths tremblant entre mes doigts comme une petite bête palpitante et terrifiée.

Tiens donc ? fis-je en haussant les sourcils par-dessus mes lunettes.

Le vendredi suivant, 11 février, nous abordâmes les chants III et IV, où Télémaque rend visite aux anciens compagnons de son père pour tenter d'en apprendre un peu plus. Au chant III, il arrive à la cour de Nestor qui, rentré depuis longtemps de la guerre de Troie, a retrouvé son trône dans sa bonne ville de Pylos, sur la pointe occidentale du Péloponnèse. Entouré de ses nombreux fils, tous plus charmants les uns que les autres, le roi qui, en dépit de son grand âge n'a rien perdu de son autorité, se fait un plaisir d'évoquer les temps anciens, cette époque bénie où les hommes étaient plus braves et les héros plus illustres (thème central de nombre de ses histoires et, sans doute, de nombre d'histoires que les vieillards racontent à leurs fils). Rien d'étonnant à ce que les Grecs, à force d'entendre de tels récits, fussent tenaillés par l'angoisse de ne jamais égaler leur père.

Après avoir été chaleureusement accueilli par le vieux roi pieux – à son arrivée, une fastueuse cérémonie de sacrifice réunit des milliers de citoyens sur la grève –, Télémaque l'écoute raconter ses souvenirs de guerre. Nestor commence par relater certains événements qui se produisirent à la fin de la guerre de Troie ; puis il dit ce qu'il sait du retour dans leur patrie de différents guerriers grecs dont le nom n'aurait pas été étranger au public d'Homère qui aurait entendu réciter l'*Iliade*. L'un des plus intéressants de ces retours est celui d'Agamemnon, le général grec dont la querelle avec Achille est l'élément déclencheur de l'épopée précédente. Télémaque apprend ainsi de Nestor comment Agamemnon, en retrouvant son foyer, fut assassiné par sa perfide épouse, Clytemnestre, et son amant Égisthe, crime qui serait vengé par le fils dévoué d'Agamemnon, Oreste. Nestor, lui, effectua son voyage de retour sans encombre : il se souvient avoir rallié Pylos depuis Troie en quelques jours à peine. Le vieux roi sait bien que Télémaque est venu à Pylos pour s'enquérir du sort de son père, mais il n'a malheureusement pas beaucoup d'éléments concrets à lui offrir pour éclairer sa quête.

Les récits de Nestor sont des exemples de ce que l'on appelle les récits du *nostos*. En grec, *nostos* signifie « le retour ». La forme plurielle du mot, *nostoi*, était en fait le titre d'une épopée perdue consacrée aux retours des rois et chefs de guerre grecs qui combattirent à Troie. L'*Odyssée* est elle-même un récit du *nostos*, qui s'écarte souvent du voyage tortueux d'Ulysse à Ithaque pour rappeler, sous forme condensée, les *nostoi* d'autres personnages, comme le fait ici Nestor – presque comme s'il craignait que ces autres histoires de *nostoi* ne survivent pas à la postérité. Peu à peu, le mot *nostos*, teinté de mélancolie et si profondément ancré dans les thèmes de l'*Odyssée*, a fini par se combiner à un autre mot du vaste vocabulaire grec de la souffrance, *algos*, pour nous offrir un moyen d'exprimer avec une élégante simplicité le sentiment doux-amer que nous éprouvons parfois pour une forme particulière et troublante de vague à l'âme. Littéralement, le mot signifie « la douleur qui naît du désir de retrouver son foyer », mais comme nous le savons, ce « foyer », surtout lorsque l'on vieillit, peut aussi bien se situer dans le temps que dans l'espace, être un moment autant qu'un lieu. Ce mot est « nostalgie ».

Au chant IV, Télémaque, escorté par le jeune fils de Nestor, Pisistrate, arrive à la cour de Ménélas et d'Hélène à Sparte. Le brave roi et sa somptueuse épouse sont réconciliés depuis longtemps ; comme pour suggérer que ce couple, jadis brisé par l'adultère, peut à nouveau connaître le bonheur conjugal, Homère fait débarquer les deux jeunes gens le jour où l'on célèbre le double mariage de deux des enfants de Ménélas. Bien que leurs hôtes ne sachent pas encore qui ils sont, Télémaque et son nouvel ami sont invités à se joindre au festin de noces. Lorsque Ménélas les entend s'émerveiller du faste de son palais, il se penche vers eux et leur explique qu'il a accumulé une bonne part de sa fortune au cours du long et tortueux périple qui le ramena de Troie *via* Chypre, la Phénicie et l'Égypte. (Ménélas relate avec force détails son *nostos*, presque aussi mouvementé que le voyage d'Ulysse.) Mais comment pourrait-il se réjouir de tant de richesses, soupire-t-il tristement, alors que son malheureux frère Agamemnon a péri par la perfidie d'une épouse infidèle ; et alors qu'il a perdu la trace de son très cher compagnon d'armes, Ulysse... Tandis que Ménélas s'étend sur l'affection qu'il porte à son vieil ami, Télémaque éclate en sanglots, révélant ainsi son identité. Ménélas et la reine se lancent alors dans une succession de récits sur Ulysse aux temps de la guerre de Troie, récits qui, pour l'édification de Télémaque, font valoir le caractère et la ruse de son père.

Mais rien de tout cela n'intéressait mon père. Ce qui le chiffonnait, cette semaine-là, c'était que les voyages de Télémaque à Pylos et à Sparte ne livrent aucune information utile sur Ulysse.

Il faisait anormalement doux ce matin de février : lorsque nous sortîmes de chez moi pour rejoindre le bâtiment où se tenait le séminaire, le thermomètre affichait 15,5 °C. En buvant son café à l'appartement, papa était de bonne humeur. La semaine précédente, il avait regardé d'un œil torve ma machine Nespresso, aussi rutilante qu'une carrosserie de voiture. Tu sais que je n'aime pas ces petits cafés ! Tu n'as pas du café normal ? Cette semaine, j'étais prêt. Quelques jours auparavant, j'avais fait une expédition au centre commercial, sur l'autre rive du fleuve Hudson, où il y avait un magasin Bed Bath and Beyond, et j'avais acheté une bonne vieille cafetière filtre. En faisant la queue à la caisse, j'avais vu sur une tête de gondole une lourde tasse en céramique sur laquelle était inscrit « QUI EST TON PÈRE ? » et je l'avais mise dans mon panier aussi. Puis j'étais passé prendre au super-marché une maxi boîte de café moulu Maxwell House. Et donc, ce matin-là, le jour où nous devions discuter en classe des voyages de Télémaque, mon père entra dans la cuisine. Imitant le geste ample et théâtral d'un présenta-teur de téléachat, je lui indiquai la cafetière électrique et lui tendis la tasse avec une petite révérence. Un nuage de vapeur s'éleva du liquide brun clair.

Aaah, Daaaan ! s'exclama-t-il. Il y avait, comme souvent, une légère ironie dans sa façon d'étirer l'unique syllabe. Tu es vraiment trop gentil ! Il regarda la cafetière et demanda, Où as-tu trouvé ça ?

À Deathbed and Beyond, répondis-je.

La blague ne nous fit même pas rire, tant nous y étions habitués. Ma mère était réputée pour ses lapsus, dont beaucoup étaient passés dans notre vocabulaire familial. Certains, je pense, étaient vraiment involontaires. J'étais avec elle le jour où, dans une boulangerie, elle demanda d'un air distrait une douzaine de tonnerres. Le boulanger lui retourna un regard vide, et soudain son visage s'illu-mina : Ah, vous voulez dire des « éclairs » ? ! Mais je suis persuadé que d'autres étaient délibérément calculés pour amuser mon père qui, comme elle, aimait les mots fléchés, les mots croisés, les jeux de mots et, du même coup, détestait les impropriétés de langage, comme si le langage était lui aussi une sorte de mathématique qui n'admettait aucune approximation. (*Après que je suiiiiiiis arrivé* »/nous reprenait-elle en plein milieu d'une conver-sation. *Pas « sois ».*) Tous les dimanches, papa s'attelait aux mots croisés géants du *Times*, regardant d'un œil noir les définitions comme s'il cherchait à les intimider afin qu'elles livrent leurs secrets, et au bout d'un moment, ma mère arrivait, regardait par-dessus son épaule, *Laisse-moi un peu voir ça*, et elle remplissait les mots manquants au feutre rouge, traçant délicatement ses lettres au-dessus du furieux gribouillis bleu de papa.

Mon père émit un petit grognement en avalant une gorgée de café et poussa un long *mmmmmmh* exagéré, à la manière d'un acteur de spot publicitaire. Ah, ça c'est du café !

Nous buvions notre café dans un silence bienveillant. Au bout d'une ou deux minutes, il consulta son iPhone. 15 degrés ! s'écria-t-il. Il jeta un coup d'œil par la fenêtre et secoua la tête, incrédule.

Ça ne va pas durer, ajouta-t-il tristement. Bon Dieu, je déteste l'hiver. Si seulement ta mère me laissait acheter un appartement en Floride !

Il semblait presque parler tout seul.

Comment ça « te laisser » ?

Ah, ne me lance pas là-dessus !

J'attendis un instant. Et sinon, comment va-t-elle dans l'ensemble, ces derniers temps ?

Oh, elle va bien. Elle passe son temps à roupiller. Elle traîne toute la matinée et après elle fait deux heures de sieste l'après-midi.

Il ferma les yeux un instant, les rouvrit et reprit une gorgée de café. Excellent ton café, Dan. Merci.

Mais à peine avions-nous pris place dans la classe qu'il avait retrouvé son humeur querelleuse. Je ne vois vraiment pas en quoi il fait son éducation, dans ces chants, grommela-t-il en secouant la tête. Il ne trouve aucun renseignement utile sur son père, alors qu'apprend-il vraiment ?

Quelques murmures d'approbation s'élevèrent, puis un garçon impeccablement mis, Brendan, intervint : Avant de parler de son éducation, il y a autre chose qui me pose problème chez Télémaque, en fait.

Comme dans beaucoup de facs de lettres, bon nombre d'étudiants du Bard College aiment à se donner un genre par leur mise débraillée, voire un peu crasseuse. Ce Brendan, en revanche, s'habillait avec un soin aussi méticuleux qu'un mannequin d'une publicité pour les chemises Arrow. Il y avait dans son apparence quelque chose de précis, de géométrique presque : les doubles cercles de ses lunettes, les verticales bien nettes de la raie tracée dans ses épais cheveux noir et du pli de son pantalon.

Qu'est-ce qui te pose problème, au juste ?

Eh bien voilà, commença posément Brendan. Ce qui m'a frappé dans ces premiers chants, c'est que Télémaque n'arrête pas de changer d'avis sur son père. Au chant I, il est certain qu'Ulysse est mort – il dit d'ailleurs à Athéna que son père est mort depuis longtemps. Puis au chant II, à l'assemblée, il annonce aux prétendants qu'il part chercher des renseignements pour savoir s'il est mort ou vivant. Et ensuite, au chant III, quand Athéna, sous les traits de Mentor, lui annonce qu'Ulysse va revenir d'un instant à l'autre, il ne la croit pas. C'est bizarre parce que ça ne suit pas une évolution continue, à partir de son fatalisme initial. Au début, Télémaque a perdu tout espoir, puis il commence à reprendre espoir pour retomber dans le désespoir. Pourquoi ces revirements constants ?

Et pourquoi ai-je l'impression que tu as ta petite idée, là-dessus ?

Quelques rires fusèrent, mais Brendan était très sérieux.

Je pense que *psychologiquement* c'est bien vu, dit-il. J'en viens à me demander s'il ne préfère pas Mentès, Mentor ou n'importe qui d'autre à Ulysse. Peut-être que pour lui, la figure du père est préférable au père lui-même.

Je ne répondis pas. Je n'avais jamais pensé à cela.

Au fond, poursuivit Brendan, est-ce que, inconsciemment, Télémaque n'espère pas qu'Ulysse soit mort ?

Je remarquai que les autres étudiants avaient arrêté de griffonner sur leurs cahiers et écoutaient avec attention.

Je l'encourageai à poursuivre.

Eh bien, voilà. Pour un garçon qui n'a jamais connu son père, qu'est-ce qui est le plus dur ? Vivre sans père, ou bien le rencontrer à vingt ans et devoir apprendre à le *connaître* ?

C'est bigrement brillant, ça, comme théorie ! m'exclamai-je.

Ce fut à cet instant que mon père intervint. Moi, je ne vois vraiment pas en quoi Télémaque est censé « apprendre » quoi que ce soit, ici. Il ne fait qu'exécuter des ordres. Il ne pense pas du tout par lui-même, en fait.

J'invitai d'un regard les étudiants à répondre, mais personne ne réagissait. Eh bien, finis-je par dire, son expérience a tout de même une valeur pédagogique, non ? Télémaque voyage, découvre d'autres cultures, rencontre des gens différents, et donc il apprend. Et souvenons-nous que nous aussi nous apprenons – les histoires que nous entendons ici viennent combler un certain nombre de lacunes sur ce qu'il s'est passé à la fin de la guerre de Troie. Alors, qu'apprenons-nous dans ces chants ?

Le regard de Nina croisa le mien. Je trouve intéressant que Télémaque et Athéna arrivent à Pylos, au chant III, au moment même où une grande cérémonie bat son plein. Télémaque et Athéna sont des étrangers, et pourtant, ils sont traités avec tous les égards. Ça tranche avec ce qui se passe à Ithaque, où ça n'arrête pas de festoyer et de boire, sauf que là, c'est juste des beuveries. À aucun moment on ne parle de sacrifice aux dieux, à Ithaque.

Excellente remarque. C'est vrai, dans le royaume de Nestor, on respecte les dieux, chose qui fait cruellement défaut à Ithaque.

Trisha releva la tête.

La description de la cour de Ménélas et Hélène offre aussi un contraste saisissant avec celle d'Ulysse, dit-elle.

Contrairement à certains étudiants, dont les commentaires étaient invariablement ponctués de « eeeuh » et de « genre » propres à la langue des adolescents, et se terminaient le plus souvent par une intonation interrogative, Trisha parlait toujours d'une voix impeccablement posée, presque déclamatoire. Et elle faisait des phrases complètes.

Quand Télémaque arrive à Sparte, la famille royale célèbre deux mariages. Le banquet se déroule dans le cadre d'une fête de famille joyeuse, qui est aux antipodes des agapes des prétendants à Ithaque. Ils festoient tous contre le gré de leur hôte, violant les lois de la courtoisie et de l'hospitalité, et pillent les réserves de vivres du roi absent.

Très bonne analyse, dis-je. Le début des chants III et IV présente des modèles d'hospitalité qui sont totalement différents de ce qu'il a toujours connu jusqu'à présent.

Donc, oui, on pourrait sans doute dire qu'il apprend quelque chose auprès de Nestor et de Ménélas.

Je résistai à la tentation de me retourner pour regarder mon père.

Et nous découvrons aussi un autre personnage, dans ces chants, non ? enchaînai-je.

Trisha leva une main en finissant de prendre des notes de l'autre. Oui, dit-elle, En fait, à mon avis, ce que nous apprenons de plus intéressant dans ces deux chants n'a rien à voir avec Nestor ni Ménélas. Le vrai sujet, c'est Agamemnon.

Exactement. Nestor et Ménélas parlent tous deux de lui dans le récit de leur retour. Pourquoi revient-il ainsi dans les conversations ?

Madeline agita la main. Pour qu'on sache qu'il a été assassiné au banquet de bienvenue quand il rentre de la guerre de Troie ?

Et alors ?

Trisha me fixa de ses yeux pers : C'est le type de retour qu'on *ne* souhaite *pas*.

L'histoire du retour désastreux d'Agamemnon, une sorte d'*Odyssée* négative, s'insinue dans le tissu de l'épopée d'Ulysse du début à la fin : du chant I, où Zeus, secouant tristement la tête en évoquant la folie des mortels, souligne combien l'amant de Clytemnestre a été idiot de persister dans ses noirs desseins, au mépris de la volonté des dieux, jusqu'au chant XXIV, le dernier de l'épopée, où en apprenant qu'Ulysse a triomphé dans le sang des prétendants, l'âme d'Agamemnon dans l'Hadès se réjouit pour « l'heureux Ulysse » et rend hommage à Pénélope, « exemplaire et irréprochable épouse, dont la réputation de vertu ne s'éteindra jamais » (contrairement à Clytemnestre, ajoute-t-il méchamment).

L'habile imbrication dans le récit d'Homère de ces voyages de retour parallèles nous rappelle une vérité psychologique familière : il nous est souvent impossible de savoir exactement ce qu'est réellement notre propre famille, de connaître ses forces et ses faiblesses, son originalité et son conformisme relatifs, sa normalité ou sa pathologie, tant que nous ne sommes pas assez grands pour la comparer à d'autres familles ; ce que nous n'entreprenons de faire que lorsque nous commençons à comprendre, vers la fin de l'enfance, qu'en réalité notre famille n'est pas le monde entier.

La plupart des gens que nous fréquentions lorsque j'étais enfant étaient les nombreuses amies de ma mère et leur famille. Pour nous, cela allait de soi. Car après tout, ma mère était la plus sociable – avec son sourire de star et ses histoires truculentes, ses conversations téléphoniques hilarantes quand elle se faisait les ongles et se décolorait les cheveux à la table de la cuisine, bavardant avec l'une ou l'autre de ses copines de la Bande des Quatre, qu'elle connaissait depuis ses années de fac. Toutes ces femmes avaient droit au titre honorifique de « tante », Tante Alice, Tante Mimi, Tante Marcia et Tante Irma, un cercle qui, peu à peu, s'était élargi à quelques amies des amies, de sorte que nous eûmes aussi Tante Zita et Tante Iris. Le rituel des barbecues, des dîners et des réveillons de Nouvel An dans leurs belles maisons de banlieue se répétait année après année, entre les vieilles blagues et les petites piques émoussées par le temps, les diapos de vacances projetées sur les murs du salon, les hommes qui parlaient sport et politique autour du tapis à poils longs du bureau de l'un ou de l'autre, tandis qu'à la cuisine les femmes partageaient leurs secrets en faisant la vaisselle. C'était aux synagogues que fréquentaient ces femmes et leurs familles, aux bar-mitsvah et aux bat-mitsvah de leurs enfants dans les années 1960 et 1970, que mon père s'efforçait toujours d'arriver aussi tard que possible, accusant toujours *la circulation d'enfer.*

Il y avait toutefois certaines occasions où il essayait de ne jamais arriver en retard – celles où nous allions voir l'un de « ses » proches.

Nous arrivions à l'heure, par exemple, lorsque nous allions rendre visite à son frère aîné, Howard. Ce n'était pas bien difficile : Oncle Howard habitait dans la banlieue voisine, à dix minutes en voiture de chez nous, tout au plus. En été, quand j'avais quinze ou seize ans, j'y allais en vélo, remontant Haypath Road pour aller tenir compagnie une ou deux heures à Oncle Howard dans le salon du modeste pavillon qu'il occupait avec Tante Claire, le cousin Michael et la cousine Lorri. Il aimait bien m'inviter de temps à autre pour écouter de la musique, quand Claire était au bureau et mes cousins occupés à leur petit boulot après l'école. En leur absence, un calme étrange, légèrement mélancolique s'emparait de la maison. Je m'installais dans un canapé moelleux du salon plongé dans une semi-pénombre, les yeux rivés sur une grande reproduction du *Garçon bleu* de Gainsborough encadrée sur un mur, et il passait des disques de guitare classique – Andrés Segovia, Julian Bream, je revois encore leurs noms sur la pochette. À l'âge de cinq ans, comme tous mes frères et sœur, je dus commencer les leçons de musique, discipline que mon père estimait indispensable à une *vraie* éducation, et il était entendu que nous pourrions arrêter une fois que nous serions au lycée (*Après ça, ce ne sera plus à moi de vous dire ce que vous avez à faire*), mais il était également entendu que tout abandon serait perçu comme un terrible échec, indigne des principes de persévérance et d'effort que mon père s'efforçait de nous inculquer, déchéance d'autant plus grave que mon père lui-même n'avait jamais renoncé à rien. L'unique exception étant, à notre connaissance, la thèse qu'il n'avait jamais réussi à finir – l'abandon du latin au lycée ne comptait pas vraiment –, raison pour laquelle il n'avait qu'une maîtrise et non un doctorat en mathématiques. Mais cet unique échec ne semblait pas le déranger outre mesure, puisque c'était en quelque sorte à cause de *nous* qu'il n'avait pas pu terminer son doctorat. Il rappelait épisodiquement qu'il avait bel et bien fini son cursus de troisième cycle mais qu'il n'avait pas pu rédiger sa thèse parce que maman était tombée enceinte d'Andrew au moment même où il s'apprêtait à s'y mettre, et que, puisqu'il avait charge d'âmes et devait faire bouillir la marmite, il avait dû interrompre ses études pour retourner au travail : c'est ainsi que sa thèse était la seule chose que mon père si diligent n'eût jamais achevée.

Nous suivions donc assidûment nos cours de musique, chacun avec l'instrument qu'il lui avait assigné.

Celui que mon père m'avait choisi, quand j'avais cinq ans, était la guitare classique. Peut-être avait-il déjà compris que j'étais un solitaire, que je ne m'intégrerais pas facilement dans un ensemble. Quoi qu'il en soit, bien que je n'eusse jamais dépassé le stade de la médiocrité, que je n'eusse jamais aimé ces leçons hebdomadaires auxquelles mon père me conduisait tout au long des années 1970

– des trajets pendant lesquels nous n'échangions généralement pas un mot, lui l'oreille rivée à la radio pour suivre les événements tragiques de la guerre du Viêtnam et les interminables retransmissions des « pourparlers de Paris », et moi le regard triste, perdu derrière la vitre, moi qui aurais préféré aller n'importe où ailleurs qu'à ces cours –, quoi qu'il en soit, j'appréciais ces après-midi calmes avec le frère de mon père sur le canapé en velours devant *Le Garçon bleu*, en grande partie parce que j'aimais l'idée, alors totalement nouvelle pour moi, que je pouvais avoir avec un membre de la famille des rapports fondés sur autre chose qu'un sentiment de devoir.

Oncle Howard avait près de dix ans de plus que mon père. Un peu voûté, comme peuvent l'être les gens de grande taille qui ne sont pas particulièrement sociables, il se déplaçait dans sa propre maison d'un pas hésitant, comme s'il était en visite chez un hôte qui serait monté faire la sieste à l'étage. Il y avait, comme chez mon père, un soupçon de tristesse dans l'expression de son visage, comme s'il était dans le secret de quelque cruelle ironie de la vie que lui seul pouvait comprendre. Il avait les mêmes yeux bruns rapprochés que mon père et, sous un long nez busqué hérité de son père, le taciturne Poppy Al, une moustache impeccablement taillée donnait à cet homme discret un petit air fringant improbable. En y repensant, il avait quelque chose d'un pilote de la RAF dans un film de guerre. Et pourquoi pas, après tout ? Nous savions qu'il s'était engagé dans l'armée de l'air à dix-huit ans, en 1938, et qu'il avait effectué des missions pendant toute « la guerre », et c'était donc peut-être cela : peut-être avait-il vu et accompli des choses qui lui avaient imprimé cette allure un rien désinvolte que je remarquais de temps à autre. Ce visage, que j'épiais parfois discrètement lorsque nous écoutions Segovia sous le regard langoureux du *Garçon bleu*, était piqueté d'imperceptibles cicatrices laissées par les poussées d'acné qui l'avaient ravagé dans son adolescence.

Howard était taiseux et semblait apprécier le calme. Il était tellement différent de l'exubérante Tante Claire ! Aussi différent que mon père l'était de ma mère.

Claire. *Clairesie !* s'amusait-elle parfois à se désigner elle-même en s'esclaffant de ce rire rauque et saccadé, peut-être naturel, ou dû, plutôt, aux paquets de cigarettes qu'elle fumait chaque jour, les bouts-filtres tout en longueur « pour dames » en vogue dans les années 1960 et 1970. Claire n'était pas de ces femmes qui se pâmaient d'aise en tirant leur première bouffée ; elle était plutôt du genre à vous regarder droit dans les yeux, à braquer sa cigarette sur vous en racontant sa prise de bec avec une autre cliente chez le coiffeur (comme d'habitude, elle avait eu le dessus), ou en exposant l'un ou l'autre de ses bons plans, un investissement en or dont on lui avait parlé au bureau, les grille-pains et les mixeurs à gagner en transférant de l'argent d'une banque vers une autre, un moyen infaillible de tirer les bons numéros du loto. Mon père, qui détestait généralement toutes les manifestations d'exubérance, semblait apprécier Claire et avait pour elle une indulgence bourrue qu'il refusait à toutes les autres femmes de son entourage. Je me demandais parfois s'ils ne partageaient pas quelque vieux secret qui les aurait liés par un pacte.

La maison dans laquelle j'ai grandi était parfaitement organisée, le contenu de chaque placard, de chaque

étagère de bibliothèque, du réfrigérateur et du congéla-
teur était accroché ou empilé selon une logique
rigoureuse. L'intérieur de Claire était aussi fascinant et
imprévisible que ses bons plans et ses combines. Sa cave,
encombrée du bric-à-brac hérité de nombreux parents
éloignés morts de longue date, était pour moi un paradis,
où les pieds de lampe anguleux, les vieux candélabres en
cuivre, les gros trains électriques Lionel qui clignotaient
et brillaient dans le noir portaient autant de promesses
que le trésor du tombeau de Toutânkhamon. Il y avait
aussi toute une ménagerie bruyante et remuante, dont
trois chiens turbulents, en particulier un chihuahua
hargneux baptisé Benny B. Boychik. Ce chien importu-
nait sans cesse mon pauvre père qui, comme nous le
savions tous, s'était fait mordre par un chien enragé
quand il était petit et avait subi des piqûres dans le ventre
pendant quinze jours. Depuis ce traumatisme d'enfance,
il n'était jamais très à l'aise avec les chiens, aussi affectueux soient-ils, au point qu'il changeait de trottoir pour
éviter le caniche nain de notre voisin. Les visites chez
Tante Claire et Oncle Howard lui étaient donc un
supplice. Il s'asseyait bien droit sur le canapé, sous *Le
Garçon bleu*, regardant les roquets sauter, glapir et grogner
autour de ses jambes, le cou étiré vers l'arrière dans une
dérisoire tentative d'échapper aux jappements tel un noyé
essayant de garder la tête hors de l'eau, les lèvres figées en
un trait horizontal, les yeux plissés, les joues creuses
enfoncées sous les pommettes saillantes. Puis, dès que
Claire déboulait une tasse de café à la main, une longue
cigarette blanche en équilibre sur une lèvre fardée de rose
brillant, les chiens se calmaient et, après un moment de
flottement à regarder tour à tour mon père et ma tante,

trottinaient tranquillement vers elle, comme hypnotisés, avec une grâce de ballerine, et lui léchaient les doigts, et aucun n'était plus mignon que Benny B. Boychik ! *Boychik*, « petit garçon », en yiddish, c'était ainsi que Claire m'appelait, moi aussi. *Boychik* ! s'écriait-elle dans un gloussement guttural en me voyant arriver tandis qu'elle préparait un café, avec le grain moulu « espagnol » qu'elle aimait tant – un café si noir et si fort qu'il faisait l'effet d'une drogue. Les deux mains levées, comme dans un dessin de livre d'images illustrant le mot « étonnement », les yeux pétillants soulignés de mascara tout écarquillés, relevant comiquement l'arc impeccable de ses sourcils, elle s'écriait *Boychik* ! renversait sa petite tête en faisant voler sa crinière rousse et riait avec une joie espiègle. Il m'a pris l'idée, récemment, d'aller chercher le mot *boychik* sur Internet. Un petit encadré s'est affiché sur la page de résultats, avec une définition (« terme affectueux pour un jeune garçon ou un jeune homme »), suivie d'un exemple : « Boychik, ton papa serait fier de toi s'il était encore en vie. »

Mis à part Howard, l'autre personne chez qui mon père tenait à arriver à l'heure était Oncle Nino. Nino, qui habitait un peu plus à l'est sur Long Island (à une petite heure de route – à condition qu'il n'y ait pas trop de circulation), n'était pas vraiment un « oncle ». C'était un Italien et un catholique, mais un ami si proche de mon père qu'il était entré dans la grande famille de nos oncles et tantes honoraires, privilège plus souvent réservé aux amis de ma mère. Ma mère étant fille unique, nous comprenions que, contrairement à mon père, elle ait « besoin » de cette fratrie d'adoption. Nino était mathématicien lui aussi et, avec mes frères et sœur, nous avions

toujours pensé, sans rien en dire, que c'étaient les mathématiques qui les rapprochaient, car toute ressemblance
superficielle, toute indication de goûts ou d'intérêts
communs semblaient s'arrêter là. Puisque nous savions
que papa était mathématicien, nous imaginions évidemment qu'il était l'archétype de tous les mathématiciens :
les sweats gris à capuche, les chemises à manches courtes
en polyester, les pantalons trop larges, trop étroits, les
cravates mal assorties, les chaussures de ville « confor-
tables » dont la semelle de caoutchouc nous faisait
tellement honte en société, les mauvaises guimbardes qui,
à peine achetées, commençaient à tomber en morceaux,
chose qui n'arrivait jamais avec les voitures des pères de
nos amis. Et puis Nino a déboulé dans notre univers, avec
ses cabriolets décapotables, ses élégants pantalons et blou-
sons italiens, ses beaux mocassins de cuir souple, son
immense cave à vins et ses talents de gastronome – et avec
Tante Irène, son éblouissante épouse grecque aux longs
cheveux noirs, dont les plateaux d'apéritifs exotiques
nous attendaient lorsque nous arrivions enfin, des feuilles
de vigne et des anchois « frais » – concept inimaginable
pour nous qui étions persuadés que l'habitat naturel de la
plupart des poissons ne pouvait être que la boîte de
conserve. Nino, le meilleur ami de mon père, un homme
dont nous savions qu'il était, avant tout, un grand voya-
geur, qui allait en Europe comme nous allions à une bar-
mitsvah dans le New Jersey, qui avait vu du pays, avait
emmené son épouse aux longs cheveux et leurs enfants
aux yeux noirs en Italie, où il avait enseigné un an dans
une université, et qui était rentré de ce séjour chargé de
cadeaux, de spécialités culinaires et d'histoires, de

descriptions de cathédrales, de vignobles et d'interminables repas, des anecdotes qu'il racontait avec une étincelle dans ses yeux bleus, son visage espiègle et jovial aux pommettes roses plissé par le rire, sa bouche mobile grande ouverte quand il poussait son *Ah !* sonore, en baissant le menton et en écartant les bras devant lui pour aussitôt les laisser retomber, vaincus, sur ses cuisses : c'était sa façon caractéristique d'exprimer son enthousiasme au souvenir de quelque plaisir trop fort et trop compliqué à décrire. *Mais Jay, tu devrais y aller, un jour !* s'écriait Nino en rentrant de ses voyages, et mon père baissait les yeux, secouait la tête et disait : *Tu ne peux pas comprendre.* Nous, nous savions que ce que Nino ne pouvait pas comprendre, c'était que maman ne voulait pas voyager – et rechignait même à dépasser les limites du quartier, sauf si c'était papa qui conduisait. Alors, mon père n'allait nulle part, lui non plus.

En dépit de leurs différences, mon père aimait beaucoup Nino. *Ton père adore l'oncle Nino !* répétait ma mère chaque fois que nous nous préparions pour aller chez lui, elle lançait cela à la cantonade en emballant soigneusement les cadeaux qu'elle lui avait choisis avec minutie : des objets précieux, rares, que nous n'aurions jamais songé offrir à d'autres amis, des carafes à vin en verre d'Italie semé de paillettes d'or et recourbées en d'improbables cols de cygne, des verres à pied en cristal de la verrerie suédoise Orrefors déclinant des couleurs ternes, gris fumée, bleu de cobalt. *Ton père adore Nino*, proclamait ma mère quand nous étions prêts à partir, comme si le voyage que nous allions entreprendre était si exotique, si rude, qu'il justifiait tant d'emphase et de solennité, mais ce qui nous paraissait le plus étrange dans cette phrase n'était pas tant sa teneur que l'entrechoquement des mots « ton père » et « adore ». Nous n'étions pas habitués à associer mon père à de grandes passions, ni même à des amitiés fortes. Il avait, tout au mieux, une petite poignée d'amis proches, dont le nombre relativement modeste créait un contraste accusateur avec l'étendue du cercle social de ma mère, qu'elle devait ou non à son caractère expansif, elle qui était si exubérante, si drôle, elle qui apportait des fleurs de son jardin aux caissières du supermarché et aux réceptionnistes du médecin et du dentiste, elle qui avait tant d'amis. Quand j'étais jeune, ce contraste semblait confirmer mon impression que mon père était en quelque sorte le pendant négatif de ma mère... Quelques-uns de ses rares amis proches étaient, il est vrai, des hommes qu'il connaissait depuis bien plus longtemps que Nino. Eugene Miller, par exemple : un comptable dégingandé au nez crochu et à la voix douce, que nous voyions aux grandes fêtes de famille, les bar-mitsvah et les mariages où « la bande du Bronx » se retrouvait, arpentant la salle de sa démarche raide d'échassier, quelqu'un qui n'avait pas sa place parmi les collègues scientifiques de papa, mais l'un des seuls, pourtant, auquel mon père réservait d'inhabituels gestes d'affection. De temps à autre, sans un mot, papa passait un bras sur les hautes épaules voûtées d'Eugene, ou lui donnait une accolade furtive, et nous imaginions que ces contacts physiques exceptionnels en disaient long sur la place particulière qu'occupait Eugene dans la petite constellation des amis de papa, car, comme le disaient certains dans un murmure d'approbation, *Papa connaît Eugene depuis l'âge de cinq ans !*

155

Il y avait donc bien certaines personnes dont il se sentait proche. Mais de là à « adorer » qui que ce fût, il y avait un pas. Lui-même n'a d'ailleurs jamais prononcé les mots *j'adore* ; ni même, à ma connaissance, *j'aime*.

Le chant IV est le plus long de l'*Odyssée* – deux fois plus que la plupart des autres chants. C'est, en partie, parce qu'il déroule plusieurs longs récits à travers lesquels Homère livre ingénieusement à son jeune héros de précieux enseignements.

Au début du chant, peu après que Télémaque a fondu en larmes en entendant Ménélas évoquer la profonde amitié qui le lie à son vieux camarade Ulysse, Hélène de Troie les rejoint à la table de banquet. Contrairement à son mari, elle reconnaît immédiatement le jeune visiteur :

> Force m'est de dire que jamais je ne vis pareille ressemblance
> chez homme ou femme – étonnante ! –
> que celle de cet homme avec le fils d'Ulysse,
> Télémaque, que son père dut quitter encore au berceau,
> quand vous autres, Grecs, vinrent porter votre guerre à Troie
> – et ce, par ma faute, chienne que je suis !

En s'attardant sur la ressemblance entre le jeune homme, qu'elle n'a jamais vu, et l'homme qu'elle connut jadis, ressemblance qu'elle seule a su déceler, Hélène confirme à Télémaque l'identité qu'il recherche depuis sa première apparition, au chant I. Manifestement, cette femme sait encore donner aux hommes ce qu'ils désirent.

Sur ce, Ménélas, Hélène et Télémaque évoquent Ulysse absent, dans des torrents de larmes. Même Pisistrate, fils de Nestor, verse quelques pleurs – non pour Ulysse, qu'il n'a jamais connu, mais au souvenir de l'un de ses frères qui périt à Troie ; les Grecs savaient que pleurer peut être une forme de plaisir. Prenant prétexte de ces épanchements par trop émouvants, Hélène décide, avant de conter à son tour ses souvenirs d'Ulysse, de verser dans le vin une drogue puissante. Cette potion, dont on nous dit que la reine de Sparte l'a rapportée d'Égypte, patrie des plus grands sages et guérisseurs du monde, a le pouvoir de dissocier les émotions intérieures de leur expression extérieure : quiconque en boit ne peut plus pleurer et gardera les yeux secs même si son père ou sa mère venait à mourir, même si son frère ou son fils bien-aimé venait à se faire tuer sous ses yeux. La drogue en question s'appelle *nepenthê*, littéralement « sans chagrin », le mot étant formé sur le radical *penthê* dérivé du substantif *penthos*, « le chagrin », et du préfixe privatif, tout comme le mot *anodin*, « sans douleur », à l'origine du nom d'Odysseus-Ulysse.

Le véritable thème du récit qu'Hélène s'apprête à rapporter ne vise pas, comme elle le prétend, à instruire Télémaque de la personnalité de son père, mais plutôt à faire valoir ses propres talents de physionomiste. Vers la fin de la guerre, commence-t-elle, Ulysse s'est introduit dans l'enceinte de Troie déguisé en mendiant, affublé de misérables haillons, non sans avoir pris soin, pour plus de véracité, de se flageller. Elle seule, déclare-t-elle à son mari et à l'assistance désormais sous l'emprise de la drogue, sut le reconnaître, et elle lui donna un bain et le vêtit, puis l'interrogea sur les desseins des Grecs. Elle précise que, lors de cette rencontre inattendue avec Ulysse, celui-ci lui fit jurer de ne dévoiler à personne son identité avant qu'il ne se fût glissé hors des murs de la cité et n'eût rejoint le camp des Grecs. Ce détail semble indiquer qu'il ne lui faisait pas tout à fait confiance mais, devant son époux et ses hôtes, elle laisse entendre que ce serment était superflu. Car, à ce moment de la guerre, assure-t-elle à son auditoire indolent, son « cœur était déjà retourné » : elle regrettait d'avoir fui à Troie avec Pâris et n'aspirait qu'à retourner dans sa patrie avec l'armée grecque victorieuse. Elle conclut son récit en rendant un élégant hommage à « la beauté et la raison » de son mari Ménélas, et en se reprochant la « folie » qui la détourna jadis de lui.

Ménélas fait mine d'applaudir le long récit de son épouse – « Très bien, femme, tu as bien parlé » –, et embraye sur l'évocation d'un épisode de la guerre de Troie : la nuit où, ses compagnons d'armes et lui étant cachés dans le cheval de Troie, prêts à bondir pour attaquer les Troyens, Hélène sortit du palais royal et vint se tenir au centre de la ville, où avait été tiré le cheval. Elle fit trois fois le tour de l'immense construction de bois, rappelle Ménélas, appelant par son nom chacun des guerriers grecs dissimulés à l'intérieur en imitant la voix de leurs épouses. Dans le ventre du cheval, poursuit le roi, plusieurs Grecs furent à deux doigts de répondre à ce qu'ils pensaient être l'appel de leurs femmes, car ils guerroyaient depuis dix ans et se languissaient de leurs foyers. Mais l'astucieux Ulysse ne fut pas dupe : il bâillonna de ses fortes mains ces hommes faibles qu'Hélène avait trompés. Et ainsi, conclut Ménélas, Ulysse « a sauvé tous les Grecs » – avec un petit coup de pouce d'Athéna qui fit rentrer Hélène dans son palais.

Au cours de la deuxième partie de notre séance sur les chants III et IV, alors que midi approchait et que la journée étrangement douce se faisait encore plus chaude, je résumai brièvement ces deux histoires et demandai à mon auditoire : Que se passe-t-il, au juste, ici ?

Il y avait dans la classe un jeune Belge qui, l'année précédente, avait suivi mon cours de première année sur « Les grands récits fondateurs », et que j'avais surnommé Damien Demi-Barbe. Mû par quelque désir pervers de se masquer – il avait l'ovale marmoréen et l'expression solennelle d'un portrait de diplomate du XIXe siècle –, il jouait de l'apparence de son visage, se laissant parfois pousser un épais favoris victorien d'un côté seulement, tantôt à droite, tantôt à gauche, ressemblant alors à ces images de visages coupés en deux illustrant les deux âges de l'homme – le garçon et l'adulte.

Damien leva la main.

Ce que j'ai trouvé bizarre, c'est le passage où Hélène verse de la drogue dans leur vin.

Et pourquoi est-il bizarre ?

Les Grecs se défonçaient ! s'esclaffa joyeusement Jack.

Parce qu'ils racontent des histoires tristes sur la guerre de Troie ? risqua Madeline.

Toutes les histoires de guerre sont tristes, maugréa mon père, dans son coin.

C'est bizarre, reprit Damien. Quand Ménélas dit à Hélène « tu as bien parlé, femme ! », c'est du sarcasme.

Je l'encourageai. Oui, tu as raison, mais pourquoi est-il sarcastique ?

C'est juste bizarre... répéta Damien. On dirait qu'il ne la croit pas vraiment.

Pourquoi, d'après vous ?

Silence dans la salle.

Vous ne lisez pas le texte d'assez près si vous passez à côté de ce qui est en train de se jouer entre Ménélas et

Hélène dans cette scène. Ne prenez pas ce que disent les personnages au pied de la lettre. Lisez entre les lignes. Vous devez extraire le sens de ce texte. Qu'est-il vraiment en train de se passer, ici ? – la drogue, les histoires, le ton sarcastique ?

J'avoue que ces reproches n'étaient pas tout à fait sincères, car moi non plus je n'avais pas saisi tout de suite.

La première fois que j'avais lu le chant IV de l'*Odyssée* en grec, c'était dans le séminaire de Jenny, à l'université de Virginie. Nous venions de débroussailler les discours d'Hélène et de Ménélas, et Jenny, tirant sur sa cigarette, nous avait posé la même question : Qu'apprend Télémaque dans ce passage ?

Nous n'étions que trois inscrits à ce cours : David, un doctorant qui préparait sa thèse sur la poésie latine mais devait améliorer son grec pour valider son diplôme, et un garçon craintif qui disparut un beau jour de la classe et, je pense, de l'université. Quoi qu'il en soit, ils répondirent tous les deux avant moi, ce jour-là. David, qui avait grandi dans les environs de Boston et se donnait de sympathiques allures de Humphrey Bogart, dit : Il apprend que son père avait l'art de se déguiser et était disposé à se flageller pour réussir sa mission.

Le garçon craintif ajouta : Il apprend que son père a sauvé tous les Grecs le soir du cheval de bois, et que c'était un héros.

Jenny nous regarda un à un, comme lorsqu'elle attendait une traduction ou un commentaire, puis utilisant le surnom que, jusqu'alors, seul mon père utilisait, elle dit, *Dan ?*

Je ne sais pas de quel type de familles venaient les deux autres étudiants, mais, avec le recul, je pense que si j'ai trouvé la bonne réponse ce jour-là, c'était parce que j'avais grandi auprès de mon père et de ma mère, à les entendre tous les soirs se houspiller à table et après dîner, à écouter leurs allusions cinglantes à certains événements et individus (*Ah, ton père, parlons-en de ton père ! En fait de héros, il se posait là, crois-moi*), et, à une époque particulière de mon adolescence, j'avais aussi appris à interpréter les silences lourds de sens, quand, après dîner, mon père allait se réfugier dans sa chambre derrière son petit bureau, la tête entre les mains, tandis que ma mère passait la serpillière par terre à quatre pattes, marmonnant entre ses dents, et que nous filions tous faire nos devoirs dans nos chambres. Pendant cette période, l'atmosphère était tellement électrique à la maison que l'on aurait dit qu'un terrible orage menaçait d'éclater à tout instant. Nous, les enfants, nous faisions tout petits.

Je répondis à Jenny : À première vue, on dirait qu'ils partagent ces souvenirs heureux d'Ulysse, mais en fait, l'échange est plutôt tendu.

Jenny sourit et m'encouragea d'un petit coup de menton. Elle portait à l'index une bague en argent, faite d'une ancienne pièce de monnaie athénienne et conçue de telle sorte que l'on pouvait retourner la pièce pour voir soit l'avers soit le revers, le profil d'Athéna ou la chouette, attribut de la déesse.

Continue, Dan, dit-elle.

Ce que nous dit Hélène dans son récit, c'est qu'elle regrette maintenant de s'être enfuie avec Pâris. Elle veut faire croire à tout le monde qu'elle a rallié la cause des Grecs, et qu'elle aide Ulysse à accomplir sa mission d'espionnage.

Jenny hocha la tête.

Mais l'histoire de Ménélas montre qu'elle ment, ajoutai-je.

Comment ?

Parce qu'elle essaie d'amener les Grecs cachés dans le cheval à se trahir. Ce qui signifie qu'en fait elle était toujours du côté des Troyens.

Jenny était ravie. Et maintenant, dis-moi pourquoi elle verse une drogue dans le vin.

Je me redressai sur ma chaise. On dirait que Ménélas et elle ont déjà raconté ces histoires, et qu'elle sait que la version de son mari prouve sa trahison, et donc elle drogue le vin car après avoir pris du *nepenthê*, personne ne peut plus réagir à rien, personne ne peut se scandaliser, personne ne peut rien faire de ces révélations... Ils mangent et boivent, et on croirait assister à un sympathique banquet, mais en réalité ils sont en train de se disputer.

La tête inclinée sur le côté, Jenny exultait. Puis elle posa un regard impérieux sur ses trois étudiants. Je répète donc ma question : qu'apprend Télémaque au chant IV ?

Elle laissa passer un long silence et nous fournit un indice : Rappelez-vous que c'est la première fois qu'il est en face d'un couple adulte.

C'est alors que j'ai saisi. Il découvre ce qu'est le *mariage*, dis-je.

Mon père n'était pas le seul à douter de la valeur pédagogique des voyages de Télémaque à Pylos et à Sparte. Certains commentateurs anciens étaient tout aussi sceptiques. « Ridicule », avait rageusement griffonné un sage dans la marge en regard du vers 284 du chant I – où Athéna dit au prince : « Va d'abord à Pylos questionner le divin Nestor. » Entre autres choses, relevait cet érudit, en prenant la mer, Télémaque laisse son pays sans protection et sa mère plus vulnérable que jamais. Il faisait en outre remarquer que la quête du prince était vaine, puisque à son retour, Télémaque ne sait toujours pas ce qu'il est advenu de son père. Ce fut en réponse à ces doutes que d'autres savants anciens avancèrent une théorie : la fonction de la Télémachie et de quelques autres digressions apparemment futiles était d'introduire dans l'intrigue de l'*Odyssée* un peu de « variété », afin qu'elle ne devienne pas trop uniforme ou, dans les termes de ces commentateurs, trop *monotropos* – l'exact contraire de l'épithète qui définit Ulysse, *polytropos*.

Ces récriminations pourraient nous paraître étranges, habitués que nous sommes à penser que « les voyages forment la jeunesse ». De notre point de vue moderne, le conseil qu'Athéna prodigue au jeune prince dans le chant I de l'*Odyssée* n'est guère étonnant. La plupart des lecteurs partent volontiers du principe que ses voyages à Pylos et à Sparte auront, en soi, une portée pédagogique et que (comme lorsque l'on quitte le foyer familial pour aller à l'université ou faire une année d'études à l'étranger) le simple fait de partir de chez lui et d'être livré à lui-même aidera Télémaque à mûrir. Et de fait, depuis les temps anciens, nombre d'érudits et de lecteurs ordinaires ont vu dans les quatre premiers chants de l'épopée l'un des premiers exemples, sinon le premier, du genre que les Allemands appelleront par la suite le *Bildungsroman*, le « roman d'apprentissage » : un récit qui retrace les étapes de la formation intellectuelle et morale d'une jeune personne. Le terme a été créé par un lettré allemand du

XIXe siècle, Johann Karl Simon Morgenstern, qui se trouvait être le meilleur élève de Friedrich August Wolf, père de la philologie, jusqu'à ce qu'une brouille les oppose : Wolf jugeait que Morgenstern, à trop vouloir faire des textes littéraires des modèles canoniques d'édification morale, était devenu un vulgarisateur de bas étage, alors que Morgenstern estimait que l'approche par trop scientifique de son *Doktorvater* risquait d'occulter la vaste ambition humaniste de la littérature, à savoir la « formation harmonieuse » de l'âme d'une jeune personne.

Ceux qui envisagent la Télémachie comme un précurseur du roman d'apprentissage se prévalent d'un autre exégète ancien du vers 284 du chant I, qui remarque qu'Athéna envoie Télémaque à Pylos

> afin qu'il soit instruit (car [Nestor] avait l'expérience de l'âge), puis à Sparte, chez Ménélas (car celui-ci vient de rentrer d'un périple de huit ans) ; plus généralement, afin d'acquérir sa gloire en partant à la recherche de son père.

Le philosophe grec païen Porphyre, qui rédigea plusieurs traités sur Homère, tenait lui aussi la Télémachie pour un récit d'apprentissage exemplaire, et expliqua dans l'une de ses analyses que les quatre premiers chants de l'*Odyssée* sont l'histoire de la *paideusis* d'un jeune homme, son « éducation ». On retrouve dans *paideusis* le mot *pais*, enfant, qui est en fait la racine du verbe grec *paideuô*, « éduquer ». Ce qui revient à dire que l'éducation est ce que l'on fait pour former le caractère d'un enfant.

Il se trouve que ce verbe, *paideuô* – sans doute parce qu'il est parfaitement régulier à tous ses modes –, est utilisé comme « verbe-type » dans un petit manuel intitulé *A New Introduction to Greek*, qui était celui qu'utilisaient nos professeurs du département de Lettres classiques de l'université de Virginie pour le cours d'initiation au grec ancien en 1978-1979, ma première année de fac. Je m'étais inscrit à cette université un peu à contrecœur. J'aurais préféré intégrer un autre établissement de Virginie, le College of William and Mary, que je trouvais plus joli, et dont les origines étroitement associées à la maison royale britannique me paraissaient obscurément fascinantes. *Mais enfin, Daaan!* se récriait mon père quand, au printemps 1978, il m'accompagna en voiture dans le Sud pour visiter le campus des deux universités. Réfléchis! L'université de Virginie a été fondée par un président américain! Regarde l'architecture, c'est tout ce que tu aimes – classique, toscan, dorique, et c'est ça qu'il voulait qu'elle incarne! Le Siècle de la Raison!

Or les pavillons néoclassiques de brique rouge et de stuc blanc imitant la pierre, regroupés autour d'une rotonde centrale inspirée du Panthéon de Rome, me laissaient totalement froid. Je professai soudain une admiration sans borne pour l'architecte baroque Christopher Wren et, lors de notre long trajet par l'autoroute de Virginie, je pris un malin plaisir à glisser dans l'autoradio une cassette de la *Musique pour les funérailles de la reine Mary* de Purcell. Mais je n'avais pas tout dit à mon père. Les étudiants bon chic bon genre, frais émoulus des grandes écoles privées, qui se pavanaient avec aisance autour des portiques de stuc, dans leurs chemises à col boutonné, leurs pantalons beige et leurs cravates à rayures, déambulant dans les allées de brique à chevrons, affichaient une assurance que j'étais certain de ne jamais acquérir. J'avais pris ma décision : je n'irai pas à U. Va.

Mais mon père ne désarmait pas.

Tu veux aller dans l'autre école parce qu'elle est jolie, soupira-t-il, **atterré, sur** la route du retour, l'épaule gauche comme prise **de spasmes** tandis que nous filions sur l'Interstate 95. Je m'étonnai de l'immense effort qu'il faisait sur lui-même pour s'abstenir de réflexions caustiques. Joli, joli… on ne choisit pas une fac parce qu'elle est *jolie*, poursuivit-il. L'université de Virginie a une *excellente* réputation, et un grand département de Lettres classiques. Tu trouveras ce que tu recherches, là-bas. Et Charlottesville est une vraie ville universitaire, tu sais.

(Il avait gardé une mine renfrognée pendant toute la visite de la ville coloniale de Williamsburg, avec ses reconstitutions des vignettes de la vie au XVIIIᵉ siècle, où des jeunes filles barattaient joyeusement le beurre dans leurs grandes jupes à crinoline. *N'importe quoi !* avait-il maugréé en écoutant un étudiant affublé d'une perruque talquée nous conduire dans une pièce à plafond bas en débitant son exposé sur les bougie à la cire d'abeille.)

Tu trouveras des choses que… que tu ne trouveras pas dans un trou perdu comme *Williamsburg*. Il marqua une pause. Là, il avait pris un ton sarcastique en prononçant le nom de la ville.

Il revint à la charge quelques heures plus tard, autour d'un sandwich au crabe dans la cafétéria miteuse du relais d'autoroute annoncé par un grand panneau « BIEN-VENUE DANS LE MARYLAND ». Écoute, voilà ce qu'on va faire : tu vas à U. Va pour un an et si ça ne te plaît vraiment pas, tu pourras demander un transfert à William and Mary. Et si ça te plaît vraiment, tu pourras simplement me remercier. Qu'est-ce que tu en dis ?

J'étais surpris de le voir se préoccuper à ce point de mon avenir. La force de sa conviction commençait à entamer mes résistances accumulées depuis des années. Quelques jours après notre retour à la maison, j'allai le trouver sa chambre et je dis, Bon, d'accord.

Il leva la tête de son bureau en teck, et me dévisagea d'un regard las.

C'est d'accord, répétai-je. Je vais faire comme tu dis. J'essaie pour un an.

Et il avait raison : je trouvai exactement ce que je recherchais à l'université de Virginie, qui était, comme il l'avait pressenti, assez grande, assez variée, pour satisfaire tous mes centres d'intérêt, intellectuels et autres ; ce fut là-bas que je rencontrai Jenny, et d'autres. Je suis donc resté.

Je m'inscrivis dès ma première année au cours d'initiation au grec, langue que je brûlais d'apprendre depuis des années. Au collège et au lycée, je n'avais eu que le français et l'espagnol comme options, et même si je dévorais déjà des livres sur la mythologie, l'archéologie et l'histoire grecques, j'en avais été réduit à me rabattre sur le français en attendant d'arriver en fac. C'est pourquoi, en cette fin d'après-midi d'août 1978, lorsque je m'enfermai dans ma chambre d'étudiant après avoir rapporté de la bibliothèque un exemplaire de *A New Introduction to Greek* dont les plats de bougran râpaient légèrement entre mes mains, dont les pages étaient aussi fraîches au toucher que des pommes tranchées, je l'ouvris avec cette joie particulière que seul peut connaître un étudiant qui s'apprête à entreprendre des études dont il a si longtemps rêvé, une

forme de griserie où se mêlent curieusement la satisfaction et le désir, la plénitude et le manque. En feuilletant
les chapitres, je parcourais avidement sans les comprendre
les tableaux de déclinaisons et de conjugaisons, les lettres
grecques noires qui défilaient sur la page comme des
cohortes d'insectes. Mais comme nous avancions très vite
– j'avais cours tous les matins, cinq jours par semaine, de
9 heures à 9 h 50, et nous traitions un chapitre par séance,
chaque chapitre couvrant intégralement une règle de
grammaire –, ce qui m'avait d'abord paru n'être que des
signes aléatoires s'ordonna bientôt pour composer des
mots, des noms, des adjectifs, des adverbes, des verbes,
sous toutes leurs formes possibles.

L'infinie richesse du système verbal faisait mes délices. En
partie parce que tous ces traits grammaticaux particuliers
trahissaient une fascinante obsession de la précision. Les
Grecs ont par exemple une catégorie qui n'est ni singulier, ni
pluriel, appelée le « duel », que l'on utilise uniquement pour
les objets qui se présentent généralement par deux – les
bœufs, les yeux, les mains – et au regard de laquelle les
conjugaisons françaises apprises au lycée (je/tu/il/elle, nous/
vous/ils/elles) paraissaient inexactes, insuffisantes. Et en
partie aussi pour l'attirance qu'exerçait sur moi l'insolite
« voix moyenne », qui n'était ni le passif ni l'actif que l'on
m'avait enseignés en anglais à l'école, mais un mode verbal
qui relève des deux à la fois, où le sujet est aussi l'objet, un
dédoublement que le grec résout en un seul mot, là où des
langues comme le français ou l'anglais doivent s'encombrer
de pronoms réfléchis (« je *me* suis… », « I x'd *myself* »).

J'étais surtout captivé par les temps des verbes, avec
leurs incroyables métastases, les changements de temps

signalés par des préfixes qui s'agrégeaient comme des cristaux, par des suffixes qui perlaient à la fin des mots,
comme du miel gouttant d'une cuillère sur une soucoupe.

paideu-ô j'éduque
e-paideu-on j'éduquais
paideu-s-ô j'éduquerai
e-paideu-sa j'éduquai
pe-paideu-ka j'ai éduqué
e-pe-paideu-ka j'avais éduqué

Je trouvais merveilleux que par de minuscules ajouts de
part et d'autre du radical, *-paideu-*, l'on puisse faire de tels
bonds dans le temps : le présent, se métamorphosant à la
faveur d'un simple *e* au début du mot, pour glisser vers le
passé flou de l'imparfait, ou, tout aussi facilement, s'insi-
nuant vers l'avenir par l'imbrication d'un sigma, *s*, entre le
radical et la terminaison personnelle ; ou encore, assez
comiquement, s'introduisant dans la galerie des miroirs
qu'est le passé « parfait » par la magie d'une double addi-
tion, d'abord la répétition bégayante de la consonne
initiale, *p-p*, puis l'annexion du cruel son *k* à la fin : *pepai-*
deuka, « j'ai éduqué ». Et de fait, on pourrait dire que la
progression du préfixe hésitant jusqu'au suffixe autoritaire
imite le cheminement que l'éducation elle-même doit
amorcer.

La première conjugaison de *paideuô* que j'ai rencontrée
me fut une découverte éblouissante. Ce ne fut pas le cas
pour tout le monde. Au tout début du cours d'initiation
au grec, dans les derniers jours d'août 1978, un garçon
aux traits graves et aux cheveux roux vif – sans doute sorti
d'une bonne école privée, pensai-je avec une pointe
d'envie, avec son blazer bleu, sa chemise bleu ciel un peu

froissée et sa cravate à rayure bleu et orange, uniforme qu'il portait avec une assurance si naturelle que ce n'en était plus de l'assurance – avait pris place au fond de la classe. Après quelques séances, je trouvai moyen de bavarder un peu avec lui. *J'ai fait du grec dans mon école, et j'ai pensé m'y remettre*, me confia ce garçon, dont les joues pâles étaient rehaussées d'une tache rose si colorée et si bien délimitée qu'on aurait dit qu'elle avait été peinte, comme les cercles rouges sur les joues d'une poupée, *J'ai pensé m'y remettre*, me confia-t-il d'un ton désinvolte par une après-midi humide, *mais je ne sais pas vraiment si...* Il laissa la fin de sa phrase en suspens, tandis que je le regardai bouche bée. Il y avait des cours de grec dans son lycée ! Tandis que je restais planté là, stupéfait, son regard se perdit vers l'autre bout du couloir, où d'autres étudiants en blazer bleu, cravate et chemise boutonnée se détendaient. Ils lui adressèrent un signe de la main. *Ah, excuse-moi, mes amis m'attendent*, fit-il d'une voix nonchalante, et il les rejoignit d'un pas chaloupé, et, quelques jours plus tard, il cessa d'assister aux cours... La première conjugaison de *paideuô*, disais-je, me fut une éblouissante découverte.

Et je n'en étais encore qu'à la voix active au mode indicatif ! Car il y avait aussi le subjonctif et l'optatif, le premier indiquant, selon mon dictionnaire, « un état d'éventualité ou d'irréalité », le second servant à exprimer « un souhait ou une prière », des modes verbaux dont seules quelques infimes traces ont subsisté en anglais, dans des expressions comme « *Be that as it may* » ou « *God help us* », mais qui en grec sont omniprésentes et indispensables.

Durant cette première année de grec, j'appris que, comme *paideuô*, tous les verbes grecs existent dans chacun de ces modes et de ces temps, chacune de ces formes et de ces voix, si bien que chaque verbe a très littéralement des centaines de formes, chacune magnifiquement ciselée pour décrire avec une précision forcenée l'action à laquelle se rapporte le verbe : qui fait quoi, comment, dans quelles circonstances et dans quel but. Parce que j'avais grandi dans une maison réglée par les exigences d'ordre et de netteté de ma mère, tout cela me paraissait naturel, et je l'assimilais avec gourmandise. Tant de précision était rassurant. C'était comme si l'implacable rigueur de la grammaire, avec l'implication qu'il y avait une place et une fonction pour tout à condition que l'on maîtrise le système, était une sorte d'armure qui pouvait me protéger des choses moins faciles à catégoriser et à ordonner.

La racine de *paideuô*, « éduquer », et du substantif qui en est dérivé, *paideusis*, « l'éducation », le mot que Porphyre, le philosophe païen du IIIe siècle, choisit pour décrire le thème des quatre premiers chants de l'*Odyssée*, est le mot grec *pais*. Associé à d'autres mots, *pais*, « l'enfant », ou parfois simplement « le garçon », devient *péd-* (ou *ped-*) dans des composés comme « pédagogie », « l'art d'amener les enfants au savoir », et « pédérastie », « le désir érotique pour des *paides*, de "jeunes garçons" » (l'enfance était pour les Grecs une phase qui s'achevait au moment où paraissaient les premières traces de barbe sur les joues) ; ce dernier étant une forme de désir qui, comme l'expliqua Platon dans l'un de ses dialogues, représentait le tout premier stade d'un cheminement progressif qui, avec un peu de chance, pouvait mener à un amour pour des concepts plus élevés.

Quinze cents ans après Porphyre, au XIXe siècle – à l'époque où, comme je l'expliquai à mes étudiants dans mon cours d'introduction, il prit soudain aux savants la lubie de diviser l'*Iliade* et l'*Odyssée* en épisodes séparés –, certains hellénistes assuraient que les quatre premiers chants de l'*Odyssée* formaient jadis une mini-épopée indépendante qui n'avait été greffée que tardivement sur l'*Odyssée*. Ils en voulaient pour preuve la force de l'arc narratif relatant le passage de son jeune protagoniste de la passivité à l'activité, du statut de simple observateur à celui d'énergique chercheur de vérité ; et la puissance du parcours romanesque de la Télémachie, ce *Bildungsroman* avant l'heure où le personnage du jeune fils d'Ulysse est formé, éduqué, tout au long de sa quête du père.

2

Homophrosynê
(Maris et femmes)

Il y avait autre chose que mon père n'aimait pas chez Ulysse : le héros pleure.

Il passe son temps à pleurer ! s'exclama-t-il alors que nous roulions vers le campus, le troisième vendredi du mois de février. Ce jour-là, nous devions aborder les chants V et VI. *À pleurer !* Il secouait la tête, incrédule. Tu parles d'un héros !

Ce matin-là, il faisait un froid mordant. Dehors, le thermomètre accroché près de la porte de derrière affichait – 7 °C quand nous étions partis. Grommelant et jurant, mon père s'était débattu avec les boutons de son lourd manteau.

Papa, lui avais-je dit, et si tu essayais de faire ça *avant* de mettre tes gants ?

Ne viens pas me dire ce que j'ai à faire, avait-il rétorqué. Un autre refrain familier de notre enfance. Je sais ce que je fais. Sans lever les yeux de sa boutonnière, il avait ajouté, Parfois, je croirais vraiment entendre ta mère.

C'est au chant V que le poète consacre enfin toute son attention à son personnage principal, délaissant Télémaque

173

(que l'on ne reverra pas avant le chant XV) et sa quête du père, pour se focaliser sur le héros perdu dans ses errances. Ulysse, comme nous l'a appris le chant I, est désormais échoué sur l'île de Calypso. Maintenant, alors que l'épopée revient sur lui, nous découvrons un héros « se lamentant » de chagrin jour après jour, assis sur un promontoire, contemplant l'étendue apparemment infinie de la mer qui le sépare de chez lui, et « gémissant » de ne pouvoir contempler les feux de son foyer sur son Ithaque natale. Point culminant de ce portrait du désespoir, le poète ajoute qu'Ulysse a perdu le goût de vivre : il « n'aspire qu'à la mort ».

Pour entamer notre discussion sur le chant V, je demandai aux étudiants ce qu'ils avaient pensé de cette présentation plus détaillée et tant attendue du personnage principal de l'épopée.

Nina leva la main.

C'est encore plus surprenant que dans le chant I, dit-elle. Il est complètement passif et déprimé. Il est suicidaire !

Jack s'esclaffa. Pas des masses héroïque !

C'est là que mon père intervint.

Je suis d'accord avec elle, dit-il, avec un geste en direction de Nina. (Connaissait-il seulement leurs noms ? J'en doutais. Ferait-il jamais le moindre effort pour chercher à les connaître ?) C'est un pleurnichard, il dit qu'il veut mourir. Je ne vois vraiment pas en quoi ça fait de lui un grand héros.

Il prononçait le mot « héros » avec un certain dégoût, transformant le « é » de la première syllabe en un long « ê » : *hêêêros*. Il faisait ça avec d'autres mots : « bière », par exemple. Je me rappelle comment, peu après la mort de son propre père, après avoir raccompagné la dépouille en avion à Miami, afin qu'il soit enterré avec ma grand-mère, ses sœurs et leurs maris, après les funérailles éplorées durant lesquelles, nous avait avoué mon père, il avait été incapable de regarder le cercueil ouvert parce qu'ils avaient maquillé les pommettes de son père, et à sa façon de prononcer le mot « maquillé », j'avais alors perçu à quel point il était choqué, et écœuré – je me rappelle comment, au lendemain de tout ça, mon père s'était un jour tourné vers mes frères et moi et nous avait lancé, *Quand je mourrai, je veux que vous me brûliez, et après, les garçons, allez vous payer une tournée de bières à ma santé, un point c'est tout.*

Une tournée de *bièêêres.*

Je ne vois vraiment pas en quoi ça fait de lui un hêêêros, grinçait-il maintenant. Il trompe sa femme, il couche avec Calypso. Il perd tous ses hommes, donc, comme général, il est minable. Il est déprimé, il pleurniche. Il reste assis là, à vouloir mourir.

Il secoua la tête. Alors, pourquoi tout le monde passe son temps à dire « le héros » par-ci, « le héros » par-là ? C'est censé être un soldat. Un père ! Un chef ! Un roi !

Eh bien, objectai-je au bout d'un moment, c'est ce qu'il est. L'*Iliade* regorge de scènes qui montrent qu'Ulysse est à la fois un chef militaire efficace et un guerrier honorable.

Eh bien, *moi,* j'étais dans l'armée, et j'ai connu quelques types qui étaient de *vrais* héros. Et je peux t'assurer que *personne* ne pleurait.

Il y eut quelques coups d'œil amusés.

Je toussotai. En fait, j'étais ravi que mon père évoque ce sujet, car l'un des objectifs de l'*Odyssée,* comme nous allons le voir au cours du semestre, est de redéfinir ce qu'est effectivement un héros. Dans l'*Iliade*, qui est un poème sur la guerre, des héros meurent tout le temps, mais ils y sont prêts pourvu que leur héroïsme sur le champ de bataille leur apporte une renommée glorieuse, ce que les Grecs appelaient *kleos*. L'exemple le plus célèbre n'est autre que celui d'Achille, le plus grand de tous les héros, qui préfère une vie brève mais glorieuse à une longue existence sans éclat.

Quelques-uns hochèrent la tête.

Alors que l'*Odyssée*, poursuivis-je, est un poème sur un monde de l'*après-guerre*. Il se déroule au lendemain d'un conflit, et ce qu'il explore, entre autres, c'est ce à quoi pourrait ressembler un héros une fois qu'il n'y a plus de combat à livrer. Achille est réputé pour ses prouesses physiques, sa rapidité et sa force. Ulysse, bien qu'étant un guerrier respecté, est surtout connu pour ses stratagèmes, son génie intellectuel. Achille meurt, mais Ulysse survit. Une des questions que pose l'*Odyssée* est de savoir à quoi pourrait ressembler l'héroïsme de la *survie*.

Les étudiants, amusés par mon père quand il avait déclaré *moi j'étais dans l'armée, et personne ne pleurait*, avaient retrouvé leur sérieux. J'en profitai pour insister sur un point. Donc, oui, dis-je, Ulysse pleure. Mais les larmes n'étaient pas un sujet de honte pour les personnages de l'âge du bronze dépeints par Homère. Il en coule à flots, tant dans l'*Iliade* que dans l'*Odyssée*.

Je marquai une pause, avant d'ajouter : et *personne* ne pense que le fait de pleurer retire quoi que ce soit à la virilité des guerriers.

Je me tournai vers mon père et le regardai avec insistance.

Homophrosynê

Jamais je ne l'ai vu pleurer. D'ailleurs, tout au long de
mon enfance, j'ai moi-même déployé de formidables
efforts pour éviter de manifester mes émotions. Mon père
détestait les signes de faiblesse – à commencer par la
maladie, pour laquelle il affichait une sorte de mépris,
comme si le fait d'être souffrant était une défaillance
éthique plutôt que physique. Quand il nous arrivait de
devoir rester à la maison parce que nous étions malades,
il passait la tête par la porte de notre chambre avant de
partir travailler et soupirait d'un air las et excédé, comme
si cette grippe ou cette varicelle signifiait le début de
quelque irréversible décadence morale. Nous avions le
sentiment confus que cela devait avoir un rapport avec
son enfance et la polio de l'Oncle Bobby. Dans nos jeunes
esprits, la dispute entre Bobby et papa, quelle qu'ait pu
être la terrible cause de leur rupture, se confondait avec la
maladie qui l'avait laissé handicapé. Être malade, c'était
être comme Bobby. Ce n'est que beaucoup plus tard que
j'ai eu vent de toute l'affaire : à quel point ils avaient été
proches étant enfants, comment mon père, encore petit
à l'époque, avait accompagné son frère aîné chez tous les
médecins, avait pris bus et métro avec lui jusqu'aux salles
de consultations et aux hôpitaux. Tout cela, ces corvées,
les médecins, la déception quand il était devenu évident
que Bobby ne guérirait jamais, là se trouvait sans doute la
source de son aversion pour la maladie... Alors, il était
interdit d'être malade. Toute manifestation de vulnérabilité en sa présence nous paraissait presque dangereuse, une
invitation au reproche. Un jour, par une torride après-
midi d'été, je devais avoir treize ans, il m'avait envoyé
couper les haies du jardin avec le taille-haie électrique,
mais quand il était venu contrôler l'état d'avancement des

177

travaux, j'étais en train de souffler, assis à l'ombre. *Il fait trop chaud pour faire quoi que ce soit, maintenant,* lui avais-je dit, sur un ton un rien impertinent, et mon père avait riposté, *Allez, arrête de faire ta chochotte.* Alors j'avais ôté ma chemise et j'avais attaqué les buis à coups de taille-haie jusqu'à en perdre connaissance. Quand ma mère m'avait trouvé, je gisais sur la pelouse, le taille-haie continuant à bourdonner. Pour quelque raison perverse, cela m'avait plus que jamais poussé à rechercher son approbation. Une autre fois, je devais avoir dans les quinze ans, je m'étais mis à écrire en secret des nouvelles tourmentées sur des amitiés passionnées et maudites entre adolescents, dont l'un des deux, immanquablement, mourait à la fin, et j'avais voulu profiter de ce que je percevais comme un dégel dans l'attitude de mon père à mon égard, une sorte d'adoucissement, pour lui soumettre timidement ma dernière œuvre de fiction, la glissant sur le bureau en teck afin qu'il la voie quand il rentrerait du travail. Plus tard dans la soirée, après le dîner, alors qu'il s'était installé à son bureau, il m'avait appelé dans leur chambre et m'avait dit : C'est *magnifique*, Dan.

J'en étais resté muet de surprise.

Puis, brusquement, il avait eu une de ses mimiques, et il avait marmonné, presque pour lui-même, *Mais cette idée d'amour parfait, c'est de la connerie,* et il avait repoussé la liasse de feuillets dans ma direction.

Alors, jamais je n'ai pleuré devant lui.

Même le jour où son ami et collègue Bob McGill était mort, mon père n'avait pas versé une larme. Papa jouait au tennis avec lui tous les mardis soirs à la sortie du bureau. En dehors de ces matchs hebdomadaires, pour ce que j'en savais, ils ne se fréquentaient pas beaucoup. L'étrange voile opaque qui semblait recouvrir la substance de sa vie professionnelle masquait également les hommes avec lesquels il travaillait, et c'est pour cela que je savais si peu de choses de ce qu'avait pu être son amitié avec Bob McGill.

La vie de Bob, nous le savions, était marquée par une souffrance terrible, et cette ombre lugubre contribuait à l'isoler un peu plus de nous, lui conférait une aura particulière, un peu effrayante. Bob était marié à une toute petite femme, Anne, qui était atteinte d'arthrite rhumatoïde. Lors des rares fêtes que donnaient mes parents, quand j'étais adolescent, je jetais des coups d'œil furtifs, gênés, sur ses mains terrifiantes, ses doigts tordus comme des racines. Ses pieds étaient couverts, bien sûr, mais on devinait aisément à quel point eux aussi devaient être horriblement déformés, à la façon douloureusement lente et pataude qu'elle avait de se déplacer. C'est à cette démarche bancale que nous avions tous aussitôt pensé en ce matin de 1975 où Bob était mort subitement, juste après un match de tennis impromptu avec mon père. Bob était rentré à la maison, avait par la suite raconté Anne à mes parents, et il était tombé par terre, simplement. Un *infarctus massif*, s'était mis à chuchoter tout le monde. Mais elle, il lui avait fallu de longues minutes pour claudiquer jusqu'au téléphone, et elle était si paniquée qu'elle avait été incapable d'utiliser le mécanisme spécial dont Bob l'avait fait équiper afin qu'elle puisse composer un numéro. Et il s'était encore écoulé d'autres longues minutes avant qu'elle parvienne à sortir pour appeler à l'aide, et entre-temps, il était mort.

Ça s'était passé un matin, quand j'étais en seconde. Le soir même, je devais être intronisé au sein de la National Honor Society. La cérémonie était programmée depuis des semaines, puis nous devions tous nous rendre au Friendly's pour manger des glaces, comme le voulait la coutume après une remise de prix. Mais ce jour-là, à mon retour du lycée, je m'étais rendu, nerveux, dans la chambre de mes parents, où mon père, rentré plus tôt du travail, était assis à son bureau, tête baissée, les deux mains sur les tempes, fixant sans la voir une pile de factures et de documents, et je lui avais timidement dit que ce n'était pas grave si nous n'assistions pas à la cérémonie ou à la petite fête qui devait suivre. Il s'était alors contenté de secouer la tête d'un air sombre, avant de déclarer, sans un regard pour moi, *Tu as été admis, on y va, point. Un prix, c'est un prix.* Il ne pleurait pas, pas plus qu'il n'avait pleuré ensuite, que ce soit pendant la cérémonie dans l'auditorium du lycée, ou au Friendly's, où mes camarades et moi étions assis autour des tables en formica, et engloutissions milk-shakes et granités. De temps à autre, au long de l'heure que notre petite bande d'élèves de seconde avait passée sur place à papoter entre deux éclats de rire, je coulais des regards discrets vers l'autre bout de la salle, vers mon père et ma mère, debout contre un mur, silencieux, et je m'étais alors aperçu que son visage ne semblait trahir aucune émotion, que ses yeux étaient secs.

Ce fut ce moment-là qui me revint à l'esprit, en ce matin glacial de février, il y a quelques années, alors que nous discutions du chant V de l'*Odyssée*, et que mon père disait qu'il ne comprenait pas pourquoi Ulysse était

180

considéré comme un si grand héros, lui qui passait son temps à pleurer.

Je me retournai vers ma classe. Dans l'épopée grecque, les héros *pleurent* bel et bien. Il faut l'admettre. N'oubliez pas, ce livre est le produit d'une autre culture.

La bouche de mon père ne formait plus qu'une ligne horizontale. Eh bien, dans *ma* culture, finit-il par lâcher, ce n'est pas un héros. Quand j'étais dans l'armée, j'ai croisé plus d'un type sacrément héroïque, et, croyez-moi, *personne* ne pleurait.

Cette nuit-là, alors que je mettais au propre les notes que j'avais prises pendant le cours, je me demandai si mon père n'avait pas cherché à épater la galerie. Des héros qu'il avait connus à l'armée ? Les rares fois où il nous avait parlé de son service militaire, c'était sur le ton de la plaisanterie. Je me souviens l'avoir entendu me dire, *Je pelais des patates à Petersburg, en Virginie, <u>voilà</u> à quoi j'ai passé mon temps dans l'armée.* Quand il évoquait le sujet sérieusement, c'était généralement soit en référence au service long effectué par l'Oncle Howard, soit pour nous rappeler que Bobby, à cause de sa polio, n'avait pas pu s'engager pendant la Seconde Guerre mondiale. *Ça l'a tué, votre oncle Bobby, de ne pas pouvoir se battre*, nous avait-il dit un jour, dans les années 1990, après que Bobby et lui s'étaient réconciliés… et qu'il avait coupé les ponts avec Howard. Compte tenu de la tragédie que l'un avait vécue et de l'héroïsme dont l'autre avait fait preuve, il devait avoir honte de son propre passage insipide sous les drapeaux. En même temps, nous savions que la seule raison pour laquelle il s'était engagé, c'était la bourse du GI Bill : en échange de la corvée de patates, il pourrait faire des études supérieures.

J'ai récemment demandé à mes frères et sœur quel souvenir ils gardaient des récits de papa à propos de son service, et j'ai découvert que chacun avait entendu une histoire différente. « Je croyais qu'il était à Fort Hamilton, à la base du Pont de Verrazano », m'a écrit Jennifer, ajoutant, dans un autre e-mail, « Ah, oui, il m'a dit qu'il était aux écritures, ou quelque chose comme ça. Que les gens intelligents étaient mis à part, ou un truc du genre, et qu'il avait été sélectionné. » Matt, lui, était à peu près sûr que papa avait été cantonné sur le terrain d'entraînement d'Aberdeen, dans le Maryland. Andrew, toujours le plus proche de papa quand nous étions enfants (ce qui expliquait pourquoi, ai-je toujours secrètement pensé, papa avait pu lui pardonner d'avoir été celui qui l'avait empêché de terminer sa thèse), m'a renvoyé le message le plus long :

> Un jour, je lui ai demandé ce qu'il avait appris à l'armée, et il m'a répondu que ce qu'il avait appris, c'est qu'il était « la personne la plus intelligente de l'armée ».
>
> Il y a une autre histoire, où on lui a ordonné de rabattre des cerfs dans les bois, pour que les officiers puissent les tuer pour le dîner, mais je ne me rappelle plus très bien les détails.

En lisant ces lignes, je ne pus réprimer un sourire à l'idée que mon père se fût livré à ce qui était, en fait, une scène tout à fait homérique. Souvent, dans l'*Odyssée*, quand Ulysse et ses hommes débarquent sur une île inconnue, la première chose qu'ils font, c'est partir à la chasse ou se mettre en quête de vivres. Dans le chant X, par exemple, quand ils débarquent sur Aiaé, l'île mystérieuse où réside la nymphe Circé, Ulysse – un instant déchiré entre l'envie de satisfaire son irrépressible curiosité et de reconnaître le terrain, et la nécessité de trouver de quoi manger pour son équipage et pour lui-même – repère un énorme cerf. Il abat la bête d'un seul coup de sa lance et la rapporte à ses hommes restés au camp. Ce long préliminaire, étrangement détaillé, avant la rencontre avec Circé, a peut-être pour fonction de montrer que le héros décide de subvenir aux besoins de ses hommes avant de satisfaire ses envies, priorité qui, comme mon père avait été prompt à le souligner, ne se retrouve pas forcément dans toutes ses décisions.

C'est pourquoi l'idée de mon père occupé à « rabattre des cerfs » me fit sourire quand je lus le mail d'Andrew. Et l'autre information qu'Andrew me donnait m'amusa plus encore : « ce qu'il avait appris, c'est qu'il était "la personne la plus intelligente de l'armée" ». Il n'y avait que papa, pensai-je, pour transformer son service militaire en une affaire d'*intellect*.

Si le chant IV et la visite chez Hélène et Ménélas nous offrent un aperçu déconcertant de l'un des mariages ratés les plus célèbres de la littérature occidentale, les chants V et VI semblent avoir pour but de susciter des interrogations plus générales sur le mariage – pourquoi certains couples sont mieux appariés que d'autres, et par quelles qualités particulières se distinguent ces associations réussies.

Le chant V commence par la deuxième partie du plan des dieux pour ramener Ulysse chez lui : il faut le sauver des griffes de Calypso. Ils envoient donc Hermès, leur messager, sur l'île, et là il retrouve la nymphe dans sa sombre caverne environnée d'une épaisse végétation et où se consument des herbes odoriférantes. Quand il lui transmet l'ordre des dieux, elle entre dans une colère noire, et les accuse d'appliquer deux poids, deux mesures dans le domaine des relations sexuelles : les dieux, s'insurge-t-elle, prennent souvent pour amantes des mortelles, mais *jamais* ils n'autorisent les déesses à vivre avec leurs amants mortels – allant même souvent jusqu'à faire mourir ces malheureux jeunes gens. Calypso se plie néanmoins à la volonté de Zeus et promet à Hermès de libérer Ulysse. Quand elle vient annoncer la nouvelle à son amant, il est sur la plage, et il pleure – il pleure, car il n'en peut plus de coucher avec elle. (Ce vers ne manque jamais d'amuser les étudiants. Mais Homère prend la peine de rappeler que la déesse a « contraint » le mortel à lui faire l'amour toutes les nuits, détail peut-être destiné à dédouaner Ulysse du crime dont mon père l'accusait si volontiers : il trompe sa femme, il couche avec Calypso !) Dans cette scène nous apprenons un élément crucial : Calypso a offert à Ulysse l'immortalité et la jeunesse éternelle, à condition qu'il reste avec elle, mais il a refusé – parce qu'il tient tant à retourner auprès de la mortelle Pénélope et à « revoir monter la fumée de ses propres cheminées ».

La grande question ici, dis-je aux jeunes alors que nous entamions notre cours ce matin de la fin février, c'est : Pourquoi Ulysse ne reste-t-il pas avec Calypso ? C'est une déesse, elle est plus belle que ne le sera jamais Pénélope, elle lui offre la divinité. On ne peut que se demander pourquoi il a dit non.

C'est dingue ! Ça devait être un sacré bon coup ! lança Jack.

Tous partirent d'un grand éclat de rire. Mais il n'avait pas tort : la veille de son départ définitif vers Ithaque et Pénélope, son amante immortelle et lui « se livrèrent au plaisir et demeurèrent couchés côte à côte » – pas sous la contrainte, cette fois.

Ce qui parut crisper mon père.

Manifestement, attaqua-t-il, tout le poème va nous amener à ses retrouvailles avec sa femme. Parfait, on est tous au courant. Mais il passe son temps à la tromper ! Vous m'expliquez ce que ça a d'héroïque, ça ?

Quand j'étais adolescent, il m'avait pris à part, un jour, pour me raconter que le père de ma mère avait eu une maîtresse, à un moment donné, dans les années 1940. *Ah, ton grand-père, parlons-en de ton grand-père*, m'avait-il dit avec mépris, un dimanche après-midi, après s'être disputé avec ma mère qui, à l'époque, aimait présenter son père comme un parangon de civilité et d'aimante soumission à son épouse, et estimait que ces qualités faisaient cruellement défaut à mon père. *En fait de hêêêros, il se pose là, ton grand-père, crois-moi !* Puis, avec la même grimace qu'il devait arborer quarante ans plus tard quand nous débattions de l'Ulysse adultère dans mon séminaire sur l'*Odyssée*, il avait ajouté, avec une cruauté tranquille : *Quand j'avais ton âge, ma mère m'a dit qu'elle avait entendu dire que le père de ta mère avait une « amie ».*

J'étais stupéfait. *Quoi ? Mais comment tu sais que c'était vrai ?*

Il m'avait regardé. *Parce que je le connaissais, ton grand-père.*

Et toi ? avais-je pensé. Je connaissais mon père, et j'étais sûr qu'il n'avait jamais fauté, jamais cherché une autre femme pour satisfaire son orgueil (ce qui, j'en étais

convaincu, était la raison de l'infidélité de Grandpa)
– entre autres parce qu'il était tout sauf orgueilleux, mais
surtout, m'étais-je dit, parce que trahir son épouse serait
revenu à trahir quelque chose d'encore plus important à
ses yeux : ce code rigoureux qui ne laissait place à aucune
zone grise, où *x* était toujours et uniquement *x*, le mariage
était le mariage, son épouse était son épouse, aussi
tendues qu'aient été leurs relations, aussi souvent qu'il ait
pu quitter brusquement la table après dîner pour aller se
réfugier dans leur petite chambre pendant qu'elle faisait
la vaisselle, en larmes. Nous savions qu'il n'était pas rare
que des hommes fassent du gringue à maman – et nous
étions à peu près certains qu'elle ne s'en apercevait même
pas, leurs petites phrases et leurs regards appuyés, au
supermarché ou dans la salle d'attente du dentiste, et (une
fois) à la fin du service pour le Yom Kippour, s'évaporant
dans la brume hautement théâtrale de son rire et de ses
histoires. Vous imaginez, nous racontait-elle, un peu
essoufflée, de retour du supermarché, il y avait ce
monsieur, *si gentil*, qui m'a aidée avec mes sacs de commis-
sions, et, oh, il était si gentil qu'il m'a même proposé de
venir prendre un café chez lui, mais bien sûr je lui ai dit
que je ne pouvais pas, que je devais rentrer à la maison car
j'avais encore plein de tracts à faire – (à l'époque où elle
dirigeait un mouvement citoyen réclamant la fermeture
d'une décharge de produits toxiques dans le quartier) – et
Matthew à emmener chez ce nouveau coiffeur, enfin, ce
n'est pas un coiffeur, c'est un *salon*... Elle nous les racontait, ces histoires, et nous étions tous là, échangeant des
sourires, même mon père, soudain animé de quelque
sentiment primitif – de la fierté ? de la possessivité ? – qui
faisait luire une minuscule étincelle dans ses yeux noirs.

La relation entre Ulysse et Calypso perturbait aussi certains de mes étudiants. Jack déclara qu'il n'aimait pas du tout « la façon désinvolte », pour reprendre ses termes, avec laquelle Ulysse évoque Pénélope lors d'un échange subtil avec Calypso, celle-ci lui ayant annoncé que les dieux avaient enfin décidé de le renvoyer chez lui. S'efforçant de ménager l'orgueil blessé de la nymphe tout en lui faisant comprendre qu'il préférait vivre avec une mortelle, Ulysse lui confie que Pénélope « n'offre au regard qu'une beauté et une stature bien moins impressionnantes ».

C'est quand même bizarre qu'Ulysse admette que Pénélope ne soutient pas la comparaison avec Calypso, fit remarquer Jack. Ça fait pas très loyal.

Allons, dis-je, est-ce nécessairement être déloyal que de dire la vérité – de reconnaître que sa femme n'est plus la jolie jeune fille que l'on a épousée vingt ans plus tôt ? Ce qui compte – et c'est *énorme* –, c'est que sa préférence pour Pénélope, qui n'aurait jamais pu être aussi belle qu'une déesse, et qui, en plus, a vieilli et doit même approcher de l'âge mûr, a un *sens*. Lequel ?

Madeline leva la main ; ses cheveux roux flamboyaient. Que la beauté physique et le plaisir sexuel ne constituent pas les fondements d'un mariage ?

Exactement, répondis-je. Vous vous rappelez, la semaine dernière ? Souvenez-vous de Ménélas et Hélène, et de ce que nous avons dit, que Télémaque entrevoit ainsi ce qu'est un mariage difficile, que cela fait partie de son éducation. Et maintenant, dans le chant suivant, nous voyons Ulysse lui-même pris au piège d'une relation délétère, à sens unique. La question est donc : À quoi ressemble un mariage réussi, du point de vue de l'auteur, quel qu'il fût, qui composa l'*Odyssée* ?

C'est le chant VI qui y répond. Après avoir enfin quitté l'île de Calypso, Ulysse fait voile vers la haute mer et finit par s'échouer sur les rives d'une île d'une fabuleuse luxuriance, la Schérie, où vivent les Phéaciens – un peuple de formidables navigateurs qui, au bout du compte, permettront à Ulysse de rentrer à Ithaque. Soucieuse de favoriser cette issue heureuse, Athéna échafaude un plan complexe pour aider Ulysse à entrer dans les bonnes grâces de la famille royale phéacienne. La déesse apparaît en rêve à la fille de la maison, une charmante jeune princesse du nom de Nausicaa, et lui suggère de descendre laver le linge de la famille sur la grève ce matin-là – le genre de corvée, la gourmande-t-elle, qui incombe à une jeune fille en âge de se marier. Nausicaa obéit. Accompagnée d'une nuée d'amies, elle descend au rivage et là, tombe sur Ulysse, tout juste rescapé de son dernier naufrage, et qui n'a qu'un rameau d'olivier pour couvrir la nudité de son corps souillé de sel. Il entreprend alors habilement à la fois de l'apaiser et de la séduire. D'abord, il lui déclare qu'il ne saurait dire si elle est une mortelle ou bien Artémis en personne, un compliment auquel bien peu de jeunes filles pourraient résister, puis il lui laisse entendre qu'il n'est pas, en fait, un inconnu sans le sou, mais un homme d'une certaine importance, un soldat au passé glorieux – le genre d'homme qu'elle pourrait peut-être envisager d'épouser... Évidemment, Nausicaa, tout émue, promet de le guider vers la ville et de le présenter à ses parents.

C'est à la fin de l'astucieuse tirade d'Ulysse à la princesse qu'Homère révèle ce qui constitue un mariage réussi : autrement dit, le genre de couple à l'opposé de ceux que

l'on a croisés jusqu'à présent dans l'*Odyssée*. « Maîtresse »,
l'implore-t-il,

> Prends pitié : car tu es la première à laquelle je viens
> après avoir souffert bien des tourments, ne connaissant
> aucun de ceux qui tiennent cette terre et y habitent.
> Indique-moi la ville, donne-moi quelque haillon
> pour me couvrir, dans le linge que tu apportes.
> Les dieux puissent-ils alors combler ton désir :
> un mari et une maison ; et surtout une bonne intelligence,
> cette noble chose. Car il n'est rien de plus fort ni de meilleur
> qu'un homme et une femme tenant ensemble leur maison
> en communauté d'esprit, pour le malheur de leurs ennemis,
> la joie de leurs amis, et leur propre gloire.

Ce que j'ai traduit par « bonne intelligence » se dit en
grec *homophrosynê*. La racine *homo-* vient de l'adjectif
homoios, qui veut dire « même », et que l'on retrouve dans
les mots « homéopathie » — traiter une maladie, *pathos*,
avec la même (*homoios*) chose que ce qui l'a causée — et
« homosexuel ». La racine *phron-* a trait à l'esprit, l'intelligence ; elle a donné par exemple le terme « phrénologie ».
(Dans l'original, le mot que j'ai traduit par « en communauté d'esprit » est une forme du verbe rattaché à
homophrosynê, *homophronein* : « penser de la même
façon ».) Du fait, en grande partie, de la place centrale
qu'occupe l'*Odyssée* dans la tradition grecque, le terme
homophrosynê est devenu, dans l'étude de la littérature
antique, un véritable concept désignant cette qualité
indispensable à la réussite d'une relation entre deux
personnes.

Dans notre discussion des chants V et VI, alors que
nous nous interrogions sur les couples malheureux de

l'*Odyssée*, nous revînmes sur la notion d'*homophrosynê*. Je prononçai le mot à voix haute : *ho-mo-fro-sûû-nè.*

À votre avis, demandai-je, pourquoi une parfaite *communauté d'esprit* est-elle la chose la plus importante que puisse partager un couple, selon Ulysse dans le chant VI ?

C'est comme les paroles de *That Old Black Magic !* s'exclama mon père sans crier gare. Et soudain, à la surprise générale, il se mit à chanter, sa voix de baryton rocailleuse s'élevant dans l'air morne du matin. *For you're the lover I have waited for/ You're the mate that fate had me created for...* [« Car tu es l'amant que j'ai attendu/ Tu es celui que le destin avait créé pour moi. »]

Il acheva dans un decrescendo et hocha la tête avec un petit air satisfait. C'était comme si Johnny Mercer avait lu Homère. Il existe une personne, que le destin a créée pour vous, et personne d'autre ne pourra la remplacer.

Les jeunes le dévisageaient, interloqués.

That Old Black Magic ! s'écria-t-il. Musique de Harold Arlen, paroles de Johnny Mercer... Ça ne vous dit rien ?! Il leur adressa un petit geste dédaigneux et soupira, *Pff,* vous, les jeunes, vous ne savez *rien* de votre propre culture.

Merci pour cet interlude musical, Jay Mendelsohn, fis-je en imitant la voix onctueuse d'un animateur de radio. Nous reprenons maintenant le cours de nos émissions.

Je revins à mes étudiants. Je vous repose la question : Pourquoi une parfaite *communauté d'esprit* est-elle la chose la plus importante que puisse partager un couple, selon Ulysse dans le chant VI ? Surtout à la lumière de ce que nous savons de sa relation avec Calypso, comment elle a dû le contraindre à coucher avec elle, comment le désir sexuel, même avec la plus belle des femmes, peut s'émousser avec le temps ?

Madeline agita la main. Parce que le côté physique ne suffit pas ? Quand ils se retrouveront, Ulysse et Pénélope seront tous les deux beaucoup plus âgés que lorsqu'il est parti. J'imagine que la question, c'est : Comment parviendront-ils à se reconnaître, physiquement, quand il rentrera ?

Oui, approuvai-je, et justement, comment y parviendront-ils, d'après vous ?

Gaffe au *spoiler* ! plaisanta Jack.

Nouvel éclat de rire général. Ça m'étonnerait que quelqu'un ici ne connaisse pas la fin, commentai-je…

Trisha, elle, ne plaisantait pas. Elle cessa de prendre des notes dans son cahier et dit : C'est dans leurs têtes que ça va se passer, pas dans leurs corps ?

Homo… quoi déjà ? tenta Jack

Homophrosynê, complétai-je. Vous voyez comment c'est annoncé ? Vous voyez ce qui se prépare ? Avec le temps, votre apparence physique peut changer, mais personne ne peut vous prendre… *quoi ?*

Brandon leva la main. Ce que l'on sait.

Dans son coin, à gauche, mon père avait pris une expression grave. *Nos souvenirs*, précisa-t-il.

Les étudiants se penchèrent sur leurs cahiers et se remirent à écrire furieusement.

Il y avait une autre chose que mon père adorait critiquer devant les étudiants, une chose qui, selon lui, était une « vraie faiblesse » de l'épopée. Dès qu'il prononça ces mots, je compris ce qui le chiffonnait, et je ne fus pas surpris lorsqu'il leva subitement la main pour prendre la parole en ce dernier vendredi de février, alors que nous travaillions sur les chants VII et VIII. Ces chants nous brossent un tableau superbement élaboré de la Schéric et des Phéaciens, les derniers lieux et les dernières personnes qu'Ulysse rencontre avant d'enfin rentrer chez lui. Aucun autre lieu, dans le poème, n'est décrit avec un tel luxe de minutie, en dehors d'Ithaque même, et l'aède prend tout son temps, afin de laisser son auditoire s'imprégner des détails et des singularités de l'île.

Le chant VI dépeint les étranges circonstances de l'arrivée d'Ulysse à la cour phéacienne. Après avoir charmé Nausicaa, il se baigne dans un fleuve proche du rivage afin de « décrasser son corps » et de se rendre présentable ; la princesse lui prête alors des vêtements appartenant à l'un de ses frères. Puis – et ce ne sera pas la dernière fois – Athéna intervient en faveur de son protégé, usant de ses pouvoirs divins pour l'embellir.

> Athéna, fille de Zeus, le fit paraître
> plus grand, plus vigoureux, aussi ;
> des boucles cascadaient sur sa nuque, telle une fleur
> de jacinthe. Tout comme un artisan
> instruit de tous les arts par Héphaïstos et Pallas Athéna
> cercle d'or un vase d'argent, posant
> la dernière touche à son délicat ouvrage,
> elle vêtit de grâce sa tête et ses épaules.

Aussitôt après, Nausicaa revient en ville avec ses suivantes. Ce n'est que beaucoup plus tard qu'Ulysse se met en route à son tour, rendu invisible par une brume dont Athéna, toujours serviable, l'a enveloppé. Car, l'a prévenu la princesse, les Phéaciens n'aiment guère les étrangers. Alors que le héros approche des faubourgs,

Athéna intervient une fois encore : elle se matérialise, déguisée en petite fille avec des nattes – déguisement pour le moins incongru pour une déesse guerrière, mais l'*Odyssée* n'est pas dépourvue d'humour –, et lui indique où se trouve le palais royal, qui se dresse au milieu de jardins et de vergers d'une féerique luxuriance, où les plantes sont toujours en fleurs et les arbres toujours chargés de fruits. Le détail est essentiel : ici, les saisons n'ont pas cours. C'est comme si le temps lui-même avait relâché son emprise afin d'offrir une abondance sans fin à ce peuple indolent et enjoué.

C'est dans ce décor paradisiaque qu'Ulysse est courtoisement accueilli par la famille royale : le roi Alcinoos et son épouse, la reine Arété – ce nom ressemble au mot grec désignant la « vertu » –, dont Nausicaa lui a particulièrement recommandé de chercher les faveurs. (La reine, en réalité, n'est pas dupe : il ne lui a pas échappé que l'étranger qui se jette à ses pieds en la suppliant porte les vêtements lavés de frais d'un de ses fils.) Au palais, ses hôtes donnent une fête somptueuse en son honneur, au cours de laquelle l'aède de la cour, un aveugle nommé Démodocos, exécute non pas une, mais trois récitations dont, comme par un fait exprès, deux portent sur la guerre de Troie. En écoutant ces habiles restitutions de sa propre histoire, le héros fond en larmes – tout comme Télémaque à la cour de Sparte, lorsque Ménélas a mentionné son père absent, dans le chant IV.

Tel père, tel fils.

Je tenais, ce jour-là, à souligner certains points importants à propos des chants VII et VIII. Je voulais notamment attirer l'attention de mes étudiants sur la deuxième récitation de l'aède Démodocos. Ce chant, connu sous le nom de lai d'Arès et d'Aphrodite, est une charmante mini-épopée, qui s'étend sur pas moins d'une centaine de vers du chant VIII. En apparence, le chant de Démodocos se veut un amusant divertissement : il raconte comment Héphaïstos, le dieu forgeron – époux boiteux et cocu d'Aphrodite, déesse de l'amour –, prit un jour en flagrant délit son épouse et son amant, Arès, le dieu de la guerre, et les piégea à l'aide d'un filet qu'il avait lui-même habilement confectionné, invisible à l'œil nu, mais que pas même un dieu ne pouvait rompre. Après avoir capturé les deux amants, qui se tortillaient lamentablement dans une fine mais indestructible résille, Héphaïstos appela les autres dieux à être témoins de leur adultère, les couvrant publiquement d'opprobre. Aussi gentiment réjouissante que soit cette histoire osée pour les Phéaciens (et pour nous), ce poème dans le poème fait écho à des éléments cruciaux de l'*Odyssée* : la violation des lois de l'hospitalité, la peur de l'adultère, la supériorité de la ruse sur la force brute, la satisfaction que peut procurer la vengeance. Le lai d'Arès et d'Aphrodite est par conséquent un excellent exemple de la façon dont l'*Odyssée* use de ce qui peut sembler, de prime abord, relever de la digression, de ces sujets qui s'écartent de « l'intrigue », pour mieux en souligner les thèmes les plus importants.

Mais je n'eus pas le temps de parler de l'arrivée incognito d'Ulysse au palais, ni de l'opulence suggestive du paysage de Schérie – une autre distraction séduisante pour le héros sur le chemin du retour, une nouvelle diversion susceptible de le détourner d'Ithaque –, pas le temps d'évoquer le choix de récitation de Démodocos en ce dernier vendredi pluvieux de février, car à peine les étudiants avaient-ils pris place sur les chaises de bois, à peine avais-je ouvert mon livre au chant VII que mon père leva la main.

Pour moi, il y a une autre raison qui fait qu'Ulysse n'est pas un *héros*, commença-t-il tandis que Tom-le-Blond, à l'autre bout de la salle, le regardait en hochant la tête. Il passe son temps à se faire aider par les dieux ! Tout ce qu'il fait, le moindre de ses succès, c'est en réalité parce que les *dieux* l'aident.

Je n'en suis pas sûr, répliquai-je. Le poème montre aussi clairement que même sans l'aide des dieux, il est très intelligent —

Non, coupa mon père avec une véhémence telle que quelques étudiants levèrent le nez de leurs cahiers, *non*. *Tout* le poème ne tient que parce que les dieux sont toujours en train de l'aider. Ça commence parce que Athéna décide qu'il est temps qu'il rentre à la maison, d'accord ? Et ensuite, la raison pour laquelle il réussit à échapper à Calypso, c'est parce que Zeus envoie Hermès lui dire de le laisser partir…

Eh bien, certes, admis-je, mais —

Laisse-moi finir, aboya-t-il sur un ton qui me ramena des années en arrière, même si les étudiants, eux, trouvèrent l'échange amusant. Il reprit son souffle, et je m'aperçus que Trisha aussi, désormais, hochait la tête, tout comme Tom-le-Blond et Jack.

Donc, en fait, c'est juste les dieux, poursuivit mon père, le ton méprisant de ses arguments, l'emphase de marteau-piqueur sur certains mots, me rappelant d'autres discussions, beaucoup plus anciennes, des discussions dont les conclusions définitives, irrévocables, résonnaient encore en moi des années plus tard, *Oh, qu'est-ce que tu en sais, c'est bien un argument d'étudiant, ça* ou *Crois-moi, je sais de quoi je parle, tu n'as jamais été doué pour les chif-fres.* Et maintenant : *En fait, c'est juste les dieux.*

Et c'est Athéna, reprit-il, qui le pomponne avant sa visite au palais.

Il affecta une petite moue en prononçant « le pomponne ». Les étudiants gloussèrent.

C'est marrant, observa Damien. Voilà que maintenant, il a une chevelure bouclée comme une fleur ?

Je le regardai. Aujourd'hui, il était rasé de frais. Je résistai à la tentation de lui faire remarquer que lui-même changeait de style d'une semaine sur l'autre.

Des jacinthes ! ricana Jack. Pas des masses viril !

Ça paraît un peu artificiel qu'il se soumette à ce reloo-kage intégral, commenta posément Trisha en levant les yeux vers moi. Pourquoi ne se contente-t-il pas de se laver et d'enfiler de beaux vêtements propres ?

Il n'était pas simple de lui répondre. Je n'avais moi-même jamais été très à l'aise avec ces transformations physiques du héros. À plusieurs reprises dans le récit, Athéna opère sur Ulysse des métamorphoses spectacu-laires, pour le rendre tantôt plus beau — avant ses retrouvailles avec son fils et son épouse —, tantôt mécon-naissable, hideux et parcheminé, comme lorsque, enfin de retour à Ithaque, il doit entrer dans son propre palais sans être reconnu. Parmi les souvenirs d'Ulysse qu'elle évoque devant ses hôtes drogués au chant IV, Hélène raconte comment il s'était infiltré dans Troie pendant la guerre, en se donnant l'aspect d'un mendiant, allant jusqu'à se flageller pour plus de véracité. Mais c'était différent puis-qu'il s'agissait là d'un exemple de la subtile capacité qu'il a de se déguiser et de souffrir pour que ses stratagèmes fonctionnent. Il semblait en revanche un peu trop facile d'être transformé par une divinité d'un coup de baguette magique.

Mon père n'en avait pas fini avec son réquisitoire.

Athéna le pomponne, répéta-t-il, et après, elle l'emballe dans un nuage magique afin qu'il puisse pénétrer dans la ville sans être vu, et ensuite, c'est encore elle qui lui indique où se trouve le palais royal, n'est-ce pas ? Il est donc plus qu'évident qu'il se fait tout le temps aider directement par les *dieux*.

Sa véhémence prit certains étudiants de court. Mais elle ne me surprit pas. *Ah, nous y voilà*, me dis-je. *Le truc avec la religion.*

Il exécrait la religion – c'était la véritable raison pour laquelle il détestait tant les rituels et les protocoles. Qu'il soit obligé d'assister à une cérémonie quelconque, et il se mettait à bouder comme un adolescent. Il s'avachissait sur son banc lors des mariages, des bar-mitsvah ou des confirmations, auxquels il faisait tout pour arriver en retard, se couvrant les yeux des doigts fins de sa main gauche, comme on se les cache pendant un film d'épouvante, grimaçant comme s'il avait la migraine, les sillons horizontaux de ses rides plissant et creusant son front bronzé, tout en me grommelant ses invectives de mécréant, à moi ou à mes frères et sœur, ou parfois, à personne en particulier, tandis que le rabbin, le prêtre ou le chantre continuait de débiter ses tirades. *Ils ne peuvent rien prouver de toutes ces foutaises ! On dirait du vaudou ! Ces types ne valent pas mieux que des sorciers !* Postillonnant et prenant des mines dégoûtées, il feuilletait les livres de prières comme si leurs pages contenaient les preuves de quelque crime, pointant du doigt tel ou tel passage des Écritures ou d'un hymne en secouant la tête d'un air

incrédule, et ma mère s'efforçait de le faire taire. *Jayyy !!*
sifflait-elle – sans trop de conviction, il faut bien le dire,
car après tout, n'était-ce pas là, entre autres, une des
raisons secrètes pour lesquelles elle l'avait épousé : pour
échapper à sa famille orthodoxe, étouffante, d'une sensi-
blerie outrancière ? *Jayy ! Tais-toi !*

Après avoir répété *Il se fait tout le temps aider par les
dieux*, mon père se rencogna dans sa chaise, sourcils
froncés, triomphant.

Ouais, opina Tom-le-Blond, ben, je dois avouer que je
suis d'accord avec ce qu'a dit, euh, M. Mendelsohn.

Comme chaque fois qu'il fallait désigner explicitement
mon père par son nom, une petite onde de rires étouffés
parcourut la salle.

De l'autre bout de la classe, Tom le regarda comme
pour solliciter son soutien, puis continua, Moi, ce que je
me demande, c'est, Est-ce que tout ce battage autour
d'Ulysse est justifié ? Est-ce qu'il a vraiment fait tant de
choses que ça pour être considéré comme un héros ? C'est
vrai, quoi, je pense que votre père a raison. Le truc qui
m'a le plus frappé, cette semaine, c'est à quel point
Athéna intervient dans l'histoire, on dirait qu'elle tient
Ulysse par la main même quand il n'en a pas besoin.
Après tout, si Ulysse est assez malin pour s'introduire
dans Troie, comme le raconte Hélène, pourquoi n'est-il
pas assez malin pour rentrer chez lui *tout seul* ? Si tout est
programmé pour lui déblayer le travail, en quoi je devrais
être impressionné par sa ruse magistrale ou ses capacités
physiques ?

Il jeta à nouveau un coup d'œil vers mon père.

C'est juste que, quand je lis quelque chose sur les
exploits de grands hommes, j'ai envie de les voir triompher des dieux – pas de voir les dieux leur faciliter la

tâche. Donc, je pense qu'à ce stade on est en droit de se demander si c'est par son propre mérite qu'Ulysse a survécu jusque-là, ou si c'est seulement grâce aux dieux, et qu'Ulysse est tout aussi impuissant que nous tous.

Mon père rayonnait. Exactement ! Sans les dieux, il est impuissant.

Ce fut en l'entendant prononcer le mot « impuissant » que, soudain, je compris. Depuis le début du semestre, j'avais cru que son opposition au rôle des dieux dans l'*Odyssée* était liée à son aversion pour la religion en général – aversion qui, j'en avais pris conscience au fil du séminaire, s'étendait même aux religions disparues. Mais quand il prononça le mot « impuissant », ce matin du dernier vendredi de février, durant le semestre de printemps 2011, alors que nous débattions des chants VII et VIII, je compris que ce qui posait tant problème à mon père, c'était que la facilité avec laquelle Ulysse acceptait l'aide des dieux faisait de lui un faible, un inadapté. Debout devant mon livre ouvert, je repensais à toutes les fois où il avait grondé, *Il n'y a rien que tu ne puisses apprendre à faire par toi-même, avec un livre !* Je me souvenais des fauteuils de style colonial qu'il avait méticuleusement montés seul dans le garage, après avoir étalé plusieurs couches de papier journal pour protéger le sol de béton des taches de lasure Pin Colonial et Érable de Salem (*On s'en fout, s'il y a des taches, c'est rien qu'un garage*), je le revoyais s'époumoner dans sa flûte à bec en plastique blanc en déchiffrant d'un air renfrogné les partitions ouvertes sur le pupitre d'inox branlant. Et je me rappelais tous ces après-midi où, rentrant à la maison pour les vacances d'automne ou de printemps, je l'avais trouvé, sourcils froncés, plongé dans *Latina pro populo*, le manuel d'auto-apprentissage du latin qu'il s'était acheté quand j'avais décidé de faire lettres classiques, articulant en silence les formes nominales et adjectives, les tableaux de conjugaison qu'il avait autrefois parfaitement maîtrisés. Et je repensais aussi à tous ces gens qu'il méprisait sans vergogne, les jugeant incapables de faire quoi que ce fût sans *aide*, et dont il m'était apparu au fil des ans que la plupart se trouvaient appartenir à la famille de ma mère, à commencer par son père, avec son hypocondrie, ses médecins, ses médicaments et ses régimes, ses peurs, ses angoisses et ses dépressions, les trois femmes qu'il avait épousées rapidement, l'une après l'autre, après la mort de ma grand-mère, parce que *c'était quelqu'un qui était tout simplement incapable d'être seul*, comme l'avait dit ma mère un jour.

Tout cela me revenait en mémoire, et toutes ces choses que lui avait faites *sans l'aide de personne*, à l'exception de sa thèse, la seule entreprise qu'il n'avait jamais réussi à terminer seul – ni à terminer tout court, mais là, après tout, ce n'était pas sa faute, *à ce moment-là, ta mère était enceinte et il a fallu que je travaille* ; je repensais à tout cela et, devinant que son dédain pour Ulysse était, en fait, lié à son mépris pour la religion, je me dis : Pas étonnant qu'il ne supporte pas l'intervention des dieux en faveur d'Ulysse. Si on a besoin des dieux, on ne peut pas dire qu'on l'a fait tout seul. Si on a besoin des dieux, on triche.

Et s'il était une chose que nous savions sur notre père, la chose qui, plus que toute autre, le définissait, c'était qu'il ne trichait ni ne mentait jamais.

APOLOGOI
(Aventures)

À l'évidence, qui prendra la peine d'examiner de près les errances d'Ulysse comprendra qu'elles ont un sens allégorique.

Pseudo-Héraclite,
Questions homériques (Ier siècle av. J.-C.)

Quelques mois plus tard, nous étions sur un paquebot en mer Égée, à raconter des histoires et à chanter des chansons. Nous avions amorcé notre croisière « Sur les traces d'Ulysse ».

J'avais parfois le sentiment qu'à bord mon père était devenu une personne différente. Plus nous nous éloignions de chez nous – d'abord le long vol de New York à Athènes, puis le trajet cahoteux en autocar jusqu'au port, les paisibles traversées maritimes, la mer Égée puis les Dardanelles et l'Asie Mineure, à nouveau la mer Égée, un tour en Tyrrhénienne puis retour vers l'Adriatique, longeant les rivages onduleux de cinq pays différents, zigzaguant parmi les petites îles dont la minuscule Malte, la plus inoubliable, comme perdue au milieu de la mer, sortie d'un rêve, avec ses imposantes forteresses médiévales et sa langue étrange, toute chuintante de x – à mesure que nous nous éloignions de chez nous, mon père semblait se défaire d'une carapace et s'adoucir.

Au début de ces dix jours de voyage, il était tendu. Quand il m'a rejoint devant mon immeuble à New York pour aller prendre l'avion d'Athènes à JKF, il était sur les nerfs. C'était la mi-juin – cinq semaines après la fin de mon séminaire sur l'*Odyssée* – et il faisait atrocement chaud et humide ce jour-là. Je lui avais proposé d'envoyer une voiture le chercher à Long Island avant de me récupérer à Manhattan pour lui éviter le train de banlieue. *Nan*, c'est bon, avait-il répliqué, je connais un gars ici qui fait taxi, je vais lui demander de m'emmener. Il est arrivé dans un vieux tacot tout cabossé, vitres grandes ouvertes. Comment ? Il n'a pas la clim' ? ai-je pesté en montant à côté de lui. Il m'a lancé un regard agacé, Ah, tu es bien comme ta mère, toi, puis il a détourné les yeux.

Nous avons atterri à Athènes le lendemain, en fin de matinée. Tandis que nous commencions à rassembler nos bagages à main en nous étirant et en bâillant, j'ai jeté un œil à mon iPhone. Dimanche 19 juin. Tiens, c'est la fête des pères ! me suis-je exclamé. Ah bon ? a marmonné mon père. Mais après que nous avons récupéré nos valises et embarqué dans le car climatisé qui devait nous conduire au port du Pirée, il avait toujours l'air à cran.

L'autocar se faufilait tant bien que mal dans le flot des voitures bloquées par des manifestations contre la terrible crise économique qui accablait le pays. Un représentant de la compagnie maritime profita de sa lente progression pour nous donner quelques précisions sur la croisière. Nous embarquerions en milieu d'après-midi ; en début de soirée, après un cocktail de bienvenue, nous serions conviés à une brève conférence introductive sur l'épopée homérique, prononcée par l'un des professeurs qui nous serviraient de guides tout au long du voyage. Enfin, après le dîner, nous lèverions l'ancre pour une traversée de douze heures en mer Égée jusqu'à rallier Çanakkale, en

Turquie, le site des ruines de Troie, que nous passerions la journée du lendemain à visiter.

Quand le bus s'arrêta sur le quai, mon père regarda le bateau par la fenêtre. Son nom, *CORINTHIAN II*, s'étalait en lettres blanches sur la coque bleu marine qui reposait très bas sur l'eau, presque masquée sous le balancement de l'énorme structure blanche, avec ses trois ponts hérissés d'antennes et de mâts de radars, et festonnés de canots de sauvetage sous leurs bâches orange. Il est plus petit que je ne l'imaginais, dit mon père.

Quand nous avions réservé nos billets, quelques semaines plus tôt, il avait tenu, à ma grande surprise, à payer l'une des cabines les plus chères, avec balcon privé. En pénétrant dans la cabine, il a balayé les lieux d'un regard, inspecté l'élégant mobilier puis, passant devant les lits, il a traversé le coin salon et est sorti sur le balcon. Une fois sur le balcon, il a respiré profondément l'air de la Méditerranée. Il parut apprécier les petites touches de luxe, les orchidées et les cocktails disposés sur une desserte de bois lustrée, mais je sentais encore chez lui une sorte de résistance, comme s'il avait bien l'intention de me prouver, avant la fin de nos dix jours de mer, que l'*Odyssée* ne valait pas toute cette peine, tout ce luxe.

Durant ces premiers jours de croisière, je retrouvais parfois dans ses propos cette pointe de pugnacité que j'avais déjà relevée dans certains de ses commentaires au cours du séminaire. Tandis que le *Corinthian II* se rangeait le long du quai à Çanakkale, le lendemain matin, nous faisions tous les deux la queue au buffet du petit déjeuner sur la terrasse du pont arrière. Intrigué, j'examinai les autres croisiéristes. Qui étaient tous ces gens venus sillonner la Méditerranée sur les traces d'Ulysse ? Je m'étonnai de constater que, outre un contingent non négligeable de couples de retraités instruits et aisés – qui devaient avoir repéré une publicité de la croisière au dos de quelque magazine en papier glacé –, il y avait aussi là un grand nombre de passagers comme mon père et moi : des couples parent-enfant, des femmes et des hommes d'une quarantaine ou d'une cinquantaine d'années accompagnant une personne qui ne pouvait être autre que leur père ou leur mère. J'en signalai un à papa : une jolie femme blonde discutant dans une langue gutturale d'Europe du Nord avec son père, un monsieur distingué aux cheveux blancs. Tu crois que c'est un truc à la mode ? dis-je en plaisantant. Quel truc ? bougonna mon père. Des adultes qui entraînent leurs parents dans une croisière sur l'*Odyssée*. Il eut une moue songeuse. Peut-être, fit-il d'une voix éteinte.

Des parasols bleu roi flottaient et claquaient au vent vif du matin. Tandis que nous piétinions devant le buffet, j'avisai un garçon de neuf ou dix ans : cheveux clairs et raie bien nette, chemisette blanche impeccablement repassée, il faisait la queue à côté de mon père et avançait au même rythme que nous. Un gros livre de poche était posé en équilibre sur un coin de son plateau : la version anglaise de l'*Odyssée* conseillée par les organisateurs de la croisière parmi une longue liste de titres – des traductions d'Homère et des commentaires de l'œuvre. Quelques semaines plus tôt, quand mon père avait reçu par la poste le colis avec toute la documentation, il m'avait appelé, manifestement impressionné : C'est une croisière sérieuse, dis donc !

L'exemplaire de l'*Odyssée* sur le plateau du garçon avait les pages toutes cornées.

Je lui souris, Alors comme ça tu as déjà lu l'*Odyssée* ?

Il leva sur moi ses yeux bleu clair. Je suis ici avec ma famille. On est de La Nouvelle-Orléans, et chaque été on fait un voyage différent. Évidemment, on a tous lu l'*Odyssée* avant de partir. En gros, ça m'a plu, mais franchement, Homère aurait eu bien besoin d'un relecteur. C'est bourré de répétitions.

Mon père était impressionné. Bravo, petit !

Je supposais qu'il se réjouissait de voir que ce gamin avait déjà lu Homère, mais il se tourna aussitôt vers moi.

Ce n'est qu'un enfant, et il ne se laisse pas intimider par Homère ! Il pense par lui-même.

Puis, presque imperceptiblement, papa commença à se détendre et à s'abandonner au rythme de la croisière.

Les matinées étaient consacrées aux sorties à terre et aux visites des sites associés à l'épopée. Le plus souvent, ils n'étaient pas faciles d'accès : il y avait toujours un sentier muletier à gravir, un talus rocheux à dévaler, un chemin de terre impraticable à parcourir, le tout sous un soleil de plomb qui nous cuisait comme des briques. Nous rentrions de ces excursions exténués et couverts de poussière, ravis de trouver les grands verres de limonade ou de thé glacé qui nous attendaient toujours à l'accueil dès que nous avions remonté la passerelle. En début de soirée, nous avions le temps de prendre un bain et de nous changer avant le dîner. Au bout de quelques jours, un petit groupe prit l'habitude de se retrouver au bar après le repas, vers neuf heures du soir ; nous disposions quelques fauteuils en demi-cercle près du piano et commandions des cocktails.

Ces séances étaient présidées par deux membres de l'équipe de bord que nous finirions par surnommer affectueusement « le Roi et la Reine de la croisière » : Brendan,

professeur de lettres classiques, devenu pour l'occasion
notre archéologue attitré, et Ksenia, la directrice, une
Ukrainienne blonde et svelte qui aimait beaucoup rire.
Brendan, qui devait avoir la quarantaine, faisait étrangement gamin : entre son assurance tranquille, sa raie
parfaite sur le côté et son élégance bon genre, il aurait pu
être le grand frère de Brendan, mon étudiant. Quelque-
fois, il se mettait à la guitare et Ksenia entonnait de vieux
airs populaires que nous reprenions tous en chœur, mais
la plupart du temps nous écoutions le pianiste du
paquebot, un borgne à l'œil de verre. Il jouait volontiers
à la demande, et mon père lui réclamait systématique-
ment tel ou tel standard du grand répertoire américain,
qu'il adorait. C'est cela, plus que toute autre chose, je
crois, qui commença à l'apaiser au fil des jours et des
soirées. En dépit du dépaysement et de la distance, de
l'étrangeté de certains sites, des langues incompréhen-
sibles que nous entendions (*Je n'ai jamais vu autant de* x
à part dans une équation du second degré, dit-il un jour que
nous examinions une affiche sur un abribus à Malte), tout
ce qui lui rappelait le pays, les paroles qu'il connaissait si
bien, les résonances culturelles de son passé, tout cela le
rassurait. Il semblait presque se décrisper à vue d'œil
quand, une fois calé dans son fauteuil avec un dry
martini, il accompagnait les airs du pianiste borgne de
son timbre rauque, mi-parlé mi-chanté.

Dès notre première soirée au piano-bar, il chantonnait
ainsi sur l'air de *My Funny Valentine* :

Is your figure less than Greek ?
Is your mouth a little weak ?
When your open it to speak, are you smaaaart ?

Ah, quelle magnifique chanson ! Il but une gorgée et fit claquer ses lèvres.

Brendan sourit. Qu'est-ce qu'elle a de magnifique ?

Les *paroles* ! s'exclama mon père. Elles ont exactement ce qu'on aime en mathématiques : la simplicité et l'élégance. Elles disent le maximum avec un minimum de moyens.

Le maximum sur quoi ? demanda Brendan.

Mon père secoua pensivement la tête. Sur... l'étrangeté de l'amour, finit-il par lâcher en baissant les yeux sur son verre. Même si une personne a des défauts, même si on connaît tous ses travers, on l'aime quand même. *Your looks are laughable/ Unphotographable/ Yet you're my favorite work of aaart...*

Absolument magnifique, répéta-t-il après un silence. Cette chanson nous dit tout sur ce qu'est vraiment l'amour, la relation amoureuse. Pas comme ce qu'on voit au cinéma...

Il devint bientôt évident, à mon grand étonnement, qu'il appréciait bien plus la croisière proprement dite – le rituel du dîner habillé, les cocktails de fin de soirée et l'ambiance piano-bar, les conversations à bâtons rompus avec de parfaits inconnus autour d'un verre ou d'un petit déjeuner – que les visites de sites. J'avais craint, au début, que ce ne soit trop dur pour lui physiquement ; après tout, il n'était qu'à trois mois de ses quatre-vingt-deux ans, et il y avait beaucoup de marche au programme – ce qui, en Grèce, signifie en général beaucoup de montée. Mais cela ne le dérangeait pas. C'est bon ! me rabrouait-il quand je lui proposais de prendre appui sur ma main si la côte était raide.

En revanche, bon nombre de sites, à commencer par celui de la Troie antique, le laissaient froid. *Il n'y a vraiment pas de quoi s'extasier !* avait-il marmonné le matin où nous parcourions les vestiges de Hissarlik en écoutant Brendan raconter l'histoire des lieux.

Au cours des millénaires, expliquait-il derrière ses lunettes rondes à monture d'acier dont les verres brillaient au soleil, il y avait eu plusieurs villes de Troie successives, chacune ayant connu son heure de gloire avant de disparaître. Parmi la superposition de décombres, poursuivait-il, certains indices prouvaient qu'une « catastrophe majeure » avait eu lieu aux alentours de 1180 av. J.-C. – date admise de la chute de Troie. Tout en prenant des notes, ses auditeurs rythmaient son propos d'acquiescements entendus.

Mon père écoutait attentivement mais ne se départait pas de son petit air sceptique tandis que nous avancions à pas prudents d'allée en chemin poussiéreux, entre les gigantesques murailles inclinées et les amas de pierres grises s'élevant sur des plaques jaunes d'herbe grillée. Dans la lumière aveuglante du soleil, ces pierres semblaient usées et poreuses, aussi friables que des morceaux de sucre.

Mon père considéra les alentours. Bien sûr, c'est intéressant tout ça. Mais…

Sa voix se perdit et il secoua la tête.

Mais quoi ? insistai-je.

Il me regarda puis, sans crier gare, me passa un bras autour du cou et me tapota l'épaule, avec un petit sourire en coin. Mais le poème fait plus vrai que les ruines, Dan !

Les semaines suivantes, cela devint son leitmotiv. *Le poème fait plus vrai !* disait-il chaque soir quand nous revenions sur les activités du jour. Il me jetait alors un petit coup d'œil complice, sachant combien l'idée me plaisait. Il le répéta après que, ayant quitté la Turquie pour la pointe sud du Péloponnèse, nous avions arpenté les ruines de l'ensemble royal que les guides surnomment « le palais de Nestor ». (Mais l'épisode de Nestor n'arrive qu'au chant III, s'indigna Robert, le garçon que nous avions rencontré le premier jour, lorsque nous débarquâmes à Pylos. Et ce n'est qu'au chant IV qu'on nous parle d'Ulysse à Troie. On ne suit pas l'ordre du poème ! Tu sais, répliqua Brendan en riant, si on devait visiter les sites dans l'ordre du poème, on tomberait vite en panne sèche.) Il ne faisait pas loin de 38 °C dehors ; l'air était si chaud qu'il nous enveloppait comme d'un voile. Quelqu'un lança par plaisanterie qu'il essaierait volontiers la profonde baignoire de pierre que nous montrait Brendan. Certains guides, dit-il, vous assureront que c'est de cette baignoire que s'est servi Télémaque quand il était l'invité de Nestor, au chant III. Mon père scruta le fond de la baignoire et grommela dans la pénombre, Ça m'étonnerait. Puis, se redressant, il se tourna vers moi. Je n'ai pas forcément une très haute opinion de Télémaque, mais je doute qu'il ait été si petit.

Ce soir-là, au moment où notre petit groupe s'installait dans le bar, le pianiste attaqua *Where or When*. Papa leva son verre de martini et se mit à fredonner d'une voix saccadée. *It seems we stood and talked like this before... But I can't remember where or when... Some things that happen for the first time seem to be happenning again...*

Bien sûr, dit-il au groupe au bout d'un moment, je suis ravi d'avoir vu les lieux et de pouvoir faire le lien entre les lieux réels et ce qu'on trouve chez Homère.

Les gens acquiescèrent.

Si je lisais le chant III maintenant, par exemple, poursuivit-il, je saurais exactement à quoi ressemble le rivage de « la Pylos des Sables » – il mima les guillemets avec les doigts – où Télémaque débarque. Et à présent, nous visualisons tous bien mieux Troie, son emplacement, son horizon avec la mer au loin. C'est formidable. Mais pour moi, c'est un peu vide comparé au récit. Ou disons, à moitié vide. Comme si ces lieux que nous visitons étaient un décor de théâtre, tandis que le poème est la *pièce* même. À mon sens, c'est lui qui est réel.

J'étais aux anges. Tu n'es pas en train de me dire, au moins, qu'après avoir fait tout ce chemin pour retracer le voyage d'Ulysse on aurait aussi bien pu rester à la maison ?

Ksenia éclata de rire. Ne venez pas me dire pas ça à *moi*, qui suis censée veiller à ce que tout le monde soit content !

C'est un peu comme dans *Le Magicien d'Oz*, dit mon père, tout joyeux : « On n'est jamais aussi bien que chez soi. »

Il y eut un bref silence, puis Brendan se tourna vers moi. Tu ne penses pas qu'en fait l'histoire de ce film est calquée sur l'*Odyssée* ?

C'était un livre avant d'être un film, coupa mon père. De L. Frank Baum !

Je réfléchis un moment. Mais si, bien sûr. Absolument. L'héroïne est arrachée à sa maison et à sa famille, elle vit des aventures fabuleuses dans des pays exotiques, où elle rencontre toutes sortes de créatures monstrueuses et fantastiques. Mais, au fond, elle n'a qu'une envie : rentrer chez elle. C'est même incroyable, cette similitude dans la structure.

La quadragénaire blonde que j'avais vue plusieurs fois en compagnie du monsieur distingué qui devait être son père intervint. Oui, mais dans le film, en fin de compte, tout cela n'est qu'un rêve, non ? Tout est dans sa tête. Tous les personnages qu'elle rencontre là-bas ne sont que des doubles imaginaires des gens qui peuplent sa morne vie à la ferme. Alors que les aventures d'Ulysse, au contraire, sont toutes *vraies*. Ce n'est donc pas tout à fait la même chose, vous ne trouvez pas ? Lui, il a *vraiment* tous le mal du monde à rentrer chez lui. Pour elle, ce n'était qu'un rêve.

Amusé, je cherchai le regard de mon père, mais il était absorbé dans son cocktail. Ce film est sorti juste avant le début de la guerre, reprit-il d'un ton nostalgique. Juste quelques semaines avant, si je me souviens bien. Mon père travaillait loin de chez nous cet été-là, sur un gros chantier, mais pour la sortie il était là, et il nous a emmenés, moi et Oncle Bobby, au Radio City Music Hall. À l'époque, quand on allait au cinéma, c'était quelque chose. En première partie, on a eu droit à une version scénique du spectacle, avec Judy Garland et Mickey Rooney ! Il y avait même un orgue qui est sorti du plancher tout d'un coup ! Et après, c'était le film – eh bien croyez-moi, on n'avait jamais rien vu de pareil.

Notre petit groupe, installé en rond dans le bar, avait fait silence en l'écoutant évoquer ses souvenirs. De temps en temps, il lui arrivait de partager avec nous, ses enfants, une histoire de ce genre, une anecdote de son enfance sur autre chose que sa vie à la dure, qui pour une fois ne cherchait pas à nous rappeler que nous avions eu la vie facile par rapport à ce qu'il avait connu aux temps austères de la Grande Dépression – des petits riens sur le cercle des

amies de sa mère, des femmes pétillantes qui se retrou-
vaient pour jouer aux cartes ; sur son père, son habitude
de s'installer dans un fauteuil à côté du poste de radio
pour écouter Jack Benny ; ou encore sur les dîners de
Thanksgiving chez une tante, à la campagne. Ces
histoires m'étaient d'autant plus précieuses qu'elles
étaient rares ; mais nos compagnons du piano-bar, eux,
ne lui connaissaient que ce registre.

J'ai soudain compris que c'était cette image qu'ils
avaient de lui : un charmant vieil homme, prolixe en déli-
cieuses anecdotes sur les années 1930 et 1940, une
époque créative et sans complexe à laquelle faisait écho la
musique égrenée par le piano. Il semblait incarner à lui
tout seul le grand répertoire américain. Un sombre frisson
me parcourut, une émotion primitive, resurgie de
l'enfance. Si seulement ils connaissaient sa vraie nature,
ai-je pensé. En les regardant écouter papa, en voyant les
sourires charmés de Brendan et Ksenia, puis, revenant à
lui, son visage détendu et ouvert, rasséréné par le
souvenir, si différent de son visage habituel, celui du
moins qu'il offrait à sa famille, je me suis soudain
demandé s'il existait des gens, des inconnus qu'il aurait
croisés dans ses déplacements professionnels, des grooms
par exemple, des hôtesses de l'air, des auditeurs d'une
conférence, à qui il n'aurait montré que ce visage-là ; et
qui, donc, seraient aussi étonnés par l'air méprisant que
nous lui connaissions si bien que nous l'étions nous-
mêmes par les rares aperçus de son autre côté, son côté
bienveillant. Combien de visages avait mon père, au
fond, me demandai-je ; et lequel était le « vrai » ? Cette
personne démonstrative et attachante, si différente de
l'homme ronchon et irritable qu'avaient connu mes

étudiants un ou deux mois plus tôt à peine, me dis-je un peu navré, ce vieux monsieur qui avait toujours une chanson aux lèvres et se montrait si affable et spirituel avec de parfaits inconnus sur un paquebot en pleine mer, c'était peut-être cette personne-là que mon père avait toujours été voué à être, ou qu'il avait toujours été, mais seulement pour ces autres, les grooms et les hôtesses de l'air. Les enfants s'imaginent toujours que la vraie nature de leurs parents est d'être parents ; mais pourquoi ? « Qui sait vraiment quel père l'a engendré ? » demande amèrement Télémaque dès le début de l'*Odyssée*. Qui le sait, en effet ? Nos parents nous sont à bien des égards mystérieux, plus mystérieux que nous ne le serons jamais pour eux.

À moins que, me dis-je un peu plus tard, ces deux visages soient sa vraie nature. Peut-être papa, lui aussi, était-il *polytropos*, un homme aux mille détours – peut-être, comme cet adjectif le suggère avec tant de force dans l'*Odyssée*, l'identité tient-elle moins à des oppositions binaires, l'arrogant ou le gentil, le père ou le mari, le père ou le *fils*, qu'à une perspective kaléidoscopique. Tout dépend peut-être de la partie du cercle, de la boucle que notre position nous permet de voir.

Mon père se retourna dans son fauteuil et fit signe au pianiste.

Vous nous joueriez *Over The Rainbow* ? Acquiesçant d'un sourire, le musicien borgne entama une habile transition entre son morceau en cours et les premières mesures de la célèbre chanson. Mon père pivota de nouveau vers nous. Harold Arlen ! Yip Harburg ! Ah, ça c'était des gens qui savaient écrire des chansons ! Il ferma les yeux et fredonna la mélodie, reprenant de-ci de-là les paroles. *There's a land that I heard of once in a lullaby…*

Puis il me regarda. Dan et moi, on connaît tous les grands classiques, pas vrai ? Tous mes enfants les connaissent d'ailleurs, on les chantait ensemble autrefois, avec Andrew au piano. Rodgers et Hart, Harold Arlen, George et Ira – tous les grands ! À l'époque, une chanson était une *chanson*.

Il avala encore une gorgée de martini et poussa un soupir de contentement. *Ahhh.*

Il est heureux, me dis-je.

Derrière lui, d'immenses baies vitrées donnaient sur la mer. Le ciel était violet ; l'eau était noire.

La dame blonde désigna la vue d'un geste ample et dit, Les jours défilent comme nous filons sur l'eau. Quel est le programme demain ? Je ne sais même plus quel jour on est !

Je devinai la suite. Mon père entonna la chanson de Rodgers et Hart, *I Didn't Know What Time It Was. I didn't know what day it was*, fit sa voix éraillée, *youuuu held my haaaaaand...* Quelques passagers applaudirent, enchantés.

On est au milieu de l'océan, avec du bon vin et de la bonne musique, enchaîna quelqu'un. Peu importe quel jour on est !

Bien dit ! approuva papa. On n'est pas pressés de rentrer, nous.

Au cours d'un grand festin donné à la cour du roi des Phéaciens, Ulysse est enfin amené à faire à ses hôtes le récit captivant de toutes les épreuves qu'il a affrontées – depuis le jour où, avec ses compagnons, il quitta les ruines de Troie jusqu'au matin où la princesse Nausicaa le trouva, seul et dévêtu, sur une plage de Schérie. Ces histoires occupent presque quatre livres de l'*Odyssée*, du chant IX au chant XII.

Le nom grec que la tradition a donné à ces aventures – qui, pour la plupart des lecteurs, sont les passages les plus marquants de l'*Odyssée* – est *Apologoi*, les récits. Ce titre souligne un point essentiel : le narrateur de ces histoires n'est autre qu'Ulysse. Jusqu'ici, tout ce que nous savons sur le héros, sa détention par Calypso, son naufrage après qu'il a quitté l'île de la magicienne, sa rencontre salvatrice avec Nausicaa, son arrivée au palais royal des Phéaciens, tout cela nous a été raconté par le rhapsode. Mais ses aventures les plus célèbres, celles que tout le monde connaît même sans avoir lu l'*Odyssée* – ses confrontations successives avec les Lotophages, un peuple amateur d'une drogue qui fait oublier à qui la goûte le souvenir de sa patrie ; avec Charybde et Scylla, deux monstres effroyables qui, montant la garde de part et d'autre d'un mince détroit, s'attaquent aux marins assez téméraires pour tenter de le franchir ; avec la magicienne Circé, qui transforme ses compagnons en porcs ; avec l'affreux Cyclope à l'œil unique – ces aventures-là, c'est lui qui nous les livre. D'où le titre « Les récits », qui pointe l'extraordinaire habileté d'Ulysse à manier les mots, son art consommé de conteur et de fabuliste.

Comme pour mieux souligner ce rôle de narrateur, il ne révèle son identité aux Phéaciens qu'au moment où il commence à raconter ses tribulations. Durant tout son séjour en Schérie, Ulysse est resté anonyme, simple invité d'honneur de la maison royale, auquel personne, comme il est d'usage dans cette société, n'a songé à demander son nom. Puis, vers la fin du chant VIII, le héros attablé au banquet écoute Démodocos réciter le lai d'Arès et

d'Aphrodite ; après ce long intermède, il demande à
l'aède d'évoquer la fin de la guerre de Troie, en particulier
l'épisode du cheval. Démodocos chante sa chanson, et
Ulysse, submergé par le souvenir de ce qu'il a vécu, se met
à verser des pleurs incontrôlables, qu'Homère décrit en
des termes surprenants : ses larmes, précise-t-il, sont
semblables à celles d'une femme qui étreint le corps de
son mari tombé au combat pour défendre sa ville. (Dans
l'*Iliade*, on trouve de ces femmes éplorées, mais ce sont
des Troyennes, dont les époux sont morts en combattant
des Grecs – des Grecs comme Ulysse.) Troublé par le
soudain désarroi de son hôte, le roi des Phéaciens lui
demande, en toute bienveillance, pourquoi cette histoire-
là le bouleverse tant ; se pourrait-il qu'il ait perdu un
proche à Troie ?

C'est ainsi la sollicitude du roi qui amène Ulysse à
révéler son identité :

Mais laissez-moi d'abord vous indiquer mon nom,
ainsi vous le saurez, et si j'échappe à la fatalité,
nous resterons amis, bien que je vive loin d'ici.
Je suis Ulysse, fils de Laërte, connu des hommes
pour mes ruses, et dont le renom atteint même le ciel.

Au début de mon cours, le premier vendredi de mars,
lorsque nous avions abordé les *Apologoi*, j'avais souligné
ce point : les célèbres aventures d'Ulysse étaient en fait
racontées par celui-là même qui les avait vécues. Pourquoi, demandai-je aux étudiants qui finissaient de
s'installer, ces épisodes ne sont-ils pas relatés par le narrateur du poème ? Quelle est l'intention du poète quand il
en confie le récit au protagoniste ?

Mon père leva la main.

Il n'y a que moi, ici, que ça chiffonne de l'entendre se vanter comme ça ?

J'avais remarqué, au fil des semaines, que mon père s'était mis à introduire ses interventions en classe par cette phrase : *Il n'y a que moi, ici, que ça...* ? Au début, j'avais interprété cela comme un manque d'assurance ; mais j'ai remarqué ensuite que, chaque fois, il se trouvait toujours deux ou trois étudiants pour acquiescer, comme si la formule les encourageait. Tom-le-Blond, par exemple ; et Jack, assez souvent.

De fait, ce jour-là, Tom-le-Blond hocha la tête et renchérit, Ouais, c'est bizarre comme il passe d'un extrême à l'autre ici – dix minutes plus tôt, il n'était personne, il n'a rien lâché de son identité pendant tout le temps où il est resté chez eux, et tout d'un coup il fait, genre, Voilà, mon nom c'est ça, et tiens, au fait, je suis tellement célèbre que *même* les dieux savent qui je suis.

Quelques rires fusèrent.

D'accord, c'est curieux. À votre avis, qu'est-ce que cela nous dit ?

Moi, ça me plaît pas, reprit mon père. Qu'est-ce qu'il a besoin de se vanter d'être aussi rusé ? Si ses aventures nous montrent qu'il est si fort et si malin, il n'a qu'à se contenter de les raconter et les laisser parler d'elles-mêmes.

À ces mots, je revis très clairement une image de mon père au milieu des années 1960 : je devais avoir six ou sept ans, peut-être huit ; plusieurs frères et sœurs de mon grand-père étaient encore en vie et, à l'occasion des visites de Grandpa, ils nous rejoignaient chez mes parents. Le temps fort de ces réunions de famille était chaque fois le même, invariablement. Tandis que nous nous serrions autour de la table, dans la salle à manger de ma mère, mon grand-père racontait l'une de ses histoires favorites, qui portait toujours sur son art de contourner les règles, de tricher un peu ici ou là pour réussir dans la vie ou, dans certains cas, pour survivre, tout simplement : comment, à dix-huit ans, il avait embarqué clandestinement sur le bateau qui devait l'emmener en Amérique en criant *Au feu ! au feu !* et en profitant du moment de panique ainsi provoqué pour sauter sur la passerelle ; comment, adolescent durant la Première Guerre mondiale, il s'était terré dans la forêt avec sa famille une semaine entière, pour fuir les bombardements qui pilonnaient la ville, et comment, alors qu'ils campaient dans les bois, il avait abattu un cerf, qu'ils avaient mangé, sachant tous pertinemment que la viande d'un animal tué de cette manière n'était pas casher. *Mais dans ces cas-là*, concluait-il doctement, *on enfreint la règle, et Dieu pardonne.*

Nous nous doutions, bien sûr, que ces récits étaient largement enjolivés, que, partant de faits réels – une erreur d'écriture d'un agent d'immigration, des tirs d'obus sporadiques et, peut-être, quelques heures passées dans le petit bois qui bordait sa bourgade –, mon grand-père, à l'imagination foisonnante, les avaient épicés de toutes sortes de détails truculents, émaillant des événements tout simples, banals, d'un vernis dramatique et sensationnel. Mais il racontait si bien que personne n'avait envie de contester ses histoires, personne ne souhaitait creuser trop loin pour savoir précisément quelle était la part de l'invention… Personne, sauf mon père. Je me rappelle son air agacé et sceptique lorsqu'il se mettait à l'écart, repoussant ostensiblement sa chaise de la table, le visage fermé telle une porte de prison, glacial et buté, comme si manifester la moindre réaction aux histoires de mon grand-père, un peu de plaisir ou d'amusement, eût été une défaite, un échec.

Et voilà que cette discussion, en classe, sur la façon dont Ulysse commence le récit de ses péripéties, lui donnait l'occasion de pester, *Qu'est-ce qu'il a besoin de se vanter d'être aussi malin ?*

Mais c'est en effet à cause de ses fanfaronnades qu'Ulysse mettra si longtemps à rentrer chez lui, comme en témoigne la plus célèbre des aventures contées dans les *Apologoi* : sa rencontre avec le Cyclope.

Il y a, certes, d'autres épisodes marquants aux chants IX et X. Après avoir quitté Troie, Ulysse et ses compagnons abordent au rivage d'un peuple appelé les Cicones. Les lecteurs de l'*Iliade* devinent la suite : les Grecs mettent la ville à sac, massacrent les hommes, réduisent en esclavage femmes et enfants et chargent leurs bateaux du butin amassé. Les Cicones survivants s'empressent d'aller chercher du renfort à l'intérieur des terres ; quand ils reviennent, en nombre, les compagnons d'Ulysse, sourds à ses avertissements, sont en train de festoyer et de s'enivrer sur la plage. (« Les insensés ! » soupire Ulysse en relatant l'incident aux Phéaciens, usant, pour qualifier ses compagnons, du même mot que le narrateur du proème à propos de leur dévoration sacrilège des bœufs du Soleil.) Attaqués par surprise, les Grecs sont vaincus et essuient de lourdes pertes ; les rescapés finissent par battre en retraite sur leurs vaisseaux.

Ce n'est pas un hasard si cette première épreuve ressemble à s'y méprendre aux épisodes guerriers de l'épopée troyenne. Tout se passe comme si, au début de son périple, Ulysse évoluait encore dans l'orbite de Troie et de l'*Iliade*. Mais au fil du temps, les aventures s'enchaînent et prennent un tour de plus en plus fantastique, surnaturel, merveilleux. Dans l'épisode suivant, par exemple, les Grecs débarquent chez les Lotophages, un peuple pacifique se nourrissant de plantes qui, bien qu'inoffensives pour les indigènes, représentent un danger mortel pour Ulysse et ses compagnons ; car la fleur de lotus fait « oublier le retour » à quiconque la consomme. Toutes les épreuves qui jalonnent l'interminable retour d'Ulysse et de ses compagnons ne sont donc pas nécessairement violentes.

Dans le chant suivant, le chant X, la dimension surnaturelle prédomine. D'abord, Ulysse vogue jusqu'à l'île flottante d'Éole, le maître des vents, qui offre au héros une outre remplie de vents censés le ramener chez lui ; mais alors qu'ils font voile vers Ithaque, ses hommes, persuadés que l'outre contient des trésors que leur capitaine leur cache, profitent du sommeil d'Ulysse pour l'ouvrir, et les vents s'échappent. (Ce n'est là qu'un exemple parmi de nombreux incidents, le pire étant la dévoration des bœufs sacrés du Soleil, qui indiquent l'extrême tension régnant entre Ulysse et son équipage. D'ailleurs, lors du débat en classe consacré à cet épisode, mon père s'était exclamé, Il n'y a que moi ici qui ai remarqué qu'il n'arrive pas à tenir ses troupes ? !) Ensuite, Ulysse et ses compagnons atteignent une autre contrée inconnue, où vit un peuple de géants, les Lestrygons. À l'instar du pays des Phéaciens où, luxuriance singulière, les arbres sont toujours en fleurs et les fleurs épanouies, la terre des Lestrygons se caractérise par un raccourci temporel insolite : elle ne connaît pas de nuit, et le crépuscule y mène sans transition d'un jour à l'aube suivante. D'autres similitudes, plus sinistres, rapprochent cet épisode de celui des Phéaciens. Après avoir amarré son bateau, Ulysse envoie trois hommes en mission de reconnaissance ; l'accueil qui leur est fait par la famille royale est une réplique caricaturale de l'accueil chaleureux fait à Ulysse par Nausicaa et ses parents : en chemin, ils rencontrent une princesse, puis font la connaissance du roi et de sa reine, mais cette reine est monstrueuse, « plus haute que montagne », et ce roi, mangeur de chair fraîche, n'aspire qu'à faire festin de ses visiteurs. Dans la bataille qui s'ensuit, les Lestrygons détruisent tous les navires des Grecs, sauf un, et massacrent la plupart des compagnons d'Ulysse.

À bord de l'unique vaisseau épargné, Ulysse et ses derniers marins font voile vers Aiaé, l'île ombreuse de la magicienne Circé, peuplée d'animaux étranges : autour de son palais rôdent des lions et des loups, qu'elle a apprivoisés à l'aide de ses potions ; dans les soues de son domaine se vautrent des porcs qui jadis furent des hommes – les compagnons d'Ulysse, qu'un affreux sortilège a métamorphosés. À la fin, celui-ci parvient à les délivrer grâce au *moly*, une herbe magique que lui a procurée Hermès en guise d'antidote. Comprenant alors qu'Ulysse a la faveur des dieux, Circé lui ouvre son palais et sa couche. Avec ses compagnons, il restera un an sur l'île de la sorcière.

Les premières aventures narrées dans les *Apologoi* suivent ainsi une ligne qui va de l'exercice pur de la violence à l'usage de la magie ; du naturel au surnaturel. Elles ont également plusieurs thèmes en commun : la dilution troublante des frontières entre l'animal et l'humain, entre l'humain et le divin ; les dévoiements de l'hospitalité ou encore, motif récurrent, la folie mortifère de l'insatiable équipage d'Ulysse, décidément incapable de réfréner ses désirs, son appétit vorace de viande, de vin ou de butin, sans voir jamais plus loin que sa propre survie.

L'épisode des Cyclopes est sans doute le plus révélateur de toutes les aventures d'Ulysse, celui qui éclaire le mieux la personnalité du héros, ses forces et ses faiblesses, et c'était aussi, devais-je découvrir, le passage préféré de mon père.

Après avoir échappé aux Lotophages, Ulysse et ses compagnons abordent à la terre d'un peuple appelé les Cyclopes. Ils sont décrits comme étant

> arrogants, ne respectant rien,
> et confiants à ce point en les dieux immortels
> que jamais rien ne plantent ni jamais ne cultivent,
> attendant que tout pousse sans semis ni labour,
> l'orge et le blé, la vigne qui leur donne
> un vin exceptionnel, tout gorgé des tempêtes de Zeus.
> Ils ne tiennent jamais assemblées ni conseils, n'ont pas de lois,
> ils vivent au sommet des plus hautes collines,
> au creux de grottes où chacun dicte sa loi,
> à ses femme et enfants, sans souci du voisin.

Sur une échelle des mœurs civilisées, ces brutes se situent tout en bas, le sommet étant occupé par les Phéaciens – n'oublions pas qu'ils forment le public auquel Ulysse s'adresse –, avec leur imperturbable politesse, leur goût pour la danse, les jeux, la poésie, la fête.

Violents, hors-la-loi, ignorant l'agriculture autant que cette pratique centrale de la vie politique en Grèce ancienne qu'est l'assemblée des citoyens (celle, par exemple, que Télémaque convoque au chant II), les Cyclopes sont, à proprement parler, des hommes des cavernes.

Dans l'épisode qui met aux prises Ulysse avec l'une de ces brutes, un Cyclope nommé Polyphème, ce qui lui permet de sauver sa peau, c'est sa tête bien faite ; ce qui le met en danger, à la fin, c'est sa langue bien pendue.

Après que les Grecs ont débarqué sur la terre des Cyclopes, le héros, accompagné de quelques hommes, part inspecter une vaste grotte, dont il repère tout de suite qu'elle est la demeure solitaire d'un « géant ». Obéissant à un « pressentiment », comme il l'expliquera aux Phéaciens, il emporte avec lui une outre remplie d'un vin noir et fort offert jadis par la famille reconnaissante d'un prêtre qu'il avait épargné (autre référence au thème de l'hospitalité). Une fois sur place, tous pénètrent dans l'antre de Polyphème, qui se trouve être vide à ce moment-là ; ses compagnons pressent Ulysse de voler quelques moutons puis de vite s'en retourner à leurs vaisseaux. Mais cette fois-ci, c'est Ulysse qui, pour leur malheur, se montre trop gourmand : il veut attendre le retour du Cyclope, curieux du cadeau de bienvenue que l'habitant des lieux lui réserve. Or bientôt, tout espoir de voir le Cyclope se conformer aux règles habituelles de l'hospitalité est anéanti de la façon la plus horrible qui soit. Quand Polyphème rentre, il scelle l'entrée de la grotte d'un énorme bloc de pierre (si lourd que vingt-deux chars ensemble ne sauraient l'ébranler) et mange pour son dîner deux compagnons d'Ulysse, en une inversion radicale des lois de l'hospitalité : au lieu de les nourrir, l'hôte dévore ses invités.

Dans un passage de l'*Iliade*, l'ancien tuteur du héros Achille, devenu un vieillard, explique que son rôle a été d'enseigner au jeune homme à « maîtriser les mots aussi bien que les actes ». Or, dans l'épisode du Cyclope, Homère dresse justement le portrait d'un Ulysse doté de ce double talent. Comprenant qu'il lui est impossible de s'abandonner à sa fureur et de venger ses compagnons en tuant purement et simplement le monstre qui les a engloutis – pour la bonne raison que le Cyclope est le seul à être assez fort pour soulever le bloc de pierre qui ferme l'entrée de la grotte –, il recourt aux mots autant qu'aux actes pour vaincre son ennemi. Lorsque Polyphème quitte son antre pour emmener paître ses troupeaux, Ulysse et ses gens découpent une brasse d'un énorme gourdin qui se trouvait sur place (un tronc d'olivier qui servait de massue au géant) et l'affilent jusqu'à en faire un pieu. Dès le retour du monstre, Ulysse l'enivre du vin qu'il a apporté. S'ensuit alors une drôle de conversation, décousue en apparence mais qui se révélera cruciale. Au Cyclope, à moitié ivre, qui cherche maladroitement à les amadouer pour savoir qui ils sont et où ils ont ancré leur navire, Ulysse répond que la tempête a brisé leur vaisseau et que son nom est « Personne ». Peu habitué au vin – il appartient, après tout, à un peuple ignorant tout de l'agriculture et de la viticulture –, le géant s'effondre et vomit des lambeaux de chair humaine.

C'est ici que le piège se referme, qui mêle habilement la violence des actes et la ruse des mots. S'emparant du pieu qu'ils ont préparé, Ulysse et ses gens enfoncent leur arme dans l'œil unique du Cyclope. Alertés par ses hurlements de douleur, les voisins du monstre mutilé se rassemblent devant chez lui, demandent ce qu'il se passe

— « Est-ce que quelqu'un veut te voler tes bêtes ? Est-ce que quelqu'un cherche à te tuer, par la ruse ou par la force ? » ; ce à quoi, forcément, Polyphème répond : « Qui me tue ? *Personne !* », rassurant ainsi malgré lui ceux qui sont venus lui porter secours, lesquels s'en retournent chez eux, non sans lui avoir conseillé d'implorer son père, Poséidon, si d'aventure il avait besoin d'aide. Le lendemain, Ulysse et ses compagnons parviennent à s'échapper en s'accrochant au poitrail laineux des moutons de Polyphème que le monstre, blessé et humilié, laisse sortir l'un après l'autre, ne voulant croire encore qu'un frêle humain, « un petit homme, un lâche, un rien du tout », ait pu triompher de lui.

C'est juste après que, fort de ce succès, Ulysse commet l'erreur qui lui sera fatale. Les Grecs, vite rembarqués, commencent à s'éloigner de l'île du Cyclope, qui reste cependant à portée de voix ; le héros alors se retourne pour mieux narguer la créature que son esprit rusé a su mater.

Cet homme n'était donc pas si lâche, Cyclope,
dont, au fond de ton antre, tu engloutis les amis,
mais tes forfaits te sont retombés sur la tête,
monstre, qui au lieu d'honorer tes hôtes, en ta maison,
osas les dévorer : crime vengé par Zeus et tous les immortels.

À ces mots, le monstre explose de rage. Il arrache la cime pointue d'une montagne et lance l'énorme projectile contre le navire en fuite ; le remous manque de ramener le bateau vers la rive. L'équipage, terrifié, a beau supplier Ulysse, celui-ci s'obstine à provoquer le géant :

Cyclope, si jamais un mortel te demande
d'où te vient cette horrible mutilation à l'œil,

dis-lui que c'est Ulysse, pilleur de cités, qui t'a rendu aveugle, le fils de Laërte, qui demeure en Ithaque.

C'est la seule fois au cours de ses aventures qu'Ulysse révèle ainsi, dans le feu de l'action, son nom complet et ses origines. Cette bravade aura des conséquences dramatiques, car, connaissant désormais son ennemi – qui n'est plus seulement « personne » –, le Cyclope lance contre lui une funeste imprécation. Levant au ciel ses mains colossales, il invoque son père, Poséidon :

> Écoute, Poséidon, toi l'Ébranleur du sol à la chevelure
>   sombre,
> s'il est vrai que je suis ton fils et toi mon père, comme tu
>   l'affirmes,
> alors empêche Ulysse, ce pilleur de cités, de rentrer à bon
>   port,
> le fils de Laërte, qui demeure en Ithaque.
> Si pourtant le sort veut qu'il revoie son pays, qu'il rentre
> en sa belle maison, au pays de ses pères,
> que ce ne soit qu'après un long périple, où il perdra ses
>   compagnons,
> que de retour à bord d'un vaisseau étranger il ne trouve
>   chez lui que de nouveaux malheurs.

Voilà donc pourquoi Ulysse mettra dix ans à rentrer chez lui.

Dans l'antre du Cyclope, Ulysse se montre tout à la fois malin, magistralement débrouillard et incroyablement hardi – de quoi ravir n'importe quel auditoire.

C'est vraiment excellent ! s'exclama Jack. C'est Hercule Poirot et James Bond réunis !

Même mon père trouva ce jour-là quelque chose de positif à dire sur Ulysse et s'extasia : Il l'emporte avec un calembour, un simple calembour !

Dans cette scène remarquable, enchaînai-je, le jeu de mots est si riche et si complexe qu'il ne passe vraiment dans aucune traduction. Ulysse affirme au Cyclope que son nom est « Personne ». Or le terme grec pour dire « personne » est *outis* : *ou* signifie « pas », et *tis* est le pronom indéfini « un ». *Ou-tis*, pas un, donc personne. Le nom qu'Ulysse (*Odysseus*, en grec) donne au Cyclope est ainsi une sorte de contraction de son véritable nom : *Odysseus, outis*.

C'est un pseudonyme, mais c'est aussi son vrai nom, d'une certaine façon. Il ment et en même temps il dit la vérité, analysa Nina.

Oui, répondis-je. C'est très juste. Mais c'est encore plus fort que cela. Prenez le mot « personne ». Chez nous, quand on pose une question dont la réponse attendue est « personne », on utilise le pronom « quelqu'un », comme dans cet exemple : « Est-ce qu'il y a *quelqu'un* à la maison ? – Non, il n'y a *personne* à la maison. » Le grec a peu ou prou la même particularité syntaxique. En grec, pour dire : « est-ce que quelqu'un... ? », on utilise, entre autres, une expression composée de deux mots, *mê tis*. Or ce sont précisément les termes qu'emploient les voisins du Cyclope s'inquiétant de savoir si quelqu'un ne serait pas en train de lui voler ses bêtes, voire de le tuer : « Est-ce que quelqu'un (*mê tis*) cherche à te tuer ? » Ce à quoi il répond : « Personne (*outis*) veut me tuer ».

Je marquai une pause pour reprendre ma respiration et constatai non sans plaisir que mes auditeurs avaient eux aussi le souffle un peu coupé, suspendus qu'ils étaient à l'issue de ma démonstration.

Je leur demandai de réfléchir au point souligné par Nina, à savoir qu'en se nommant lui-même Outis,

« Personne », Ulysse ment et dit la vérité simultanément. Non seulement parce que *outis* et Ulysse-Odysseus sont proches à l'oreille, mais aussi parce que, à ce moment-là de l'épopée, il est effectivement à la fois « quelqu'un » et « personne ». Il est lui-même, Ulysse, mais aussi un anonyme, un homme qui n'a pas encore recouvré son identité.

Les étudiants hochaient la tête. C'est bon, me dis-je. Ils ont compris.

En outre, *mê tis*, l'expression utilisée par les voisins du Cyclope venus à son secours, possède également deux significations. Car, en grec, *mê tis*, « est-ce que quelqu'un… », se prononce de la même façon que le substantif *mêtis*, qui désigne une forme d'intelligence particulière, une « intelligence rusée ». Ainsi, il y a une double couche de double sens dans cette scène. D'un côté, Polyphème a été vaincu par *outis*, personne/Ulysse ; de l'autre il a aussi été vaincu par *mêtis*, quelqu'un/la ruse. Or, comme l'on sait, l'attribut par excellence d'Ulysse est précisément l'ingéniosité, l'art de la ruse. Donc, là encore, il est personne, un anonyme, et dans le même temps il est on ne peut plus fidèle à lui-même, dans le rôle de l'homme célèbre pour ses ruses.

Quand j'eus terminé mon explication, Brendan s'exclama avec un sifflement d'admiration, Whaou. C'est ab-so-lu-ment génial.

Je me tournai vers Madeline. Bien, après cela veux-tu nous expliquer pourquoi, à ton avis, Ulysse commence le récit de ses péripéties en se vantant d'être malin, ou du moins d'être réputé tel ?

Elle hésita, mais guère longtemps. Parce que c'est le sujet même de cette aventure : l'art de la ruse ? En plus, là, il s'agit d'une ruse enrobée dans la langue. Donc ça ne parle que de ça, en fait : de ruses et de mots.

De mots, absolument ! Au fond, ce qui est fatal au Cyclope, c'est son incapacité à faire la différence entre deux homophones. C'est amusant, et c'est aussi très astucieux.

Une main se leva : celle de Brendan. Je me demandais… à votre avis, on ne pourrait pas dire que le sujet de cette histoire, c'est aussi notre façon d'écouter ? Comment ce qu'on a soi-même en tête influence la façon dont on entend les choses ? Parce qu'en fait, le problème de fond ici, c'est que depuis le début Polyphème n'entend que ce qu'il veut bien entendre. Si quelqu'un vous sortait comme ça « Mon nom est Personne », vous bloqueriez un peu, non ? On sent tout de suite que c'est louche. Mais le Cyclope ne prend pas les Grecs au sérieux vu qu'il est plus grand et plus fort qu'eux, et donc il n'écoute pas vraiment ce que lui raconte Ulysse.

Je n'avais jamais songé à cette interprétation. Je m'apprêtais à la commenter, quand mon père me coupa la parole.

Je reconnais que ce passage est vraiment formidable. C'est l'intelligence qui bat la brute ! Le petit gars qui bat le gros rien qu'avec son cerveau.

Il était presque midi et demie et nous n'avions pas encore abordé la fin de l'épisode – la folle repartie d'Ulysse.

Cette aventure nous montre Ulysse sous son meilleur jour. Mais avant que je vous libère, quelqu'un veut-il ajouter un mot sur la scène finale ?

Jack répondit, Oui, il merdoie grave.

Je te demande pardon ?

Excusez-moi, m'sieur !… Je veux dire, il foire complètement.

Oui, c'est vrai. Qu'est-ce qui « foire » exactement ?

Sans laisser aux étudiants la possibilité de répondre, mon père leva la main.

D'accord, protesta-t-il, son ingéniosité et sa ruse le sauvent, mais finalement sa vantardise le met dans un pétrin pire que tout ce qu'il a connu jusque-là. Il amorce le récit de ses aventures en se flattant d'être très malin, et c'est justement cela qui le perd. C'est un vantard. Alors il a beau être astucieux et raconter des histoires formidables : le vrai problème, c'est son caractère.

Disant cela, il se félicitait en hochant la tête, comme habité d'une satisfaction secrète ; ce n'était évidemment pas à Ulysse qu'il pensait…

La seule fois, au cours de la croisière, où mon père n'a pas terminé sa soirée en soutenant *le poème fait plus vrai*, ce fut après la visite, sur l'île de Gozo, dans l'archipel maltais, de la grotte de Calypso. Nous avions, en effet, mis le cap sur Gozo le soir où mon père avait fredonné puis chanté à pleine voix *Over the Rainbow*.

Nous avions été avertis la veille que la descente à la grotte était rocailleuse et ardue, et que seules quelques personnes à la fois pouvaient y pénétrer tant l'entrée de la cavité était basse. Les personnes âgées ou « à mobilité réduite » se virent conseiller de renoncer à cette visite.

Ces précisions avaient achevé de me décider : je n'irais pas. Je suis extrêmement claustrophobe : le seul fait d'entrer dans un ascenseur me donne des sueurs froides. Quand les garçons étaient petits, Lily et moi les avions emmenés à Disneyland, et ils avaient tenu à monter dans un simulateur de vol, un engin compliqué ; quand j'ai compris que j'allais me retrouver enfermé dans une cabine lancée à toute allure dans une centrifugeuse afin de créer une sensation d'apesanteur, il était trop tard. Et quand, le tour enfin terminé, nous nous sommes extraits tant bien que mal du minuscule cockpit, brisé que j'étais par l'effroi d'être coincé dans ce machin et par l'énergie considérable que j'avais déployée pour faire semblant d'aimer ça, j'ai éclaté en sanglots. Thomas, qui, à six ans, était déjà un vrai casse-cou, m'a pris par la taille et c'est lui qui m'a gentiment consolé, Là, là, tout va bien.

Donc il n'était pas question que j'aille dans la grotte de Calypso.

Tu plaisantes ou quoi ? protesta mon père quand je lui en fis part. Tu ne peux pas ne pas y aller ! Sept dixièmes de l'*Odyssée* se passent là-bas !

Sept dixièmes ? Je ne voyais absolument pas d'où il sortait ce chiffre. Il y a vingt-quatre chants…

C'est mathématique, Dan ! Oui, mathématique. Ulysse met dix ans à rentrer chez lui, d'accord ?

Oui…

Or il reste sept ans avec Calypso, toujours d'accord ?

Oui, oui.

Donc, en toute logique, sept dixièmes de l'*Odyssée* se passent là-bas ! Tu ne peux pas manquer ça !

Eh bien, ai-je objecté mollement, en fait non, ça ne marche pas. Le temps du poème n'est pas l'équivalent du temps de sa vie. Ce sont deux choses différentes.

Mais il n'était pas convaincu. Avec les chiffres, professa-t-il, on ne discute pas.

Nous sommes montés dans le car et nous voilà en route. Tandis que le vieil engin, bringuebalant, nous ballottait sur les routes caillouteuses, mon père se démenait pour me changer les idées – une attention touchante, dont je n'étais pas dupe. Tu as vu ces magnifiques fleurs bleues ! s'exclamait-il en me les montrant du doigt. Les vitres, à force d'absorber la poussière de la route, étaient si sales que l'on voyait à peine à travers. Oh dis donc, regarde-moi ces arbustes violets, comment tu appelles ça, déjà ? Tu as vu si la mer est belle, elle luit comme un miroir ! Mais moi, je regardais sans rien vraiment voir ; je pensais à la grotte. Je sentais déjà, à l'orée de ma conscience, se profiler les picotements familiers de la crise de panique. Comme dans un ascenseur, quand j'attends l'ouverture des portes, ou dans un petit avion, quand je viens de boucler ma ceinture, j'étais entièrement mobilisé à refouler ces picotements familiers. Cela me demandait un effort presque physique. Je transpirais.

Une fois sur le site, tout le monde descendit du car. Nous nous trouvions en haut d'une colline brunâtre et pelée ; des broussailles s'agrippaient à une terre grise telles des croûtes sur une peau malade. Un escalier étroit plongeait, cinq mètres plus bas, sur une plateforme rocheuse accidentée. En contrebas, la paroi de la grotte évoquait un simple mur de pierre percé en son milieu d'une fente basse et sombre ; pour sûr, il fallait se baisser pour y pénétrer. Quelques passagers, qui avaient déjà fait la descente, disparaissaient un par un dans la fente. Le garçon que j'avais croisé le premier jour, celui qui avait décrété qu'Homère aurait gagné à se faire relire, venait juste d'y entrer, accompagné d'un autre enfant, plus grand, qui devait être son frère.

Je fus pris d'une terreur moite. Je secouai la tête. Non, dis-je à mon père. Sans moi, désolé. Je n'y vais pas. Vas-y, toi, tu me diras comment c'est.

234

Allez, Dan, bon sang, dit mon père. Je serai avec toi, ça va aller.

J'avais l'impression d'être un gamin de cinq ans. Je répétai, Non. Vas-y, toi. Moi je reste ici.

Alors mon père a fait une chose qui m'a sidéré. Il a tendu le bras et m'a pris la main. Je l'ai regardé faire et j'ai éclaté de rire. Papa, voyons !

Tout ira bien, me rassura-t-il en me serrant légèrement la main, chose que, autant qu'il m'en souvienne, il n'avait plus faite depuis l'époque où j'étais petit garçon. Sa main à lui était légère, sèche et fine. Je la fixai, gêné.

Je serai là, avec toi, à chaque pas, promit mon père. Et si tu ne supportes pas, nous sortirons.

J'observai nos mains liées l'une à l'autre et, contre toute attente, je dus m'avouer que cela me faisait du bien. Je m'assurai que personne alentour ne nous regardait mais je compris alors, avec un sentiment confus de soulagement, que si jamais quelqu'un nous voyait, il s'imaginerait que c'était moi qui guidais ainsi mon père en le tenant par la main. C'était pour lui, après tout, qu'il existait un risque réel ; c'est lui qui avait la hantise de tomber.

C'est ainsi que j'ai visité la grotte de Calypso avec mon père qui me tenait la main. Il me tenait la main quand nous avons descendu tout doucement les escaliers. Il me tenait la main quand nous nous sommes pliés en deux pour nous glisser dans l'ouverture. Il me tenait la main quand nous avons fait le tour de la cavité – mon cœur alors cognait si fort que j'étais persuadé que les autres l'entendaient, mais apparemment non ; il me tenait la main quand je dis fermement que non, je ne voulais pas traverser un boyau creusé au cœur de la roche pour contempler, de l'autre côté de la crypte, la vue époustou-flante sur la baie ; il me tenait la main quand je regagnai enfin la sortie, me précipitant à l'air libre, l'air chaud et sec du dehors, sans même chercher à dissimuler ma panique. Puis, ayant gravi les escaliers, nous nous sommes dirigés vers le car qui nous attendait : alors seulement il a lâché ma main.

Tout va bien, Dan ?

Avec un sourire hésitant, je répondis : Je crois que c'est une visite dont, pour une fois, nous ne pourrons pas dire que le poème fait plus vrai.

Mon père s'esclaffa et posa sur moi un regard bien-veillant : Tu t'en es très bien tiré, Dan.

Ce soir-là, au bar, tout le monde parlait de la grotte de Calypso.

Alors ? me demanda Ksenia. Le matin même, tandis que les passagers rassemblés à la réception se préparaient pour l'excursion, je lui avais touché un mot de ma claus-trophobie. Tu sais, m'avait-elle suggéré, absolument rien ne t'oblige à y aller ! Il y a plein de gens qui restent à bord, cette sortie étant trop difficile pour eux. « Il y a plein de gens qui restent à bord », ces mots m'avaient procuré un tel soulagement que j'en eus presque honte ; et je vis resurgir le pâle souvenir, enfoui je ne sais où depuis bien longtemps, d'une institutrice me disant, *Tu n'es pas obligé de grimper jusqu'en haut de la corde si tu n'as pas envie.* Mais quelque chose m'avait empêché d'accepter cette échappatoire, et je compris soudain ce que c'était. Je ne voulais pas que mon père voie ma peur.

Plus tard, je croisai Ksenia sur le pont et lui racontai ce qu'il s'était passé : ma crise de panique, papa me tenant la main. Formidable ! s'était-elle écriée.

Tout le monde, à présent, était au bar, à siroter un cocktail. Ksenia nous couvait tous les deux d'un regard chaleureux. Alors, tu vois ? Tu as survécu !

Quelques sourcils se levèrent. « Survécu ? » s'étonna quelqu'un.

J'étais en train de chercher par quelle pirouette m'en sortir quand mon père vola à mon secours.

Nous avons passé un *très* bon moment, dit-il bien fort.

Je tentais de capter son regard, mais il était penché en avant, tourné vers les occupants des fauteuils plus ou moins disposés en rond autour de lui, tel un professeur devant son groupe de recherche.

Je ne voulais pas y aller, leur confia mon père. Les escaliers, c'est dur pour moi. Je ne me sentais pas capable, physiquement. Mais Dan m'a aidé, et je suis ravi de l'avoir fait. C'est tout de même sept dixièmes de l'*Odyssée* qui se passent là-bas !

Il s'arrêta puis ajouta, sans me regarder, J'ai rarement vu quelque chose d'aussi impressionnant, vraiment.

Le pianiste jouait l'air que mon père avait chanté la veille au soir : *I Didn't Know What Time It Was.* Papa ferma les yeux et se mit à fredonner. *I didn't know what year it was/Life was no prize...*

Ksenia sourit. Ton père est un homme tout à fait charmant, murmura-t-elle.

Le dernier cours avant la coupure de printemps tomba le 11 mars. La semaine d'après, les étudiants passeraient leur partiel, et la suivante, ce serait les vacances. Nous ne nous retrouverions que le 1er avril, pour commencer l'étude du chant XIII et de la seconde partie de l'*Odyssée* – le retour tant attendu d'Ulysse à Ithaque, le plan secret ourdi contre les prétendants, la vengeance sanglante du héros et, paroxysme du récit, les retrouvailles avec son fils, sa femme et son père. Tout cela, nous le traiterions en six séances, du premier vendredi d'avril au premier vendredi de mai, et cette une période, je le savais d'expérience, passerait beaucoup plus vite que les six premières semaines du semestre.

Les étudiants aussi avaient remarqué ce phénomène. Vers la fin du semestre, je m'en souviens, l'un d'entre eux – je crois que c'était le grand Tom, Tom-Don-Quichotte – nous fit remarquer que la première partie de l'*Odyssée* avait l'air deux fois plus longue que la seconde. Je comprenais tout à fait ce qu'il voulait dire. Le thème de la vengeance, dans les douze derniers chants de l'épopée, constitue un puissant moteur narratif, qui fait avancer l'intrigue, tandis que le récit plein de circonvolutions des chants I à XII, chargé de réminiscences et de retours en arrière, de récits enchâssés et de digressions, et même de digressions dans les digressions, avance plus lentement, donnant l'impression d'être plus riche. Et cependant, aucun des temps forts de la seconde partie, pas plus le déchaînement d'une violence si longtemps contenue que l'émotion qui se dégage des scènes de retrouvailles et de reconnaissance, ne pourrait fonctionner si tout cela n'avait été préparé dans le détail et la lenteur de la première partie.

Le deuxième vendredi de mars, donc, nous avions prévu de finir la première partie de l'épopée, qui se conclut sur un double point d'orgue. Au chant XI, Ulysse raconte à un auditoire de Phéaciens captivés la plus poignante de ses aventures – sa visite au monde souterrain, séjour des âmes mortes où, comme le lui a annoncé

Circé, il recueillera auprès du fantôme de Tirésias, le célèbre devin, de précieuses informations sur son voyage de retour. Au chant XII, après avoir mis un point final aux *Apologoi*, il embarque sur un navire phéacien qui le ramènera enfin chez lui, à Ithaque. En somme, ce double point d'orgue est à la fois un geste manifeste vers le passé et une franche ouverture vers le futur.

La deuxième semaine de mars, l'air était doux, et mon père était de bonne humeur quand je suis passé le prendre à la gare.

Désormais il venait en train. J'en fus d'abord surpris, connaissant sa passion secrète pour les embarras de la circulation, mais dès avant début mars, il avait complètement renoncé à venir en voiture. Il rechignait à l'admettre, mais mon sentiment est que le mauvais temps avait eu raison de lui.

Comme ça, je peux me reposer et relire les œuvres sur mon iPad, m'avait-il dit pour toute explication lorsqu'il m'avait appelé pour me demander de venir l'attendre à la gare. Il était toujours très fier de préciser qu'il lisait l'*Odyssée* sur son iPad. Le livre imprimé, c'est du passé, disait-il à qui voulait l'entendre. Il faut vivre avec son temps ! Homère sur un iPad, aujourd'hui, c'est ça, l'aventure !

Et ainsi, le jeudi, au lieu de guetter jusque tard dans la nuit le crissement de ses pneus sur le gravier, j'allais le chercher au train en début de soirée pour l'emmener dîner au Flatiron. Je m'arrêtais sur le parking de la petite gare à l'ancienne où il descendait, veillant bien à laisser tourner le moteur afin que la voiture restât chaude, car mon père, en prenant de l'âge, avait toujours froid et s'en plaignait constamment – au café, à la bibliothèque, dans le train et surtout chez lui, dans la maison qu'il partageait avec ma mère, laquelle, dans une symétrie parfaite et fâcheuse, se plaignait tout le temps d'avoir trop chaud, d'avoir comme des bouffées de chaleur, voulait sans cesse ouvrir la fenêtre, pour aérer un peu, disait-elle, même les mois d'hiver, où mon père alors se réfugiait en bas pour regarder les matchs des Giants, emmitouflé dans un de ses éternels sweats à capuche et affublé d'un de ces bérets de laine avec leur petite queue ridicule, qui glissait à moitié de son crâne dégarni. Quand il sortait de la gare de brique, saisi par ce froid qu'il maudissait, il m'apparaissait minuscule, flottant étrangement dans un de ces gros manteaux matelassés que ma mère lui achetait, tel un gamin en combinaison de ski, et nous filions directement au Flatiron, où il commandait son filet de bœuf et son verre de rouge.

La veille du cours qui devait être consacré aux chants XI et XII, mon père était manifestement d'humeur à s'épancher.

Ah, le monde souterrain, ça, ça me plaît ! s'exclama-t-il.

Je ris. Ah oui ? Et qu'est-ce qui te plaît tant ?

Le fait qu'il n'est pas souterrain, justement ! Je m'attendais à ce que ce soit comme l'enfer – tu vois ce que je veux dire, que ça se passe dans les profondeurs de la terre. Mais non : les gars, ils y vont en bateau, comme si c'était une destination parmi d'autres sur la carte. Même pas besoin des dieux pour s'y rendre. C'est juste un voyage ordinaire que n'importe qui peut faire. Et ça, c'est vraiment épatant, Dan !

Oui, répondis-je, l'expression « monde souterrain », ici, est juste une façon conventionnelle de désigner le décor du chant XI – mais tu as raison, il n'est pas réellement « souterrain ». C'est assez malin, d'ailleurs, de ne pas le dépeindre comme un lieu inaccessible. Aller au pays des morts est un voyage que l'on aura tous à faire, un jour ou l'autre.

Mon père me regarda un moment puis baissa les yeux. Ah oui, fit-il d'une voix lasse. Là-dessus, tu as raison.

Traditionnellement, le chant XI de l'*Odyssée*, la visite d'Ulysse au royaume d'Hadès, reçoit le titre de *Nekyia*. À strictement parler, ce terme grec, dérivé du mot *nekys*, « le cadavre » (dont on retrouve la racine dans le mot né̲cro-pole), désigne un rituel sacrificiel qui permet aux vivants d'invoquer les âmes des morts pour communiquer avec elles. La description homérique des mystérieux arcanes de cette cérémonie glaçante n'a rien à envier aux meilleurs films d'épouvante.

Arrivé à l'endroit que lui a indiqué Circé – sur un rivage plat, un rocher marquant le confluent exact de deux fleuves –, le héros commence par creuser un trou d'une coudée carrée ; tout autour, il verse des libations de lait, de miel, de vin et d'eau, puis répand par-dessus de la farine d'orge ; pour finir, il tranche au-dessus du trou, qui se remplit de leur sang, la gorge d'un bélier et d'une brebis noire, en veillant à détourner la tête du côté opposé à celui où il aura orienté les bêtes. Ce n'est qu'après avoir bu ce sang que les ombres des morts se verront dotées du pouvoir de parler.

Au fil du temps, le mot *nekyia*, désignant à l'origine le rituel qui convoque ces mânes hurlants, en est venu à désigner l'épisode entier. Ce dernier, situé juste avant le mitan du périple d'Ulysse, occupe une position straté-gique au sein du récit, signe qu'il est porteur d'une leçon importante : qui veut avancer vers l'avenir doit d'abord faire la paix avec son passé.

À l'entrée de la « demeure d'Hadès et de Perséphone », ainsi qu'Homère désigne cet endroit lugubre, le héros, guettant l'arrivée de Tirésias, fait une rencontre inattendue : c'est l'âme d'Elpénor qui surgit en premier. Le marin, après s'être enivré, était tombé d'un toit sur l'île de Circé, se brisant le cou sans que personne s'aperçoive qu'il manquait à l'appel. Son ombre à présent s'approche d'Ulysse et supplie son ancien capitaine, une fois terminée sa visite au monde souterrain, de retourner sur l'île de la magicienne, afin de récupérer son corps :

> Ne me laisse pas, ne m'abandonne pas, seul,
> sans pleurs ni sépulture, ou tu t'attireras la colère des dieux ;
> puisses-tu me brûler avec toutes mes armes,
> m'élever un tombeau sur le rivage gris,
> que la postérité sache mon triste sort.
> Quand tout ça sera fait, plante donc sur ma tombe un
>   de ces avirons,
> grâce auxquels je ramais, vivant, parmi mes compagnons.

Touché par les prières de son compagnon, Ulysse accèdera à sa demande et lui rendra les honneurs funéraires.

Quel est, au juste, le rôle de ce personnage dans l'*Odyssée* ? Pléthore d'interprétations, toutes plus inventives les unes que les autres, se sont succédé au cours des siècles. Elpénor n'apparaît qu'au chant X, et son accident fatal, qui intervient donc juste après, est de toute évidence habilement inséré à cet endroit pour que son fantôme puisse resurgir au chant XI. L'explication la plus convaincante de cette péripétie est qu'Elpénor fait en quelque sorte office de sacrifice humain, dont la fonction est à la fois émotionnelle et narrative : la mort de ce personnage, qui n'affecte que peu le lecteur puisqu'il n'a pas réellement eu le temps de faire connaissance avec lui, fait néanmoins le lien entre le monde des vivants et celui des défunts, et permet à Ulysse (ainsi qu'au poème) de passer du monde familier des aventures qu'il nous raconte, au présent, au monde des morts hanté par l'histoire et par la tragédie – le monde d'Hadès, peuplé non seulement du cortège de trépassés qui affluent dès le sacrifice effectué, mais aussi de défunts qu'Ulysse rencontre un peu plus tard : sa propre mère, certains de ses compagnons tombés à Troie, une galerie d'héroïnes célèbres ou encore des criminels mythiques purgeant leur éternel châtiment. La présence rassurante d'Elpénor parmi ces figures rend un peu plus supportable ce chant lugubre. D'une certaine façon aussi, la mort d'un personnage mineur nous rend plus acceptable la perspective de la mort du personnage principal.

Il est au chant XI une scène merveilleusement poignante. Circé a donné pour consigne à Ulysse de parler en premier au devin Tirésias ; mais tandis que le héros attend de voir surgir l'âme du vieil homme, il aperçoit, sidéré, l'ombre de sa propre mère, Anticlée : sidéré, car elle était encore vivante au moment du départ du fils. C'est donc ainsi, brutalement et sans intimité aucune – ses compagnons sont là, une foule d'âmes mortes bourdonne et vrombit autour de lui –, qu'il apprend la mort de sa mère. Dans la scène qui s'ensuit, l'élan désespéré, forcément infructueux, de l'enfant vivant vers son parent mort est un vrai déchirement. Quand Ulysse aperçoit Anticlée, il s'élance vers elle et tente de l'étreindre, mais, telle une ombre, elle passe au travers de ses bras. Trois fois il veut la saisir, trois fois l'étreinte est vaine.

Quand je demandai aux étudiants de quels éléments du chant XI ils voulaient débattre, Madeline leva la main.

La peine que ressent Ulysse dans le monde souterrain est rendue de façon extrêmement tangible, dit-elle. Le passage où il tente d'étreindre sa mère et où elle échappe à son étreinte est un vrai crève-cœur.

Je me demandai qui, parmi mes étudiants, encore si jeunes, pouvait bien avoir une expérience du deuil suffisante pour apprécier dans toute sa désarmante justesse le symbole inventé par Homère pour dire le gouffre qui sépare les vivants des morts : l'embrassade vide, l'étreinte impossible.

Pourquoi est-elle rejouée trois fois ? demanda tout à trac Tom-Don-Quichotte.

Je réfléchis un moment. Disons que... trois est un peu un chiffre magique pour le conteur, non ? Songez par exemple à ces blagues qui mettent en scène trois personnages – c'est l'histoire d'un rabbin, d'un pasteur et d'un prêtre... – et obéissent à une structure elle aussi tripartite : X, X puis Y – Y étant toujours la chute. Le chiffre trois a quelque chose de satisfaisant sur le plan structurel, je crois. Imaginez qu'il n'ait essayé de l'étreindre qu'une seule fois... La scène n'aurait pas eu une telle force.

Dans son coin au fond de la salle, mon père renchérit calmement, Oui. Cette scène est vraiment magnifique.

Peut-être en disant cela songeait-il à sa propre mère, ma grand-mère Kay qui jouait si bien aux cartes, emportée dans les années 1970 par la maladie d'Alzheimer, absente à elle-même et décharnée. *Elle n'est déjà plus qu'un fantôme*, avait dit mon père résigné à ma mère qui l'attendait en haut des escaliers un soir où il rentrait à nouveau d'un week-end à Miami, passé au chevet de la mourante. Elle pèse trente-cinq kilos, on dirait qu'elle est en papier. Il n'y a plus rien à espérer. C'était, en fait, l'atroce agonie de ma grand-mère qui lui avait inspiré l'un de ses leitmotive dont nous nous moquions gentiment. Ne me laissez jamais devenir comme ça ! Débranchez-moi plutôt et allez boire un coup à ma santé.

Je relançai la classe : Quelqu'un d'autre ? Ulysse fait-il d'autres rencontres importantes ?

Nina intervint. J'ai trouvé intéressant qu'il croise l'âme d'Agamemnon. On a déjà pas mal entendu parler de l'histoire d'Agamemnon, mais là, c'est lui-même qui nous raconte ce qui lui est arrivé en rentrant chez lui, sa parole vaut donc preuve de la véracité des événements. Et son histoire montre à Ulysse ce qu'il ne faut pas faire.

Elle avait raison : c'est dans l'épisode du monde souterrain que se trouve le récit le plus complet que nous ayons du retour d'Agamemnon – et c'est un récit de première main. Souvenez-vous que, au moment où les deux héros de la guerre de Troie se retrouvent, Ulysse ne peut rien savoir du sort de l'Atride : nous, lecteurs, nous le connaissons, et Télémaque en a eu vent aux chants III et IV, mais Ulysse n'a aucune idée de ce qu'il s'est passé. Ce n'est qu'à l'occasion de son passage dans l'Hadès que le héros de l'*Odyssée* découvre le destin funeste dont nous, lecteurs, étions au courant dès le début ; c'est la première fois qu'il entend l'histoire du retour d'Agamemnon, cette *Odyssée* inversée dans laquelle l'épouse, poussée par son amant, trahit son mari à son retour de guerre. Agamemnon dresse au chant XI un tableau amer de son banquet de bienvenue transformé en guet-apens – les cadavres gisant sur la table, les assiettes et les verres dégoulinant de sang, lui-même tué « comme un bœuf à l'abattoir » –, et il nous livre ainsi le récit le plus détaillé que nous ayons de cette horrible tragédie, au moins aussi édifiante pour Ulysse que les prédictions de Tirésias. Et de fait, pour terminer, Agamemnon fait à Ulysse deux recommandations pour qu'il ne commette pas les mêmes erreurs que lui : ne pas se fier à son épouse, et rentrer chez lui en secret plutôt qu'en fanfare. Ulysse suivra ces conseils.

Qui d'autre encore rencontre-t-il dans cet épisode du monde souterrain ? repris-je.

Le mec bourré qui est tombé du toit ! lança Jack.

Oui, très bien. Mais pour l'examen, rappelle-toi quand même qu'il a un nom, l'ivrogne. Il s'appelle Elpénor.

Nous revînmes rapidement sur le sens du personnage d'Elpénor. Puis j'insistai, Mais qui d'autre encore ?

La veille du cours, en lisant leurs messages sur notre forum de discussion, j'avais été surpris que personne n'eût mentionné la rencontre la plus importante d'Ulysse au pays des morts, celle de l'âme d'Achille, le héros de l'*Iliade*. C'est le dernier personnage familier avec lequel il dialogue dans l'épisode du monde souterrain.

Ce qui fait de leur discussion le moment fort du chant XI, c'est un aveu surprenant d'Achille. Dans l'*Iliade*, souvenons-nous, Achille avait préféré à la possibilité d'une vie longue la certitude d'une vie brève, mais auréolée d'une gloire éternelle – le *kleos*, motivation suprême de l'acte héroïque. Dans l'*Odyssée*, quand Ulysse retrouve son ancien camarade dans l'Hadès, il a à cœur de conforter le héros dans son choix :

> Jamais homme avant toi ne fut plus fortuné, Achille,
> et nul autre après toi ne le sera non plus.

De ton vivant, nous les Argiens t'honorions comme un dieu,
Et tu règnes à présent sur le peuple des morts.
La mort n'a vraiment rien qui doive t'affliger, Achille.

Mais voilà qu'Achille le contredit :

Ne vas pas me chanter, ingénieux Ulysse, que la mort est
    aimable,
Je préfère ici-bas servir un paysan,
qui ne possède rien, à peine de quoi vivre,
que de régner en maître sur ces pâles fantômes.

Cet échange constitue une remise en cause brutale des valeurs professées par Achille et défendues tout au long de l'*Iliade*. Quand on entend le héros de l'*Iliade* – poème qui célèbre le sombre éclat d'une mort précoce – expliquer au héros de l'*Odyssée* – poème qui célèbre avant tout l'instinct de survie – que la vie à tout prix, même comme domestique d'un paysan pauvre, est préférable à un règne glorieux sur un peuple de morts, c'est un revirement sidérant, qui en même temps a un petit côté humour noir. C'est comme si l'*Iliade* disait à l'*Odyssée*, C'est bon, tu as gagné.

Mais pas un seul de mes étudiants n'avait évoqué le dialogue entre Achille et Ulysse sur notre forum en ligne la veille du cours. C'est pourquoi ce matin-là je les pressai d'y réfléchir dès le début de la séance.

Qui d'autre Ulysse rencontre-t-il dans le monde souterrain ?

Plein de monde, répliqua Jack. C'est la fiesta là-bas !

Allons, m'impatientai-je. Il y a pourtant une rencontre cruciale dans cet épisode du monde souterrain. J'ai bien dit cruciale ! Vous ne pouvez pas l'avoir manquée.

Je n'obtins que des regards vides, et poussai un soupir exaspéré.

Vous ne cherchez pas vraiment, conclus-je. Qui d'autre Ulysse rencontre-t-il au pays des morts, et pourquoi cette rencontre est-elle importante ?

Ce fut finalement mon père qui, grommelant dans son coin, leva la main. Achille, marmonna-t-il.

Tous les regards se tournèrent vers la place qu'il occupait sous la fenêtre.

D'accord, dis-je, et donc ?

Je m'étais douté que mon père apprécierait cette scène importante. La veille au soir, au restaurant, il m'avait fait part de son désir de lire l'*Iliade* après la fin du séminaire – ou plutôt de la relire, pour la première fois depuis ses années de lycée. Je suis un enfant de la guerre, j'ai grandi pendant la guerre. La guerre, c'est une chose que je comprends. Ton oncle Howie, lui, il a fait la guerre. Moi, j'ai grandi avec des soldats dans les rues. À l'époque, on savait distinguer les bons des méchants. Alors je me dis que l'*Iliade* me conviendrait peut-être mieux.

Et voici qu'aujourd'hui mon père levait la main pour dire : C'est Achille qu'il rencontre.

Espérant lui faire trouver ce que j'avais en tête, je le guidai, Et quel est le thème de cette rencontre ? Qu'est-ce qui nous est révélé ici ?

C'est une scène forte, dit mon père. Cela nous dit sûrement plein de choses sur Achille.

Bien, acquiesçai-je. Quoi, par exemple ?

Manifestement, mon père ne s'intéressait pas du tout à ce qui, ici, m'intéressait moi. Il n'avait nulle envie d'approfondir l'analyse littéraire de la rencontre entre

Ulysse et Achille ni la surprenante joute symbolique entre l'*Odyssée* et l'*Iliade* qui se jouait en filigrane.

Il ajouta simplement d'un ton maussade, Cela révèle qu'on peut passer toute sa vie à croire en quelque chose pour finalement se rendre compte qu'on s'est trompé sur toute la ligne.

Trois mois plus tard, mon père et moi nous trouvions à notre tour à l'entrée du monde souterrain – l'Hadès, le pays des morts.

Je suis content qu'il ne faille pas vraiment aller sous terre ! me redit-il en descendant d'un pas précautionneux les marches d'un car, en Italie. C'était notre cinquième jour de croisière, et il craignait encore de tomber. Nous étions aux Campi Flegrei, les champs Phlégréens : c'est là que les Anciens plaçaient la bouche des Enfers. Le paquebot avait mouillé à Naples le matin même ; après le petit déjeuner, nous avions tous embarqué dans un gros autocar climatisé. Malgré l'heure matinale, notre groupe était étrangement animé. Comme si, pour exorciser la nature sinistre de notre destination, une humeur joyeuse s'était installée. À l'avant du bus, Brendan plaisantait en italien avec le jeune archéologue du cru qui devait nous guider sur les Campi. Juste derrière nous, la dame blonde qui voyageait avec le vieux monsieur distingué riait aux larmes en écoutant son père ; entre deux hoquets, s'essuyant les yeux, elle prononça quelques mots dans une langue que je pris pour du néerlandais ou du flamand. Dans la rangée voisine, les frères de La Nouvelle-Orléans ricanaient d'un air complice, tandis que leurs parents et leur tante, absorbés dans une conversation de grands, leur faisaient signe de baisser d'un ton. Je me penchai vers leur mère en souriant. Ils sont sacrément en forme, tous, ce matin !

Elle me renvoya un sourire las. Je ne sais pas ce qui leur prend, c'est à se demander ce qu'il y avait dans le café, aujourd'hui !

Une demi-heure plus tard, le bus s'arrêta, et nous descendîmes.

Nous restâmes un instant à contempler le paysage, en silence, avec sans doute chacun la même idée en tête : pas étonnant que les Grecs et les Romains aient vu ici l'entrée du séjour des morts. Nous nous tenions au bord d'un immense cratère, peu profond, perdu dans un paysage lunaire qui s'étirait à perte de vue. Sous nos pieds, le sol dur était jonché de pierres et de cailloux ; un peu plus loin, le terrain, qui s'élevait en pente douce vers de petites collines, était émaillé d'énormes rochers poudrés de jaune safran. On avait peine à imaginer que le moindre végétal ait jamais poussé ici. Des fumerolles blanches, échappées de fissures dans le sol, montaient vers le ciel. Le temps était couvert ce matin-là, et l'on aurait dit que leurs panaches allaient grossir les nuages. Une odeur d'œuf pourri emplissait l'atmosphère.

C'est du soufre, déclara l'un des jeunes frères.

Mon père, jetant un œil au paysage, esquissa une moue admirative. Pas bête, ce gamin, me dit-il.

Sì, confirma le jeune archéologue, en adressant un sourire au garçon. Oui, ce sont des puits de soufre, et c'est pourquoi on appelle ce cratère la Solfarata, la terre de soufre.

Tout le monde fronça le nez.

L'archéologue sourit et ajouta, C'est l'odeur de la mort.

Beurk ! fit la dame à l'élégant papa hollandais.

Mais lui, je ne le voyais pas. Où est passé votre père ?

Il est resté dans le bus, répondit-elle. Il a mal à une jambe et il ne voulait pas trop marcher.

Vraiment ? Il cache bien son jeu. Il est tellement alerte !

Elle sourit. Votre père aussi, non ?

Je me retournai, et vis mon père accroupi, reniflant une poignée de terre.

Oui, finis-je par admettre. Vous avez sans doute raison.

Je crois que vous devriez discuter avec mon père, ajouta-t-elle à brûle-pourpoint. Il a une histoire très intéressante à raconter sur sa vie et sur l'*Odyssée*. J'ai appris que vous étiez professeur de lettres classiques, cela devrait vous parler. C'est pour cela que nous faisons cette croisière.

Je n'eus pas le temps de lui en demander davantage, car Brendan et l'archéologue italien nous appelaient à les suivre. Nous leur emboîtâmes lourdement le pas, respirant l'odeur de mort, en route vers les splendeurs du monde souterrain.

Plus tard, quand nous fûmes remontés à bord, je me mis en quête du vieux monsieur hollandais. Il est là-haut, au solarium, m'avait indiqué sa fille au retour de l'excursion, quand nous piétinions dans le hall d'accueil, savourant nos thés glacés et nos limonades. Vous le reconnaîtrez facilement. Il a une grande cicatrice à la jambe.

Vous plaisantez ? lui dis-je en riant. Je pensais évidemment au passage du chant XIX qui mentionne la cicatrice sur la jambe d'Ulysse, et explique l'origine de la blessure – ce fameux passage illustre l'art de la composition circulaire.

Non, non, s'amusa-t-elle, je vous assure, c'est vrai ! Il a bien une cicatrice, comme Ulysse !

Je montai sur le pont supérieur et trouvai son père, qui me raconta son histoire.

Le premier soir de notre périple, en sirotant nos cocktails sur notre petit balcon, papa et moi nous étions demandés quel genre de personnes pouvaient bien venir sillonner ainsi la Méditerranée sur les traces d'Ulysse. Les soirées suivantes nous avaient peu à peu apporté des réponses : la famille de La Nouvelle-Orléans faisait un voyage chaque année, comme me l'avait expliqué le matin même le garçon étonnamment cultivé qui trouvait qu'Homère aurait gagné à se faire relire ; mais cette année, m'avait par la suite confié sa mère, leurs vacances étaient chargées d'une émotion particulière, car c'était le premier été depuis la mort de sa sœur, la tante de l'enfant. Nous voulions faire quelque chose qui ait vraiment du sens, avait-elle souligné, et qu'est-ce qui pouvait avoir plus de sens qu'Homère ? D'autres, qui avaient lu les Anciens au lycée ou à l'université, étaient venus voir les sites mythiques. Mais la meilleure histoire était sans conteste celle du père de la dame blonde.

Vous voulez sans doute savoir d'où me vient cette cicatrice ? me dit-il en souriant après que je l'eus retrouvé au solarium. J'acquiesçai. Il était allongé sur un transat, en caleçon de bain. La cicatrice s'était estompée depuis longtemps mais elle était suffisamment profonde pour rester bien visible : une ligne brun clair lui sillonnait la jambe, du haut du tibia jusqu'à la cheville.

Cette blessure remonte à la guerre, commença-t-il.

Je le dévisageai d'un air incrédule : il n'avait pas l'air tellement plus vieux que mon père.

Oh, je n'étais pas soldat ! précisa-t-il en riant. J'étais adolescent. Mais j'étais bien en Europe.

J'ai hoché la tête.

Je suis belge, reprit-il. Vous êtes déjà allé en Belgique ?

Oui. À Anvers, une fois. Et à Bruxelles.

Ah, alors vous êtes allés chez moi ! Nous habitions Bruxelles, pas loin du musée. Vous le connaissez ?

Je dis que oui, je le connaissais bien. Que l'un de mes tableaux préférés, *La Chute d'Icare* de Bruegel, se trouvait dans ce musée.

Effectivement. Une œuvre très célèbre que vous, qui êtes classiciste, devez particulièrement apprécier.

Absolument, confirmai-je en souriant. Elle nous parle de l'*hubris*, de ce qu'il y a d'insensé à défier les dieux.

Il me regarda, amusé. Ou plutôt de ce qu'il y a d'insensé à défier son père !

Nous parlâmes de Bruxelles. Puis il enchaîna, En fait, l'histoire de cette cicatrice, c'est mon histoire avec le latin et le grec.

Je levai un sourcil, intrigué.

La dernière année de la guerre, l'hiver fut très rude, terrible, commença le vieil homme, il faisait très froid. Plus personne n'avait rien à manger. Mon cousin d'Amsterdam m'a même raconté qu'en ville on appelait cela l'hiver des Tulipes, parce que les gens déterraient les bulbes des fleurs pour les manger, tant ils étaient affamés.

Je l'encourageai d'un signe de tête.

Mes parents étaient plutôt aisés avant la guerre, nous avions une grande maison. Et dans cette maison, nous accueillions toutes sortes de gens – des gens qui n'avaient plus où aller, des gens apeurés.

Il chercha mon regard. Oui, dis-je. Je vois très bien. Continuez.

J'étais donc adolescent ; mes frères et moi avions tous appris le latin à l'école, auprès d'un professeur très brillant. C'était un excentrique. Un peu marginal, même. Autant que je le sache, il ne s'est jamais marié, mais il était formidable avec ses élèves, malgré ses bizarreries. Il était un peu débraillé, pas très propre sur lui. L'un de mes frères disait toujours que, quand il allait prendre des cours particuliers chez lui, avant la guerre, il n'acceptait que les chocolats enveloppés dans du papier d'argent qu'il lui proposait – car il n'aurait rien mangé que notre maître eût touché.

Il rit doucement à ce souvenir.

Il savait *tout* sur les Anciens, reprit-il. Si toute la littérature classique que nous connaissons aujourd'hui était détruite demain, je suis sûr qu'il aurait pu en reconstituer 80 % de mémoire. Quoi qu'il en soit, à un moment donné, durant l'Occupation, il est venu habiter chez nous. Il s'est installé dans un petit grenier. Mes parents lui fournissaient trois repas par jours, des vêtements et du chauffage. En échange de quoi, il continuait à nous donner des cours. Pour s'occuper l'esprit, je me souviens, il inventait des mots latins pour nommer des réalités contemporaines – bombe Butterfly, raid aérien, des choses comme ça. C'était très amusant.

Il marqua une pause.

Le dernier hiver de la guerre, comme je l'ai dit, il faisait terriblement faim. Et froid ! Si l'on ne trouvait rien à brûler, on gelait tout simplement ! Alors nous avons tous appris à manier la hache et à fendre du bois. Et donc un jour, je m'en vais faire du bois. Je n'avais que quatorze ans, mais je m'en croyais capable. Or j'étais très maigre et affaibli par la faim. Alors j'ai bien levé la hache pour couper le bois mais, trop faible pour maîtriser la suite du geste, au lieu de couper la bûche je me suis planté la hache dans la jambe. L'entaille fut très profonde : pas jusqu'à l'os mais tout de même. Comme vous le voyez.

Je regardai de nouveau la cicatrice avec une moue impressionnée.

Il était ravi de son petit effet. Quel rapport avec la croisière, me direz-vous ?

Je lui renvoyai un sourire interrogateur.

Je vais vous dire ce qu'il s'est passé. À cause de ma blessure à la jambe, je suis tombé gravement malade. Souvenez-vous, nous étions sous-alimentés, je n'avais pas la force de lutter contre une infection. C'était assez sérieux et des jours durant j'ai gardé le lit, délirant de fièvre. Mon professeur, lui, est resté à mon chevet jour et nuit. Il ne m'a jamais quitté. Et qu'a-t-il fait, d'après vous, tout le temps où j'ai été alité ?

Je secouai la tête. Je ne vois pas, dis-je.

Il me lisait l'*Odyssée* en grec ! Il me parlait en latin ! Il a passé son temps à me réciter les classiques, pour que je m'imprègne de la musique de la langue. Je dois dire que je ne comprenais pas trop mal, vu que j'étais déjà son élève depuis deux ans. Je crois qu'entendre cette litanie, cette voix humaine récitant de la poésie m'a aidé à guérir. Oui, je le crois vraiment. Je suis convaincu que, d'une certaine façon, l'*Odyssée* m'a sauvé la vie.

Il s'arrêta un instant, puis soudain me regarda droit dans les yeux. Et je puis vous dire que j'ai bien assimilé.

Là, il ouvrit la bouche et, dans un grec homérique parfaitement accentué, il commença à réciter le discours d'Athéna à Zeus au chant I :

J'ai le cœur brisé pour le malheureux Ulysse,
qui, loin de tous les siens, endure mille maux...
Il s'interrompit.

C'est donc pour cela que vous faites cette croisière – par amour pour l'*Odyssée* ? lui demandai-je.

L'homme à la jambe blessée répondit : Je suis là par amour pour mon professeur. Je me suis toujours dit qu'un jour je trouverais un moyen de lui rendre hommage, et le plus bel hommage que j'ai trouvé, c'est de revivre le périple d'Ulysse.

Il se tut un instant puis reprit : Il est mort depuis longtemps, mais j'espère qu'il aurait aimé l'idée.

En rentrant à notre cabine, je trouvai mon père allongé sur le lit, en train de lire l'*Iliade* sur son iPad. Écoute ça, dis-je. Il posa son appareil, et je lui racontai l'histoire du Belge.

Un truc comme ça, ça ne s'invente pas, dis-je pour conclure.

Pas de réaction.

Allez, papa, avoue que ce n'est tout de même pas banal – la blessure à la jambe ? L'*Odyssée* ?

Ouais, c'est incroyable, dit-il pour finir. D'ailleurs, personne ne te croira.

Il y eut un bref silence.

L'hiver des Tulipes..., reprit-il de ce ton grave qu'il prenait toujours pour parler de la Seconde Guerre, de ces temps où la vie était vraiment dure, où les bons étaient bons et les méchants méchants, et où l'on savait à quoi s'en tenir.

J'ai connu un Hollandais au lycée.

Il avait dit cela sans me regarder. Il fixait son écran éteint.

Joop, dit-il. Ça s'écrit J-O-O-P mais ça se prononce Youpe. Pour le faire bisquer, je l'appelais Joopy. Il était arrivé juste avant le début de la guerre avec sa famille.

C'était un de tes amis ? demandai-je. Je ne comprenais pas où il voulait en venir. Jamais il ne m'avait parlé d'un ami hollandais.

Nan, fit mon père, en poussant un gros soupir. Nan, il ne faisait pas partie de notre bande, Walter, Eugene Miller, tous ceux-là. Mais il y avait d'autres enfants réfugiés dans le quartier, ça oui. Comme tu le sais, d'ailleurs. Wolfgang Grajonca, par exemple, lui c'était un copain – tu sais, Bill Graham, le producteur de concerts rock : c'est le même, c'est lui. Il a changé de nom, mais à l'origine, c'était un réfugié, il habitait dans notre immeuble.

Je l'encourageai d'un signe de tête. Il adorait raconter cette histoire.

On traînait ensemble, mais pas Joop. Il n'était pas... pas vraiment des nôtres.

J'eus comme un picotement derrière la nuque.

Tu veux dire...

Mais lui, il m'aimait bien, dit mon père.

Comment ça, « il t'aimait bien » ?

Il m'aimait bien comme... enfin, tu vois.

Tu veux dire qu'il était gay ?

Oui. Je crois bien, oui.

Et c'est sur toi qu'il avait jeté son dévolu ? J'essayai de détendre l'atmosphère, mais il restait grave.

Il m'aimait bien. Il me tournait autour, mais sans vraiment participer à ce qu'on faisait – à nos matchs de base-ball ou de foot, ce genre de choses. Mais ça lui plaisait de traîner avec nous, et il était futé, alors je l'aimais bien. Il lisait beaucoup, et on parlait de livres.

Il regarda pensivement son iPad. Je l'appelais Joopy et lui m'appelait Loopy. Il était le seul à m'appeler comme ça. Évidemment.

Évidemment, répétai-je, en songeant : Daddy Loopy ! C'est de là que ça venait ?

Bref, dit mon père passant outre à ma question, à la fin j'ai compris ce que... – je veux dire comment il m'aimait.

Je n'en revenais pas qu'il ne m'ait jamais raconté cette anecdote. Et alors, que s'est-il passé ?

Mon père me jeta un regard incrédule. Comment ça « que s'est-il passé ? ». On était dans le Bronx, je te rappelle ! Il ne « se passait » rien à cette époque-là.

J'éclatai de rire. Mais oui, bien sûr...

En tout cas... il ne se passait rien dans mon entourage. Et de toute façon, ce n'était pas mon truc, comme tu le sais.

Il secoua la tête.

Mais comment as-tu réagi ? demandai-je.

J'étais gentil avec lui. Que voulais-tu que je fasse ? Cela ne me gênait pas. S'ils avaient su que c'était un gars comme ça, les autres se seraient moqué, je suppose, mais moi, je m'en fichais. Sans doute qu'au début je l'ai un peu évité, mais cela ne me dérangeait pas tant que ça, au fond, et je me suis habitué. Enfin bref, je crois qu'il s'est trouvé un ami à lui au bout d'un moment.

Un ami. Je me les rappelle, ma mère et lui, parlant d'un de mes professeurs de lycée. *Il a un « ami », n'est-ce pas ?*

Une minute s'écoula. Papa, c'est à cela que tu songeais quand tu as dit à maman, le jour où je vous ai dit que j'étais gay : Laisse-moi lui parler. Je sais ce que c'est ?

Il acquiesça. Ces mots aussi, je me rappelle, m'avaient proprement horrifié. Il eût été plus simple pour moi de me dire qu'il ne pouvait pas comprendre ce que je traversais, ce que j'étais ; l'idée que mon *coming out* puisse inaugurer une forme d'intimité avec lui m'avait dérouté et effrayé en même temps. J'avais quitté la pièce précipitamment, ce jour-là, et puis la crise était passée toute seule. Tout va bien, avais-je rassuré mes parents un peu plus tard. Inutile d'en parler.

Papa, attends, insistai-je. Donc, si je comprends bien, il y a eu un garçon gay amoureux de toi dans le Bronx, c'est de lui que te vient ton surnom de « Loopy », et tu n'as jamais songé à m'en parler ?

Mon père baissa les yeux. C'est simplement, Dan, que… je ne savais pas trop comment t'en parler.

Que répondre à cela ? Alors, j'ai fait comme mon père avait fait : j'ai été sympa avec lui.

C'est bon, dis-je. Au moins, maintenant, c'est fait. Bon Dieu, papa…

Il appuya sur un bouton de son iPad et l'*Iliade* émit une lumière bleutée dans la pénombre. Ouais, on dirait… Puis il leva les yeux et dit : C'est une croisière sur l'*Odyssée*, n'oublie pas. Chacun a une histoire à raconter. Et chacun a… son talon d'Achille.

Oui, sans doute.

Puis il ajouta doucement : Certaines histoires mettent plus de temps à sortir que d'autres, voilà tout.

Malgré son atmosphère funeste, le séjour d'Ulysse parmi les morts n'est pas la dernière aventure qu'il raconte à son auditoire de Phéaciens suspendus à ses lèvres, dans les *Apologoi*. En réalité, sa dernière aventure est la

première dont le lecteur de l'*Odyssée* entend parler :
l'histoire des troupeaux du Soleil, point d'orgue du
chant XII, et unique épisode de sa geste évoqué dans le
proème.

J'avais hâte d'aborder en cours ce passage crucial, et
souhaitais y consacrer tout le temps qu'il mérite. Aussi,
après avoir conclu notre échange sur le chant XI et le pays
des morts, proposai-je aux étudiants d'écourter un peu leur
pause afin qu'il nous reste suffisamment de temps pour les
troupeaux du Soleil.

Avant d'accoster sur l'île dite du Trident, Ulysse et ses
compagnons ont été avertis à la fois par Tirésias et par
Circé – et Ulysse le rappelle à présent à ses hommes –, de
ne surtout pas toucher aux magnifiques bêtes qui y
paissent, d'énormes troupeaux de vaches et de brebis, qui
appartiennent au dieu Soleil Hypérion. De chaque
espèce, prend la peine de préciser le poète, on compte
exactement trois cent cinquante têtes. D'abord, tous
s'efforcent d'obéir à cette injonction, mais, retenus trop
longtemps sur l'île par les intempéries, ils finissent par
céder à leur faim. Profitant d'une absence d'Ulysse, parti
implorer l'aide des dieux, ils égorgent quelques bêtes, font
rôtir la viande à la broche et la mangent. Mais rien
n'échappe au regard d'Hypérion qui, scandalisé, exhorte
les autres dieux à châtier les Grecs ; sans quoi, menace-
t-il, il ira chez Hadès et brillera pour les morts – inversion
absolue et terrifiante de l'ordre naturel des choses. Les
dieux s'exécutent, déchaînant sur la mer une terrible
tempête au moment où les Grecs lèvent l'ancre du
Trident. Ulysse est l'unique survivant de cette dernière
épreuve ; c'est pourquoi à la fin il accomplit seul son
nostos, et devient le héros de sa propre épopée.

Je tenais à ce que nous parlions du passage sur les troupeaux du Soleil, qui, avec la visite au monde souterrain, compte parmi les plus effroyables du poème. (Par exemple, après que les bêtes ont été abattues, leurs dépouilles se remettent à bouger, et la chair en train de rôtir sur les broches à bêler et meugler de concert.) Je voulais surtout que les étudiants comprennent comment l'épisode s'insère dans la structure d'ensemble de l'épopée. En effet, l'histoire des troupeaux du Soleil, qui intervient au chant XII et explique pourquoi Ulysse accostera seul sur l'île de Calypso, boucle en réalité la boucle qui nous ramène à l'ouverture du poème – au chant I, où l'on trouve un Ulysse qui se morfond et se languit de ses foyers après un séjour de sept ans auprès de la nymphe, prêt à repartir enfin.

Ce qui revient à dire qu'au moment où l'*Odyssée* atteint son mitan exact, elle boucle un gigantesque tour complet : tout ce périple nous ramène au point précis où nous avions commencé. *Comment parcourir de grandes distances sans jamais arriver nulle part ? En tournant en rond.*

Mais j'ai eu beau faire ce matin-là, je n'ai pas réussi à intéresser les étudiants aux troupeaux du Soleil – ou, du moins, je n'ai pas su les intéresser à ce qui m'avait intéressé moi, à ce que j'avais jadis appris. (*Réfléchissez*, nous disait Jenny trente ans plus tôt. *Ils appartiennent au Soleil, ils sont immortels. Il y en a trois cent cinquante, c'est-à-dire presque autant que...* – *que quoi ?*, et j'avais répondu, *Des jours de l'année ?* J'étais perplexe, elle avait souri. *Oui, il s'agit du temps qui passe.*)

Il se révéla que les étudiants avaient d'autres idées, plus intéressantes que les miennes.

Avant de parler des troupeaux, j'aimerais revenir à Circé, au chant XI, intervint Brendan. Elle a de nombreuses ressemblances avec Calypso, c'est intéressant.

Oui, renchérit Jack, moi je les confonds tout le temps. Elles sont tellement folles d'Ulysse, toutes les deux.

Quelques murmures d'approbation s'élevèrent.

J'ai dressé une liste des ressemblances et des différences entre les deux personnages, reprit Brendan, encouragé par ces réactions et, s'emparant de sa tablette jaune, il lut à haute voix. *Ressemblances*, dit-il :

Elles vivent toutes les deux sur une île perdue, avec des animaux et une végétation luxuriante.

Elles sont amoureuses d'Ulysse.

Elles l'aident finalement à repartir.

Ce sont des nymphes, une catégorie particulière de demi-dieux chez les Grecs.

Elles ont des pouvoirs magiques.

Elles sont toutes les deux filles de Titans (Hélios pour Circé et Atlas pour Calypso).

Leur nom commence par un K, en grec.

Étymologiquement, Calypso vient du verbe « cacher » et Circé du verbe « encercler ». Les deux noms renvoient donc à l'idée de captivité.

Hermès joue un rôle dans les deux cas. Au chant V, il demande à Calypso de relâcher Ulysse. Au chant X, quand Ulysse arrive sur l'île de Circé, Hermès intervient pour le protéger du sortilège par lequel la magicienne change les hommes en animaux.

Brendan reprit son souffle.

Fort bien, dis-je. Et qu'est-ce que tu conclus de tout cela ?

Apologoi

Eh bien, nous sommes sûrs qu'il était avec Calypso sur son île parce que Homère nous le dit. C'est la partie du poème qui lui est contée par la Muse. En revanche, c'est Ulysse qui nous parle de Circé, l'épisode fait partie du récit de ses aventures qu'il sert aux Phéaciens, et elle ressemble tout de même sacrément à Calypso. Et il y a d'autres parallèles surprenants. Vous n'allez peut-être pas me croire, mais j'allais justement dire que j'ai remarqué une chose dans le chant X : les Lestrygons ressemblent énormément aux Phéaciens. Juste après avoir accosté sur leur île, Ulysse rencontre la princesse, puis la reine et le roi, mais avec les Lestrygons, c'est comme une version cauchemardesque de l'arrivée chez les Phéaciens.

Oui, absolument, dis-je. Nous en avons parlé la semaine dernière.

Tom-le-Blond approuva. C'est vrai. Il y a pas mal d'histoires, parmi celles qu'il raconte aux Phéaciens, qui sont comme des parallèles, en plus sombres, d'événements que l'on sait avec certitude qu'Ulysse a vécus dans la première partie du livre.

Nina, assise à côté de Jack, leva le nez de son livre. Presque tout ce qu'il raconte dans le récit de ses aventures semble sorti d'un mauvais rêve, renchérit-elle. C'est à la fois familier et bizarre.

J'sais pas, l'interrompit Brendan. Je crois que, c'est comme si... – allez, n'ayons pas peur des mots. Pensez-vous que... il soit possible que... les trucs qu'il raconte aux Phéaciens, tout ça soit complètement inventé ? Moi je trouve, on dirait qu'il improvise au fur et à mesure, en s'inspirant, dans les *Apologoi*, de ce qui lui est réellement arrivé.

Je pesai cette suggestion. Je vois où vous voulez en venir, et je dois dire que c'est très intéressant, très intrigant. Vous soulevez des points passionnants, vous introduisez des notions. Mais pour construire une véritable interprétation, vous devez avoir une théorie permettant d'expliquer ces notions. Admettons qu'Homère veuille nous indiquer – ou simplement nous laisser conjecturer – que les histoires des *Apologoi* sont forgées de toutes pièces, qu'elles ne sont que des contes à dormir debout certes inspirés de choses réelles et vécues, mais largement exagérées et dramatisées – des contes qu'Ulysse compose au pied levé, comme le faisait Homère, improvisant pour s'adapter à son public. La question qui se pose alors est pourquoi ? Quel peut bien être l'intérêt de laisser supposer que les *Apologoi* sont de pures inventions ?

J'avais un peu douché leur enthousiasme.

Je suis désolé, M'sieur, c'est pas contre vous, bredouilla alors Jack. Vraiment pas. Mais des fois – comme maintenant, par exemple –, j'ai l'impression que vous avez une interprétation en tête, que vous pensez être la bonne, et comme vous voulez nous amener à voir les choses à votre façon, vous écartez comme ça, sans trop regarder, tout ce qui ne colle pas avec cette interprétation. Moi je trouve que notre idée est vraiment cool, en fait. C'est cool qu'il invente tout un tas de trucs, comme ça, alors pourquoi ça ne suffirait pas ? Pourquoi il faudrait toujours que tout « signifie » quelque chose ?

Silence dans la salle.

Bien sûr, instinctivement, je fus sur la défensive. Bien sûr, j'étais surpris que cette charge vienne de Jack en particulier, le pitre de la classe.

Et je savais que mon père ne me quittait pas des yeux.

Tu n'as aucune raison de t'excuser, commençai-je. Nous sommes en séminaire, et tu as le droit de t'exprimer. Tous, vous en avez le droit. Donc tu trouves que je vous impose mes interprétations, je suis navré de l'apprendre. Car je ne crois pas, pour ma part, que ce soit le cas.

En prononçant ces mots, toutefois, je n'étais pas sûr d'être tout à fait sincère.

Jack se mit à balbutier des excuses mais je l'arrêtai d'un geste. Il n'y a pas de problème, vraiment – si c'est ce que tu penses, nous devons en parler. Cela dit, ma conviction profonde est qu'il nous faut éclairer certains éléments du poème, certaines façons de le considérer que des gens ont élaborées et transmises depuis des siècles, voire des millénaires, et je trouve important qu'avant de quitter ce cours, vous ayez été confrontés à ces lectures autant que possible. C'est le cas pour les troupeaux du Soleil, dont nous n'avons toujours pas abordé la signification.

Il y eut quelques rires nerveux.

Ma conviction est que, même si c'est très bien de relever tel ou tel aspect intéressant d'un texte, votre rôle de lecteur est de rendre ces derniers signifiants, de comprendre comment ils contribuent à produire un sens plus large. C'est comme cela que j'ai été formé, et que l'ont été ceux qui m'ont formé. Si l'œuvre a une vraie cohérence, tous ces détails vont s'additionner les uns aux autres, même s'ils sont à peine visibles au départ et si le tableau général n'est pas tout de suite évident. Seule une lecture détaillée vous permettra de saisir ce tableau général ainsi que la manière dont chaque pièce, chaque petite chose s'y intègre. C'est cela, une interprétation, et c'est à cela que sert la philologie. L'interprétation n'est pas une vague projection subjective, elle doit procéder d'un examen méticuleux des données, c'est-à-dire de ce qui se trouve dans le texte.

Je jetai enfin un œil à mon père. Il opinait en fronçant les sourcils.

Je balayai la classe du regard. Autour de la table, les étudiants étaient bouche bée. Je levai les sourcils en direction de Jack, comme pour lui demander *C'est bon ?* Il acquiesça.

Cela étant dit, conclus-je, votre idée m'intrigue vraiment, comme je l'ai dit, je vais donc essayer de rester ouvert. Tout comme, je l'espère, vous vous efforcerez d'écouter ce que je dis. Sommes-nous d'accord ?

Ils opinèrent. Soudain, Jack me regarda d'un air malicieux et lança, Attendez, M'sieur, on est en train de s'engueuler, là, ou bien… ?

Tout le monde éclata de rire.

L'incident est clos, dis-je, mais dans le même temps, je réalisai que mes genoux tremblaient tout seuls sous la table. Ce n'était pourtant pas la première fois que j'avais des échanges un peu vifs avec une classe. Pourquoi celui-ci m'avait-il autant contrarié ? C'est alors que je compris : mon père était là, qui assistait à la scène.

Je suis content que nous ayons pu aborder ce problème, repris-je. Maintenant, est-ce que quelqu'un veut s'emparer de cette idée et la développer ? Promis, je vous écoute.

Ils se regardèrent les uns les autres.

Je pense effectivement qu'il y a quelque chose là-dessous, finit par risquer Tom. Quelque chose de philosophique, en fait. Nous avons beaucoup parlé de l'art de la narration, de l'importance, dans l'*Odyssée*, de lire entre les lignes les histoires des personnages, comme le dialogue d'Hélène et Ménélas au chant IV. Alors peut-être, en nous signalant que les *Apologoi* sont racontés d'après une histoire vraie sans pourtant représenter *toute* la vérité, Homère nous incite-t-il, avant tout, à nous demander ce qu'est la « vérité ».

C'est même drôle, ajouta timidement Madeline, que nous ayons cette discussion pour déterminer lesquelles des aventures d'Ulysse sont « réelles » ou « fictives », car au fond, tout le poème est une fiction.

Tom approuva puis revint vers moi. À mon avis, dit-il, c'est là que ce thème dont nous avons tant parlé, l'art du conteur, est le plus fort. Si on lit tout à travers ce prisme, à la fin du chant XII on se demande, genre, qu'est-ce qui nous dit que tout cela est *vrai* ?

Il était midi et demie et je n'avais pas de réponse à leur apporter. Tandis que les étudiants commençaient à ramasser leurs livres, je notai mentalement : penser à appeler Jenny ce soir pour lui soumettre leur hypothèse.

Cette histoire me travaillait encore quand j'eus déposé mon père à la gare. En tant qu'écrivain, évidemment, je voyais bien le caractère séduisant de cette interprétation des *Apologoi* – je n'étais pas insensible au charme des jeux narratifs dont mes jeunes exégètes attribuaient l'invention à Homère. En tant qu'écrivain, je voyais bien ce qu'il y avait de tentant à imaginer un Homère qui soulèverait de grandes questions sur la frontière ténue entre faits réels et fiction ; à imaginer un poète qui, à travers les récits d'Ulysse, aurait orchestré une méditation sur l'art du récit, sur la façon dont un bon conteur, au lieu de s'en tenir aux faits tels qu'ils se sont réellement déroulés, et dont au fond l'âpre authenticité résiste souvent aux significations que nous voudrions leur imposer – sur la façon dont le conteur, donc, ne fait que s'inspirer de choses qui ont véritablement eu lieu – en fonction de tel ou tel thème auquel il veut amener son public à réfléchir : le voyage, l'enseignement ou l'éducation, ou encore le mariage, les rapports entre pères et fils, mais retravaille ces événements réels et y mêle des touches de son cru pour mieux éclairer ces notions.

Mais quand, tard ce soir-là, je trouvai enfin le temps d'appeler Jenny, elle était sceptique.

Alors, en gros, résumai-je après avoir passé en revue les remarques des étudiants, ils soutiennent que les *Apologoi* sont des inventions forgées par Ulysse, mais sur la base de choses dont nous savons qu'elles lui sont bien arrivées parce que le poète nous les raconte par ailleurs. L'idée est la suivante : les bons conteurs, c'est comme les bons menteurs, il y a toujours un fond de vérité dans leurs histoires.

Jenny poussa un long soupir.

Mouais, fit-elle. C'est une idée amusante. Mais au final, comment on le prouve ?

J'avais beau ne plus être son étudiant depuis trente ans, j'avais gardé l'habitude de m'en remettre à son jugement, surtout quand il s'agissait de l'*Odyssée*. Je m'apprêtais donc à lâcher l'affaire quand une chose me vint à l'esprit.

Mais ça…, ça vaut dans les deux sens, non ? Comment peut-on prouver, inversement, qu'il n'a pas tout inventé ?

Durant quelques jours après cet échange, je me sentis très content de moi. Puis, environ une semaine plus tard, Jenny rappela.

Tu sais, fit-elle sans préambule, je n'y avais pas pensé, mais il y a une objection évidente.

À propos de quoi ?

De la thèse selon laquelle les *Apologoi* seraient une invention, et Circé un personnage fictif calqué sur Calypso, etc.

Ah oui, les étudiants sont encore tout excités par leur petite théorie.

(Moi aussi, d'ailleurs.)

Mmm. Mais dans ce cas que fais-tu de 8, 447 ?

8, 447 ? répétai-je, perplexe.

Parfaitement, reprit Jenny. Chant VIII, vers 447. Après que tous les Phéaciens ont offert des cadeaux à Ulysse, le poète explique qu'il les range dans un coffre, fermé grâce à « un nœud subtil que lui avait appris la royale Circé ».

Elle marqua un silence. Et ça, c'est Homère qui le dit, pas Ulysse.

Bien, bien… Au temps pour cette brillante idée.

Jenny s'adoucit à l'autre bout du fil. Le texte est le texte, il dit ce qu'il dit. Les réponses sont là. Il n'y a qu'à lire de plus près.

Bien sûr, concédai-je.

J'attendis tout de même un peu avant de le dire aux étudiants. Ils étaient tellement contents de leur découverte !

Au mois de juin, sous un soleil de plomb tout méditerranéen, le *Corinthian II* avait mis cap au sud pour rallier, depuis Naples, le détroit de Messine, ce mince bras de mer séparant l'Italie du Sud de la Sicile. C'est là, dit la légende, que se serait déroulé l'effroyable épisode du chant XII dans lequel Ulysse et ses compagnons affrontent Scylla et Charybde, les créatures les plus abominables et les plus terrifiantes croisées au cours de leur périple – le paroxysme, pour ainsi dire, d'une séquence commencée avec l'attaque des Cicones, au chant IX. Les deux créatures monstrueuses, dit-on, occupent des promontoires rocheux de part et d'autre du détroit. Scylla est, à première vue, la plus redoutable, avec son corps de chien, ses cous serpentins, ses douze pattes et ses six têtes, aux gueules armées d'une triple rangée de dents affûtées comme des rasoirs ; mais Charybde, un tourbillon énorme qui trois fois par jour avale et recrache les eaux du détroit, est en fin de compte la plus funeste. Au chant X, Circé conseille à Ulysse aux abords de cette passe périlleuse de pencher plutôt du côté de Scylla, qui lui prendra au plus six de ses hommes, quand Charybde coulerait peut-être tout le vaisseau ; or « il vaut toujours mieux sur le bateau / pleurer six compagnons que l'équipage entier ». Ulysse finit par suivre son conseil, sans pour autant informer ses compagnons de ce qui les attend.

L'avant-dernier jour de la croisière – le lendemain, nous verrions Ithaque, et le surlendemain, nous serions de retour à Athènes pour reprendre l'avion –, les eaux du détroit étaient aussi plates et lisses qu'une patinoire. Mon père, à qui le chant XII avait fourni une nouvelle occasion de critiquer Ulysse dans son rôle de capitaine (*Il n'y a que moi, ici, qui trouve que ce n'est pas des façons de traiter son équipage ? De lui cacher des choses, de ne pas l'avertir du danger imminent ? !*), observait les lieux d'un air sceptique.

On a peine à croire que quoi que ce soit puisse faire naufrage dans ces eaux-là ! déclara-t-il, d'un air de triomphe. Je ne relevai pas. Au sommet d'une saillie rocheuse, s'étalaient les ruines trapues de ce qui fut sans doute un vieux fort. On en revient toujours à la guerre, dit mon père en contemplant les ruines.

Apologoi

De retour à bord après notre excursion, nous sirotions tranquillement nos thés glacés, quand le haut-parleur se mit à crachoter. C'était le capitaine. Il venait d'apprendre qu'en raison de la grève générale qui paralysait la Grèce cette semaine-là, le canal de Corinthe allait être fermé.

La voix dans le haut-parleur s'interrompit, et une onde de consternation parcourut la petite assemblée. Corinthe ? Mais nous ne devions pas aller à Corinthe de toute façon ? Qu'est-ce que… ?

Le haut-parleur se remit à grésiller. Le canal de Corinthe, expliqua la voix du capitaine, permet de passer rapidement de la côte ouest à la côte est de la péninsule hellénique. L'île d'Ithaque se trouve sur la côte ouest, pas très loin de notre position actuelle, puisque nous venons de l'Italie. Mais Athènes est de l'autre côté du pays. Par le canal, le passage d'ouest en est se fait en un rien de temps. Mais puisqu'il est fermé, nous sommes obligés de faire un assez long détour – nous allons descendre toute la côte occidentale de la Grèce, contourner la pointe du Péloponnèse puis remonter la côte orientale. Imaginez si le canal de Panamá était fermé : le seul moyen de relier le Pacifique à l'Atlantique serait de faire tout le tour de l'Amérique du Sud. Un léger détour…

Ah, nous voilà bien ! soupira quelqu'un.

Mon père me regarda, interloqué. Quoi ?

Je compris soudain. Nous n'aurons pas le temps d'aller à Ithaque, dis-je. Il va nous falloir toute la journée de demain pour rentrer à Athènes, puisque le trajet est plus long que prévu.

Par conséquent, reprit la voix du capitaine, je crains que nous ne devions entamer notre retour vers Athènes dès ce soir. La journée de demain sera sans escale. Nous

271

n'aurons malheureusement pas le temps de nous arrêter à Ithaque.

Un concert de voyelles étirées sous le coup de la déception se fit entendre. *Oh non... Pas d'arrêt à Ithaque ? On va manquer Ithaque ? C'est pas possible ! Mais c'est le clou de tout le voyage !!!* À l'autre bout du pont, j'avisai le monsieur belge avec sa cicatrice à la jambe, qui discutait à voix basse avec sa fille. Comme si mon regard avait été télépathique, ils relevèrent tous deux les yeux juste à ce moment-là et m'aperçurent. Je tirai la manche de mon père et l'entraînai à leur rencontre. Mon Ulysse du jour, qui cachait sa cicatrice sous un pantalon blanc, prit un air amusé.

Eh bien, dit-il en caressant son foulard à pois. Ce doit être une grosse déception pour vous, le classiciste ? Ne pas voir Ithaque !

S'il y avait quelqu'un avec qui j'avais envie de parler en cet instant, c'était bien lui. Le souvenir de notre récente conversation, le rappel du drame qu'il avait vécu, de ses souffrances passées, m'aidaient à relativiser la mauvaise nouvelle. Par respect pour lui, je fis mine de prendre la chose avec philosophie.

C'est décevant, oui. Même si je dois avouer qu'en un sens, c'est bien aussi de ne pas pouvoir y aller. Vous voyez ce que je veux dire – c'est un horizon qui recule indéfiniment !

Mais dans le poème, il ne recule pas indéfiniment ! protesta mon père

L'espace d'une minute, j'eus peur qu'il entreprenne de me faire la leçon sur le concept mathématique d'infini, mais il poursuivit, agacé. Il arrive à Ithaque, dans le poème.

Mais nous, on n'a pas les dieux avec nous. Juste une bande de saboteurs qui nous gâchent le voyage !

Le lendemain matin, papa et moi prenions notre café en silence sur notre balcon, absorbés dans la contemplation des flots et des remous que soulevait le navire filant vers Athènes, quand un steward frappa à la porte de notre cabine pour me remettre un mot du capitaine. Il n'ignorait pas, écrivait-il, que j'étais l'auteur d'une traduction récente des œuvres du poète grec d'Alexandrie Constantin Cavafy. Comme je le savais certainement, son poème intitulé « Ithaque » avait acquis une immense notoriété aux États-Unis après avoir été lu aux funérailles de Jacqueline Kennedy Onassis en 1994. Puisque notre destination avait soudain « disparu » (tels étaient ses mots) et que nous avions devant nous un jour entier sans programme défini, accepterais-je de combler un peu ce vide en donnant une lecture du poème de Cavafy, assortie éventuellement d'une brève conférence ? De la sorte, même si nous manquions la véritable Ithaque, nous aurions tout de même droit à une visite métaphorique.

J'acceptai, bien entendu ; et c'est ainsi que, l'après-midi où nous aurions dû débarquer à Ithaque, je me retrouvai devant un pupitre sur un navire en pleine mer, à parler d'« Ithaque » devant un petit groupe de passagers.

Ce capitaine est malin, me dis-je en chargeant le steward de ma réponse. Car, bien qu'il s'annonce sous le titre de la destination la plus célèbre de la littérature mondiale, le poème de Cavafy porte sur l'intérêt qu'il y a à ne jamais l'atteindre.

D'autres poètes avant Cavafy, expliquai-je en préambule, se sont emparés du héros de l'*Odyssée* pour le remodeler à leur convenance. Dans l'*Enfer* de Dante, par exemple, Ulysse compte parmi les Conseillers fourbes – condamnés pour avoir trompé les autres – et, poussé par sa folie, il s'aventure par-delà les confins du monde. Mais au XIXᵉ siècle, le châtiment est devenu récompense : l'errance perpétuelle du personnage fait de lui un héros aux yeux des romantiques. En 1833, le poète Alfred Tennyson, alors âgé de vingt-quatre ans, déjà favori de la reine Victoria et en passe de devenir poète lauréat du Royaume-Uni, composa un poème intitulé « Ulysse » : un monologue dramatique de soixante-dix vers attribué au héros de l'*Odyssée*. Le poème de Tennyson s'ouvre – de façon plutôt surprenante pour le lecteur de l'épopée homérique qui a assimilé les thèmes du *nostos* et de l'*homophrosynê* – sur un Ulysse vieillissant plongé dans une méditation empreinte d'ironie amère : depuis qu'il est rentré, sa vie à Ithaque n'est pas celle dont il avait rêvé durant les longues années de son voyage de retour. Le grand aventurier n'est plus qu'un « monarque inutile [1] », rebuté par sa charge et désabusé par ses sujets (« J'accorde avec parcimonie/ De primitives lois à un peuple barbare »). Il ne voit plus en Pénélope, assez cruellement, qu'une « femme vieillie » ; et si Télémaque apparaît comme un garçon consciencieux, on ne peut s'empêcher de le trouver un peu falot (« irréprochable... raisonnable... il accomplit sa tâche »). La destination si longtemps désirée se révèle insupportablement décevante – ou, plutôt, le fait même d'être rentré lui semble désormais odieux car il symbolise la fin des aventures qui, il le

---

1. Le poème de Tennyson est cité dans la traduction de Claude Dandréa, *Le Rêve d'Akbar et autres poèmes*, Orphée/La Différence, 1992.

comprend à présent, donnaient sens à sa vie. « Qu'il est triste de s'arrêter, d'avoir atteint le but. » Tandis qu'il contemple son île, l'Ulysse de Tennyson songe à ces péripéties, et les évoque en quelques mots, écho volontaire aux vers liminaires de l'*Odyssée* :

J'ai beaucoup vu, beaucoup connu : cités humaines
Avec leurs mœurs, climats, conseils, gouvernements,
Moi-même non le moindre, et pourtant honoré de tous ;
Me suis plongé dans le délice des combats avec mes pairs,
Là-bas, dans la venteuse Troie dont résonnaient les plaines.
Je fais partie de tout cela que j'ai connu.

Mais à présent, dit-il à ses matelots, « vous et moi sommes vieux ». Les allusions à la vieillesse suggèrent que, même si cette quête acharnée de l'aventure tend à la repousser, cette fin est celle qui nous attend tous : « La mort met fin à tout, mais quelque chose avant le terme,/ Quelque œuvre de renom est encore possible. » Ainsi, lorsque le poème se referme, ce nouvel Ulysse décide d'abandonner la fin qu'Homère avait imaginée pour lui et de retourner en mer, vers la promesse d'un supplément de vie :

Mon désir est toujours
de voguer au-delà du couchant, là où baignent
Tous les astres de l'Occident, jusqu'à ce que je meure.

Dans son dernier vers si souvent cité, « Ulysse » condense l'esprit même du voyage, de l'aventure : « lutter, chercher, trouver, sans jamais céder ». Un siècle après sa publication, T.S. Eliot qualifiera l'œuvre de Tennyson de « poème parfait ».

Cavafy connaissait bien ce texte. Il cite Tennyson en épigraphe d'une version ancienne de son *Ithaque* publiée en 1894 – il avait une trentaine d'années – dans laquelle, déjà, il déployait le thème du désamour d'un Ulysse vieillissant pour une destination qui avait si longtemps mobilisé tous ses efforts. (« Il détestait l'air de la terre ferme […] l'affection de Télémaque, la fidélité/ de Pénélope […] tout cela l'ennuyait. ») Le poète grec remit sur le métier cette première version, qu'il remania maintes fois durant les dix ans et demi qui suivirent : il la repensa, la retravailla, rabotant la matière trop visiblement inspirée de Tennyson, et parvint à quelque chose d'étonnamment original. Dans la version finale, publiée en 1911, alors qu'il approchait des cinquante ans, il dissocie le thème du personnage ; nulle part son poème ne mentionne le nom d'Ulysse, mais il évoque de façon détournée l'univers de l'*Odyssée* en faisant mine de s'adresser directement au héros :

> Quand tu partiras pour Ithaque,
> Souhaite que la route soit longue,
> pleine d'aventures, pleine de découvertes.

Dans le poème de Tennyson, la litanie à la première personne accroît l'intensité dramatique en nous donnant accès aux pensées du héros, depuis sa vision désenchantée de son royaume jusqu'à sa brusque décision de reprendre la mer. Chez Cavafy, l'adresse désincarnée à Ulysse à la deuxième personne, émanant d'on ne sait quelle source, place le héros sur le même plan que le lecteur (nous lisons tous le « tu » comme un « nous ») et donne cette impression étrange que nous sommes nous aussi Ulysse, héros de notre propre voyage. La deuxième strophe reprend la même exhortation, « Souhaite que la route soit longue », puis le poète enchaîne sur l'inventaire des richesses qui sont l'apanage du voyage – des ports jamais vus encore, les trésors fabuleux de ces contrées lointaines, ambre, ébène, corail, parfums exotiques ; et, par-dessus tout, la rencontre de sages étrangers :

> Puisses-tu visiter maintes cités égyptiennes
> Afin d'apprendre, d'apprendre encore, auprès de leurs sages.

Bien sûr, prévient le narrateur anonyme, il ne s'agit nullement d'oublier sa destination, quelle qu'elle soit ; mais il nous amène peu à peu à comprendre que le sens de la vie tient à la façon même dont nous la traversons, à ce que nous en faisons :

> Aie toujours Ithaque en tête.
> Y parvenir est ta destinée.
> Mais ne hâte en rien ton voyage.
> Mieux vaut qu'il dure nombre d'années ;
> Que tu ne jettes l'ancre qu'une fois devenu vieux,
> riche de tout ce que tu auras glané en chemin,
> sans attendre d'Ithaque qu'elle te rende riche.

Nous sentons ici le héros de Tennyson nous souffler à la nuque : Cavafy, comme son prédécesseur britannique, comprend que, comme pour ces joies trop longtemps attendues, le lieu que nous avons tant désiré peut décevoir nos attentes :

> Et si tu la trouves pauvre, Ithaque ne t'a pas trompé.
> Devenu si sage de tant d'expérience,
> Tu auras compris, désormais, ces Ithaques, ce qu'elles
>   signifient.

Le poème de Cavafy, avec un raffinement extrême, exprime ce qui est devenu un cliché de la culture populaire : le voyage importe plus que la destination.

À l'issue de ma petite conférence, quelques passagers s'attardèrent à discuter des poèmes ; tous les habitués de nos soirées au bar étaient venus, cela me fit plaisir. Le Belge s'approcha, accompagné de sa fille.

Joli coup, tout en finesse ! commenta-t-il, une lueur malicieuse dans les yeux. À défaut d'Ithaque, nous avons eu « Ithaque » !

Ce soir-là, après le dîner, mon père et moi commençâmes à préparer nos bagages ; nous devions débarquer tôt le lendemain matin.

Tu sais, me dit mon père, si certaines formules trouvent leur place dans la culture populaire, c'est qu'il y a une raison. Il avait passé l'après-midi à lire Tennyson et Cavafy sur son iPad.

Et tu y crois, toi ? Tu crois que « le voyage importe plus que la destination » ?

Les deux, je crois, sont importants, répondit-il après réflexion. Je veux dire, évidemment, moi je crois au résultat, au fait d'accomplir réellement les choses.

Je lui jetai un regard entendu qu'il feignit de ne pas remarquer.

Je suppose que c'est ce que les gens mettent dans la catégorie « destination » : aller là où tu as décidé d'aller, atteindre tes objectifs. Je ne suis pas sûr de croire que cela n'a pas d'importance. Dans la vie, tu es jugé sur tes résultats. Tu n'es jamais noté sur tes efforts.

J'avais déjà entendu cela.

Mais je comprends aussi l'autre position, finit-il par admettre. Il faut explorer, *essayer* des choses… Puis il se tut. Je songeais à nos virées chez Nino toutes ces années durant, à Nino qui, racontant son dernier voyage en Italie, l'encourageait, *Mais Jay, Jay ! Tu devrais voyager de temps en temps !* et à mon père qui secouait la tête et répondait, *Tu ne peux pas comprendre.* Je me demandais à combien de choses qu'il aurait voulu essayer mon père avait renoncé, pour une raison ou pour une autre. À cause de maman qui n'aimait pas voyager ; à cause de nous.

Eh bien au moins, maintenant, tu en essaies, des choses ! J'entendis soudain ma voix se lézarder.

Il avait l'air serein. Oui, Dan, c'était formidable…

Je crus qu'il allait ajouter quelque chose, mais il laissa sa phrase en suspens.

Maintenant que je suis vieux, reprit-il un peu plus tard, sans doute suis-je plus sensible à l'importance de cet autre aspect : se remuer, et tenter des choses, quitte à échouer. Il faut continuer à avancer, au moins. Le pire, c'est de s'encroûter. Car quand tu en es là, tu es *fini.*

Il restait planté devant le lit où reposait sa valise, grande ouverte, perdu dans ses pensées. Avec un pincement au cœur, je me souvins alors de ce que m'avait dit Ralph, l'un de ses copains du Town Bagel, l'été précédent, un jour que j'étais en visite chez mes parents. Ils étaient allés jouer au golf tous les deux, et Ralph s'était arrêté à la maison en ramenant papa. (Après des années de tennis, le coude de mon père avait fini par lâcher ; à la soixantaine bien tassée, il s'était mis au golf.) Dès qu'il m'avait vu, Ralph m'avait pris à part. *Ton père fait un piteux golfeur*, m'avait-il dit, *son swing est nul, ses fringues sont une catastrophe. Mais je dois reconnaître une chose : je connais peu de gens qui se lanceraient à son âge. Ou qui persévéreraient à ce point.* Il secoua la tête, l'air songeur, et ajouta avec un sourire attendri : *Je sais que parfois il va jouer en solitaire. Il m'est arrivé de passer en voiture à côté du terrain, et je l'ai vu jouer sous la pluie, tout seul.*

À ces mots, je m'étais imaginé papa esseulé sur un green, trempé dans son sweat gris à capuche, swingant une balle invisible. Je voyais d'ici l'expression de son visage concentré, les incisives mordillant la lèvre inférieure, les yeux plissés : la tête qu'il faisait quand il apprenait quelque chose par lui-même.

Je crois que jusqu'à un certain point, je suis d'accord avec l'idée que le voyage a aussi son importance, dit-il en ce dernier jour de croisière, alors que nous pliions bagage. Si par « voyage », on entend continuer à jouer le jeu de la vie. Là, oui.

Alors, conclus-je, tu es d'accord avec Tennyson et Cavafy. Arriver à destination, cela veut dire que tout est terminé, que c'est une… une fin.

Je me trouvais un peu ridicule, mais je ne parvenais pas à prononcer le mot « mort ».

Il m'avait bien compris.

Ce qu'ils disent, je crois, c'est que pour ces personnages, rentrer chez soi, c'est un peu mourir. Mettre un terme à leurs voyages et à leurs aventures, c'est renoncer à l'idée qu'il pourra encore leur arriver d'autres choses un jour. Rester chez soi, dans un environnement familier, cela crée un manque dans leur vie.

Il baissa les yeux vers le lit.

Il n'y a plus de… *d'incertitude*, compléta-t-il au bout d'une minute, parlant presque pour lui-même. Plus rien à découvrir.

« Incertitude », répétai-je. J'étais surpris de l'entendre prononcer ce terme avec une telle déférence. Je n'aurais jamais cru qu'il appréciât ce mot : à quoi avait-il consacré sa vie, en somme, si ce n'était à la certitude – aux équations, aux formules, aux outils de mesure les plus précis qui soient ?

Incertitude. Je songeais aux luttes qu'il avait livrées contre la maladie, ces dernières années : un début de cancer de la prostate, un zona, puis une ablation en urgence de l'appendice, l'année précédente, en pleine nuit (*Ton père disait que ce n'était qu'une indigestion, mais moi, je savais bien que c'était plus grave que ça, et c'est moi qui l'ai forcé à aller aux urgences,* nous avait expliqué ma mère, et effectivement, elle avait eu raison) : des souffrances qu'il avait endurées avec un tel calme qu'à aucun moment je ne m'étais demandé s'il n'avait pas déjà été gagné par la peur de ce qui pourrait encore lui tomber dessus, de l'incertitude qui planait sur l'après. Faisait-il de l'insomnie, la nuit, essayant de construire quelque algorithme, de calculer ses probabilités de s'en sortir ?

Papa, dis-je.

Quoi ?

Je pris une inspiration. Est-ce que tu as peur de mourir ?

Je fus surpris de sa rapidité à me répondre. Il fronça un peu les sourcils – ce n'était pas contre moi, il prenait toujours cet air fâché quand il était confronté à un problème épineux, des mots croisés, sa feuille d'impôts, ou une notice de montage qui lui résistait.

Je n'ai pas peur d'*être* mort, dit-il. À ce stade, il n'y a plus de conscience. On est tiré d'affaire.

Je fis un grand sourire.

Mais il ne plaisantait pas. C'est l'approche de la mort qui me…

Sa voix se perdit, et je compris qu'il rechignait à prononcer le mot « peur ».

… qui m'inquiète. La déchéance, la décrépitude. Perdre à moitié la tête. Tu te rappelles à quoi ressemblait ma mère à la fin.

Je me rappelais. Nanny Kay avait eu un Alzheimer, même si dans les années 1970 on ne mettait pas encore de nom sur la maladie. En tout cas, mon père avait bien compris qu'elle avait autre chose que le « durcissement des artères » que l'on invoquait à l'époque quand des personnes âgées perdaient la mémoire. Je me rappelle encore sa tête quand, à ce qui devait être la dernière visite de sa mère chez nous, elle lui avait demandé de but en blanc : « Et vous ? Qui sont vos parents ? »

Je ne veux pas devenir comme ça, dit-il. Être mort en soi, ça ne peut pas être si terrible que ça. C'est juste rien. Zéro. Mais ce qui est arrivé à ta grand-mère – ça, c'est le pire, à mes yeux. Pire que zéro.

Un nombre négatif ? dis-je pour plaisanter.

Oui, répondit-il, sans un sourire. Puis il reprit, Alors c'est vrai, on veut tous continuer à avancer, à faire des choses. Mais à condition d'être *soi-même*, pas une espèce de zombie.

Il baissa de nouveau les yeux. Je savais qu'il pensait à sa mère, à ce que les gens disaient quand la maladie avait pris le dessus. *Dire que Kay était si intelligente, si vive ! Ce n'est pas Kay, c'est quelqu'un d'autre. Elle n'est plus elle-même.*

Nous restâmes là un moment, en silence. Puis je m'éclaircis la gorge. C'est un peu ce que je voulais dire ce matin quand, après l'annonce du capitaine, je disais qu'au fond j'aimais bien l'idée de ne pas voir l'île d'Ulysse en vrai – tu sais, « l'horizon qui recule indéfiniment ». C'est une idée éminemment poétique – exactement celle qui sous-tend les poèmes de Tennyson et de Cavafy. En n'allant pas voir la patrie d'Ulysse nous avons différé la fin. L'histoire peut se poursuivre indéfiniment. Et substituer à l'île d'Ithaque le poème « Ithaque » c'était parfait. Totalement dans l'esprit du texte de Cavafy.

Mon père réfléchit et s'écria : Alors j'avais raison depuis le début !

Sa voix était espiègle ; son humeur sombre s'était envolée.

À propos de quoi ?

Le poème est vraiment plus vrai que le lieu réel !

Le lendemain, nous rentrions chez nous.

NOSTOS
(Retour)

Avril

νόστος, ὁ [*nostos*] : 1. Retour ; οἱ νόστοι [*nostoi*], le retour de Troie des héros grecs, titre de plusieurs poèmes disparus.

νόστιμος [*nostimos*, adjectif dérivé de *nostos* : propre au *nostos*] : essentiel, précieux, parfait, le meilleur en toute chose.

E.A. Sophocles, *Greek Lexicon of the Roman and Byzantine Periods (from B.C. 146 to A.D. 1100)* [Lexique grec des périodes romaine et byzantine, de 146 av. J.-C. à 1100].

L a seconde partie de l'*Odyssée* – qui, comme l'avait fait remarquer Tom-Don-Quichotte, donne l'impression d'être deux fois moins longue que la première, tant la vengeance imminente du héros donne d'élan à l'intrigue – est ponctuée par une série de retrouvailles dont la force émotionnelle va croissant : entre Ulysse et son île, entre Ulysse et ses fidèles serviteurs, entre Ulysse et son fils, son épouse, son père. Mais depuis toujours, depuis ma première lecture de l'*Odyssée* au lycée, ce sont les retrouvailles d'Ulysse et Télémaque, au chant XVI, qui me touchent plus particulièrement.

Cet épisode constitue en effet le point de jonction des deux lignes narratives de l'*Odyssée*, celle consacrée à Télémaque, le fils, et celle consacrée à Ulysse, le père. Dans les chants XIII et XIV, nous sommes avec le père. Le chant XIII décrit le retour d'Ulysse sur son île, moment très attendu qui se révèle curieusement décevant, notamment parce que Ulysse dort profondément au moment où les Phéaciens le déposent enfin sur le rivage d'Ithaque (avec les trésors innombrables qu'ils lui ont offerts, protégés, dans le coffre, par le nœud secret de Circé). Son réveil, un peu plus tard, donne lieu à une scène amusante : empêché de bien voir le décor à cause d'un brouillard versé par Athéna, il ne reconnaît pas tout de suite son pays tant désiré. « Hélas », s'exclame-t-il en ouvrant les yeux, « sur quel genre de tribu suis-je tombé cette fois ? Est-ce un peuple sauvage ou bien civilisé ? » C'est ici la première occurrence des thèmes de la dissimulation et de la reconnaissance, qui ne cesseront de gagner en complexité au fil de la seconde partie de l'épopée. (Au terme de leur rencontre, au chant XIII, Athéna donne au héros l'apparence d'un vieillard ridé ; ce camouflage lui permettra, suivant le conseil d'Agamemnon, de faire son retour sans être reconnu.) Au chant XIV, comme le lui a recommandé la déesse, Ulysse s'approche de la cabane de son porcher Eumée qui, lui assure-t-elle, est le plus fidèle des serviteurs qu'il a laissés derrière lui ; entre-temps, elle ira chercher Télémaque à Sparte.

Le chant XV reprend un fil narratif laissé en suspens depuis la fin du chant IV – la visite de Télémaque à Hélène et Ménélas de Sparte – et entreprend de le tisser avec l'histoire du retour d'Ulysse à Ithaque. Dès l'ouverture du livre, Athéna se montre au jeune prince, qui, « en souci de son père », n'avait pas fermé l'œil de la nuit après le banquet au cours duquel Ménélas et Hélène confrontèrent leurs souvenirs de la guerre de Troie. Athéna se manifeste donc au fils d'Ulysse et lui reproche de s'attarder aussi longtemps à Sparte (oubliant que c'est elle qui l'y avait envoyé) ; elle a pour lui des nouvelles qui exigent son retour urgent. La situation avec les prétendants, explique-t-elle, est de plus en plus préoccupante : le père et les frères de Pénélope, convaincus de la mort

d'Ulysse, pressent désormais la reine d'épouser Eurymaque, le plus prévenant des jeunes courtisans. Galvanisé
par cette information, Télémaque s'efforce d'écourter son
séjour chez Ménélas. Le roi de Sparte insiste néanmoins
pour organiser un grand banquet d'adieu et lui remettre
de fastueux présents, mais Télémaque refuse poliment,
arguant de la mission impérieuse qui l'attend chez lui. (À
lire cette scène désarmante, on a la nette impression que
si Ménélas est aussi réticent à laisser partir le fils de son
ancien camarade, c'est, certes, par nostalgie du bon vieux
temps, mais peut-être aussi et surtout parce qu'il se sent
un peu seul dans son riche palais.) Finalement, Ménélas
parvient à faire accepter quelques cadeaux de choix à son
hôte fébrile ; Télémaque, notons-le, à l'instar de son père,
rentrera donc à Ithaque chargé d'objets précieux. Après
avoir quitté Sparte, il retourne à Pylos, accompagné de
Pisistrate ; les deux amis se font leurs adieux et Télémaque embarque sur un navire pour rentrer chez lui.
Reviennent alors sur le devant de la scène Ulysse et son
fidèle porcher Eumée, en train de souper dans la cabane
du vieux serviteur.

Il y a quelque chose de presque cinématographique
dans la façon dont l'action du livre XV oscille en permanence entre Ulysse et son fils, comme pour piquer notre
impatience de les voir tous deux réunis, de voir les deux
lignes narratives enfin reliées. Tandis qu'Ulysse et Eumée
rompent le pain, le héros – dont l'esprit rusé est toujours
en éveil, et dont, hélas, l'ingéniosité semble s'être muée en
un réflexe de défiance, un refus instinctif de prendre quoi
que ce soit pour argent comptant – décide de tester la
loyauté de son serviteur, quand bien même Athéna en
personne l'a assuré de la fidélité du vieil homme à son

maître absent. Ulysse annonce haut et fort qu'il est temps pour lui de quitter la cabane, car il ne veut pas abuser de l'hospitalité du porcher ; il ira à la ville, tentera sa chance comme mendiant au palais royal ou offrira ses services de domestique (« en pareil domaine, je n'ai pas de rival »). Eumée, horrifié, l'en dissuade vivement — ne serait-ce qu'à cause de la tension qui règne au palais et de la cruauté des prétendants. « Tiens-tu donc à mourir, en te mêlant aux prétendants dont la violence et le mépris touchent au ciel de fer ? » Ulysse reste donc chez son hôte et les deux hommes se racontent leur vie au coin du feu — les confidences d'Ulysse, bien sûr, sont de pure invention : il n'a toujours pas révélé sa véritable identité. Il se fait passer pour un noble Crétois qui, après avoir combattu à Troie, fut victime de la folie de ses hommes, des têtes brûlées sans discipline. Contraint d'implorer la grâce d'un roi bienveillant, il fut ensuite enlevé, retenu prisonnier pour finir naufragé au large d'Ithaque : ce récit, bien sûr, emprunte largement à ses propres aventures. C'est l'un des nombreux « contes crétois » d'Ulysse, des mensonges habilement échafaudés qu'il sert à tel ou tel personnage croisé sur sa route pour mieux l'enjôler, l'amadouer ou le séduire, et ainsi parvenir à ses fins.

Le chant XV se termine par un dernier coup de projecteur sur Télémaque, dont le navire a enfin accosté à Ithaque. À peine a-t-il posé pied à terre que lui aussi se dirige vers la cabane du porcher, lequel, nous confie Homère, a tenu lieu de père au garçon durant la longue absence d'Ulysse.

Au chant XVI, le vrai père et son fils se rencontrent enfin.

Le matin de la mi-avril où nous avons abordé ce chant, Tom-Don-Quichotte – qui m'avait demandé peu de temps avant de l'appeler « Tommy » (« c'est comme ça que m'appellent mes parents ») – leva la main.

Ce que j'aime bien dans ce chant, c'est la similitude qui s'y dessine entre le père et le fils. C'est intéressant que Télémaque et Ulysse fassent exactement la même chose quand ils rentrent à Ithaque. Ils reviennent chargés de trésors. Ils arrivent en secret. Ils se rendent à la cabane du porcher. On dirait qu'il y a désormais un parallélisme entre eux. Donc, je dirais que c'est vraiment *là* que se termine la Télémachie. Le jeune homme est maintenant un adulte. Il est devenu l'égal de son père.

Je pris le temps de réfléchir à cette analyse. C'est très bien vu, répondis-je.

Moi, ce que j'aime bien, enchaîna Madeline, c'est toute l'histoire avec les chiens au chant XVI.

Voici ce à quoi elle faisait allusion : au début du chant XIV, quand Ulysse (qui, une fois transformé par Athéna, n'a plus l'air que d'un vieux mendiant décrépit) arrive à la cabane d'Eumée, il faillit se faire tuer par les molosses hargneux du porcher ; il ne s'en sort qu'en se jetant au sol et en lâchant son bâton de mendiant, jusqu'à ce qu'Eumée arrive à la rescousse, qui lui fait comprendre qu'il a bien de la chance d'être encore en vie. « Un peu plus et mes chiens t'auraient mis en pièces ! » Mais quand Télémaque, lui, arrive à la cabane d'Eumée au début du chant XVI, les mêmes chiens qui avaient failli tuer son père lui font la fête : « nul grognement à son approche ». Le jeune homme est connu ici, et bienvenu, contrairement à son père, parti depuis tant d'années que ces chiens, d'une nouvelle génération, ne le connaissent pas.

C'est l'un des éléments qui nous rappellent qu'Ulysse est devenu étranger en son propre pays, conclut Madeline.

Pendant cette discussion, je ne pus m'empêcher de jeter un coup d'œil à mon père qui, comme je m'y attendais, n'avait pu réprimer une petite moue. Mes frères et sœur et moi n'ignorions pas d'où lui venait sa peur des chiens, même si je ne me souviens pas d'avoir jamais cherché à savoir dans le détail comment ce fameux chien enragé l'avait attaqué, enfant. Cela faisait partie de son histoire, au même titre que le Bronx, les Mets ou maman, même si pour moi, quand j'étais jeune, l'idée qu'il ait pu un jour être victime de quoi que ce fût ou simplement avoir été un petit garçon apeuré avait quelque chose de troublant, d'incompréhensible. Ce n'est que très récemment que j'ai entrepris d'enquêter sur cette histoire en interrogeant mes frères et sœur. Peut-être parce que, en tant qu'aîné, il avait eu accès plus tôt que nous à une matière plus fournie, Andrew déclara qu'il en avait un souvenir très net : papa, mordu par un chien enragé, avait eu droit à ces horribles injections avec de très, très longues seringues. Pour Matt, en revanche, toute l'histoire était certainement apocryphe : papa avait peur des chiens, voilà tout. (S'il s'était agi de Grandpa, le père de ma mère, cela m'aurait paru plausible, mais nous parlions bien de papa, qui, lui, n'était pas du genre à s'inventer des souvenirs pour amuser la galerie.) Quoi qu'il en soit, je songe toujours à mon père à la lecture des passages où les chiens d'Eumée font un accueil si différent à Ulysse et à Télémaque, au père et au fils.

L'incapacité qu'ont les chiens de reconnaître Ulysse annonce, tout en s'y opposant nettement, l'une des scènes les plus célèbres de l'épopée. Au chant XVII, Ulysse, accompagné de son loyal serviteur, approche enfin des portes de son palais, qu'il a l'intention d'infiltrer. À son passage, voilà qu'un chien galeux couché devant l'enceinte sur un tas de fumier dresse l'oreille : il s'agit, nous dit-on, du fidèle Argos, qu'Ulysse a élevé lorsqu'il n'était qu'un chiot, et qui, tout comme son maître, a subi l'outrage des ans au point d'en être méconnaissable – « un objet de dégoût, en l'absence longue du maître ». Et pourtant, ô miracle, le chien reconnaît Ulysse :

> Mais dès qu'il eut sentit qu'Ulysse était tout près,
> il agita la queue, replia les oreilles,
> mais n'avait plus la force de rejoindre son maître...

Tenu de ne pas trahir sa couverture, Ulysse ne peut laisser voir qu'il connaît le chien. Le seul signe, poignant à l'extrême, de l'émotion intérieure qu'il réprime, est une larme, unique, qui roule sur sa joue, et qu'il a bien du mal à cacher à Eumée. Et à cet instant, Homère nous dit :

> C'est alors que la noire mort emporta Argos, qui
> avait revu son maître, Ulysse, après vingt ans.

Cette scène de reconnaissance et son sens profond, à savoir qu'il existe chez Ulysse quelque qualité intérieure restée intacte en dépit du passage des ans et des épreuves endurées, prépare les rencontres à venir avec Pénélope, qui semble à son tour percevoir chez le mendiant arrivé au palais quelque chose de familier...

Les trois scènes avec les chiens – ceux qui, au chant XIV, manquent d'attaquer Ulysse ; ceux qui font la fête à leur maître bien-aimé, Télémaque, au chant XVI ; et le déchirant échange silencieux entre Argos et Ulysse au chant XVII – ont en fait pour rôle de jalonner la scène de reconnaissance du chant XVI entre Ulysse et son fils, en soulevant notamment certaines questions : comment reconnaître qui est quelqu'un, que signifie la reconnaissance véritable ?

Athéna organise dans le moindre détail ce moment fort des retrouvailles entre le père et le fils. Elle guette une absence opportune d'Eumée et fait signe à Ulysse qu'elle souhaite lui parler ; laissant Télémaque dans la cabane, celui-ci sort dans la cour où l'attend la déesse ; le temps est venu, lui annonce-t-elle alors, de se faire connaître à son fils :

> Divin rejeton de Laërte, Ulysse aux mille ruses,
> le temps est là, enfin, de dire le vrai à ton fils ;
> ne retiens pas davantage la mort et la vengeance
> que tu promets aux prétendants.

D'un geste de sa baguette d'or, la déesse rend à Ulysse beauté, jeunesse et vigueur : il redevient en somme tel qu'il devait être quand, laissant derrière lui un bébé, son fils, il était parti guerroyer à Troie – les joues lisses, le teint brun, l'esprit libre. Lorsqu'il retourne dans la cabane, Télémaque est affolé par la transformation. De toute évidence le vieux mendiant n'est pas un mortel ordinaire – peut-être même est-ce un dieu déguisé. (« Par pitié… épargne-nous ! » s'écrie-t-il.) C'est alors qu'Ulysse se dévoile : « Je **ne suis** pas un dieu », déclare-t-il,

> mais je suis **ton père, par** la faute duquel
> tu versas **bien des larmes**, souffris plus qu'à ton tour,
> soumis à la violence infligée par les hommes.

Télémaque se récrie, refusant de croire que l'homme est celui qu'il dit. Cette réaction de rejet n'est pas sans rappeler la véhémence avec laquelle, aux premiers chants de l'épopée, il récusait absolument l'idée que son père pût être encore en vie.

> Non, tu n'es pas Ulysse, mon père, quelque esprit
> m'ensorcelle afin que je déplore encore plus mon sort.
> Aucun mortel ne peut réussir de tels tours
> par ses propres moyens, à moins qu'un dieu survienne,
> résolu à le faire ou jeune ou vieux.
> Juste avant tu étais un vieillard couvert de haillons,
> Et te voilà semblable aux dieux qui règnent sur le ciel.

La réponse d'Ulysse, presque légaliste, est déconcertante : « Nul autre Ulysse ne viendra jamais ici », dit-il à son fils, « je suis, moi, cet Ulysse ». Quant à sa transformation, c'est en effet, avoue-t-il, l'œuvre d'Athéna ; les dieux ne sont-ils pas omnipotents ? C'est alors que Télémaque éclate en sanglots et embrasse son père, qui fond en larmes à son tour, si bien que tous deux, précise Homère, pleuraient à grands cris perçants, tels des oiseaux de proie dont le nid aurait été pillé par des fermiers : c'est là une comparaison étrange, voire troublante, qui les caractérise à la fois comme des victimes et comme des prédateurs, façon d'annoncer l'entreprise de destruction et de mort que ces touchantes retrouvailles père-fils mettent en branle.

Cette scène empesée, le scepticisme initial suivi d'un flot de larmes exagéré et, pour finir, cette comparaison sinistre, tout cela établit un contraste saisissant avec les retrouvailles sur lesquelles s'ouvre le chant XVI. Car, apprend-on, quand Télémaque arrive à la cabane, les chiens ne sont pas les seuls à lui faire la fête ; Eumée lui aussi l'accueille chaleureusement :

Le porcher se leva,
il lâcha les cratères dans lesquels il œuvrait
à mélanger le vin vermeil. Il rejoignit son maître,
il lui baisa le front, il baisa ses deux yeux brillants,
ses deux mains aussi : ensuite il pleura à chaudes larmes.
Comme un père, tout plein d'amour, accueillerait son fils
de retour au foyer après dix ans au loin,
son seul enfant chéri, pour qui mille maux endura ;
ainsi le porcher reçut-il le divin Télémaque,
le couvrant de baisers, comme un réchappé du trépas.

Sur ce, les deux hommes entrent dans la cabane, Télémaque est présenté au « mendiant », qui reste assis tranquillement tandis que son fils et le porcher commencent à discuter. (Sa capacité de garder son sang-froid alors qu'il revoit pour la première fois, au bout de vingt ans, le fils qu'il avait laissé derrière lui est un autre exemple de la maîtrise incroyable, presque surhumaine, dont Ulysse peut faire montre au besoin : sa rude expérience lui a appris à ne pas dévoiler son jeu trop tôt.) Ce n'est qu'une fois Eumée parti au palais informer Pénélope que son fils est bien rentré de son voyage éducatif qu'Athéna se manifeste et révèle le père à son fils.

Quelques heures après la fin du cours précédent, j'avais posté un message sur notre forum en ligne suggérant aux étudiants de réfléchir à la raison pour laquelle les retrouvailles entre le père et le fils étaient les premières de la série qui structure la seconde partie de l'*Odyssée*. Pourquoi, leur demandai-je, n'occupent-elles pas une position plus importante ? Pourquoi, par exemple, les retrouvailles père-fils viennent-elles *avant* celles d'Ulysse avec son chien (qui interviennent au chant suivant, le XVII) ? Pas un étudiant n'avait répondu à ma requête en ligne. En fait, aucun n'avait fait le moindre commentaire sur cette scène. Pourtant, quand nous abordâmes les deux passages concernés en classe, le lendemain, il était manifeste qu'ils avaient repéré pas mal de choses.

L'émotion est vraiment réelle, ici, fit remarquer Madeline. On voit qu'Eumée a été une figure paternelle pour Télémaque toute sa vie, bien avant l'arrivée d'Athéna à Ithaque, au chant I, sous l'identité de Mentès et plus tard, de Mentor.

Homère nous donne pratiquement la clé d'interprétation de tout le livre, ici, souligna Brendan. La scène où Télémaque arrive chez Eumée est réellement un retour au foyer, et la comparaison employée décrit le porcher comme un véritable père tandis que, lors de ses retrouvailles avec Ulysse, celui-ci est comparé à un rapace.

Trisha leva les yeux. Il y a une sorte d'hystérie dans la scène entre le père biologique et le fils, dit-elle. C'est presque comme s'ils surcompensaient.

J'étais impressionné.

Il surcompenseraient quoi, d'après toi ?

Le fait que l'émotion entre eux est, comment dire… abstraite. C'est ce qu'un père et un fils sont censés ressentir en pareil cas. Tandis qu'avec Eumée, c'est bien réel.

C'est une excellente remarque, dis-je. Maintenant, peux-tu creuser un peu cette idée, afin de répondre à la question que j'ai posée la semaine dernière : Pourquoi la scène de retrouvailles entre Ulysse et Télémaque est-elle la première du poème, soit la moins mise en valeur ?

Jack leva la main.

Pas de blague, hein ?

Non, promis, dit-il. Je pense que c'est parce que toute la scène ne repose en quelque sorte que sur la croyance. Ils ne se sont jamais vraiment connus, Télémaque n'était encore qu'un bébé quand Ulysse est parti. Donc…

Il s'arrêta net, décontenancé.

Donc quoi ? demandai-je. Oui, l'émotion dans cette scène est abstraite ; oui, Télémaque est obligé de croire Ulysse sur parole. Qu'en concluez-vous ?

Je parcourus la salle du regard.

C'est Brendan qui rompit le silence, et la réponse qu'il formula m'amena à m'interroger – ce n'était d'ailleurs pas la première fois : quand nous avions discuté du chant III, c'était lui, déjà, qui avait émis l'hypothèse selon laquelle Télémaque aurait secrètement espéré la mort d'Ulysse – sur ce que pouvait bien être sa relation avec son père. Si au départ, dit Brendan, tu n'as jamais connu ton père, en fait il n'y a rien du tout à reconnaître.

Mon père était resté étrangement silencieux pendant toute cette discussion, et il ne disait toujours rien lorsque les jeunes rassemblèrent leurs livres et leurs sacs et quittèrent la salle les uns après les autres. Le matin même, en prenant le café à la maison, je lui avais proposé de rester dormir cette nuit, mais il m'avait répondu qu'il avait déjà pris un billet pour le train de 14 heures. Je commençais à trouver suspect ce goût soudain pour les trajets en train. Tandis que la salle se vidait peu à peu, je remarquai que Madeline restait en retrait, comme si elle voulait me parler. Mais, à ma grande surprise, ce n'était pas moi qu'elle attendait, c'était mon père.

Elle nous regarda tous les deux puis se tourna vers lui. Je passe vous prendre chez monsieur Mendelsohn à une heure et demie ?

Je remarquai qu'elle avait changé de coupe. Son chatoyant rideau de cheveux était devenu un carré dynamique. Elle fait plus mûre comme cela, me dis-je.

Oui, fit mon père. Merci !

Je les dévisageai l'un après l'autre.

Elle rougit. Je suis tombée sur votre père la semaine dernière dans le train, expliqua-t-elle. Je descends en ville tous les vendredis pour mon cours de violoncelle. Alors je lui ai proposé de l'emmener à la gare. Je me suis dit que cela vous éviterait un trajet, non ?

Mon père ne m'avait rien dit.

Ça me va très bien ! confirmai-je. Je te remercie, Madeline. Sais-tu où j'habite ?

Oui, votre père m'a expliqué.

On se voit dans une heure, conclut mon père. Il était tout joyeux.

Je rangeai mes livres et nous rejoignîmes le parking de la faculté.

Comme je l'ai dit, mon père n'avait guère ouvert la bouche pendant le cours, ce jour-là. Mais nous avions longuement parlé des retrouvailles d'Ulysse et Télémaque la veille au soir, au Flatiron.

J'ai hâte d'être à demain, avais-je commencé. Le chant XVI est l'un de mes préférés. Qu'est-ce que tu en as pensé, toi ? Et de la scène de retrouvailles ?

À ce moment précis, il avait recraché au bord de son assiette le morceau de steak qu'il était en train de mâcher.

Oh, papa, s'il te plaît ! Non mais enfin, quoi…

Quoi ? aboya-t-il, en mode mi-défensif mi-agacé. C'était que du cartilage ! Il me jeta un œil noir.

L'absolu manque de manières de mon père à table nous mettait toujours très mal à l'aise, ma mère et nous. Mais qu'y faire ? Quand il lapait sa soupe ou son café à grands coups de *slurps* bruyants que ma mère ne prenait plus la peine de lui reprocher depuis des années, nous rouspétions, *Papaaaaa !!!* Mais il ne relevait pas. Au contraire, il rentrait encore davantage la tête dans les épaules, telle une tortue, et nous adressait un reproche muet : c'était un truc de filles de se soucier ainsi des bonnes manières à table. Quand j'étais à la fac dans le Sud, j'étais particulièrement gêné du comportement de mon père, qui était difficile à cacher lorsque mes parents et moi retrouvions mes camarades et leurs familles autour d'un repas au country club du coin ou dans un grand restaurant, repas généralement organisé par les pères de mes camarades sudistes, des avocats de Memphis au visage carré et à l'accent traînant, des propriétaires de grands magasins de Chattanooga tirés à quatre épingles dans leur costume en seersucker, ou des hommes d'affaires de Savannah à l'élégance sensuelle, dont la famille était « dans le transport maritime » depuis des générations – ces hommes, avec leurs costumes impeccables, leurs manières exquises, leur courtoisie exagérée envers ma mère, dont ils louaient galamment la beauté, exerçaient sur moi une puissante attraction.

L'un d'eux me fascinait tout particulièrement : le père d'un camarade de Houston, un brillant architecte aux sourcils épais qui, chaque fois que sa femme et lui venaient voir leur fils, se plaisait à inviter notre petite bande de huit à dix étudiants dîner dans le restaurant le plus cher de la ville ; il nous interrogeait sur les cours que nous suivions, affectant de se déprécier lui-même pour mieux valoriser nos études, censées dépasser largement ses propres capacités, nous régalait d'histoires amusantes à la

Faulkner sur son enfance dans le Mississippi, des anecdotes qui laissaient entendre que lui-même n'en revenait pas de la vie qu'il avait eue ; mais, au fond, ce que je jalousais secrètement n'était pas tant sa fréquentation de l'opéra, du Petroleum Club ou des paquebots de croisière, que la relation facile qu'il avait avec son fils, un beau garçon, mon ami. Cet homme, dont je finis par devenir très proche, deviendrait le dernier en date d'une série de mentors auxquels je ressentais un besoin impérieux de m'attacher : des hommes qui me paraissaient bien plus à même de me tenir lieu de père, avec mes engouements étranges et mes hobbies exotiques – les œufs de Fabergé, les hiéroglyphes –, que mon propre père, lequel passait son temps à bricoler la boîte de vitesse de ses vieilles bagnoles, à multiplier les allers-retours au Radio Shack pour que notre radioréveil, dont le mécanisme à volets faisait, dans un flip-flap, défiler les chiffres des minutes, survive encore quelques mois. Je m'étais ainsi trouvé toute une succession de pères de substitution ; je m'étais trouvé des mentors. Il y eut ce professeur de musique au lycée, qui considérait tout à fait normal de m'emmener, à quatorze ans, à trois heures de route de chez nous pour écouter un concert de cette musique ancienne qui faisait mes délices à l'époque. Il y eut, un peu plus tard, un autre professeur de musique, qui, à ses heures de loisir, dirigeait le chœur d'une église des environs, qu'il sut me persuader d'intégrer. Parfois, après les répétitions, cet homme m'invitait dans ce qui devait être le seul restaurant français de tout le comté, où il m'impressionnait en passant sa commande en français. Mes parents entretenaient avec lui un rapport d'amitié, sans doute pour bien montrer qu'ils lui faisaient entièrement confiance, car à l'époque, cela n'avait rien d'évident que des parents laissent leur fils adolescent passer des journées entières seul avec un professeur de musique qui, de notoriété publique, vivait avec un « ami ». Quand il venait chez nous, il s'asseyait par terre dans le salon de ma mère et caressait la moquette en disant, *La laine, il n'y a que ça de vrai*, et ma mère rosissait de plaisir à cette remarque de connaisseur portée sur sa décoration à laquelle personne d'autre ne prêtait attention.

Surtout, il y eut ce professeur d'allemand au corps gracile, au teint d'olive et à la voix de fumeur, qui me prit sous son aile quand, au mitan de l'adolescence, je passai du collège au lycée. *Fred*. Le week-end, quand il m'emmenait faire un tour, au large de Huntington Harbor, sur le gros voilier de bois piloté par son « cousin », Horst, ils mettaient du Wagner à fond sur une vieille chaîne Bang & Olufsen, Fred m'offrait parfois un verre de bourgogne ou un vieux brandy. *Est-ce que tu sens cet arôme caramélisé en milieu de bouche ?* disait-il, en m'observant prendre une petite lampée, et moi je répondais, honteux de mon ignorance, *Comme un goût de fruit rouge ?*, alors tout son visage fermé et presque gris se relâchait et, avec un sourire las, il levait les deux mains en l'air comme un condamné rendant grâce au Ciel de se voir par surprise sauvé d'un sort funeste. *Ah, monsieur Mendelsohn*, disait-il, *il y a encore de l'espoir pour vous !* Sans doute avait-il raison. C'est grâce à lui que j'acquis les rudiments de ce que je sais aujourd'hui en matière d'opéra, de musique, de danse, de littérature, notamment parce que, à partir de mes quinze ans, comme je m'étais montré je présume un élève doué, Fred et Horst m'ont, sans rien demander à personne, abonné avec eux au New York City

Opera, au Metropolitan Opera, au Philharmonic, au New York City Ballet, au Lincoln Center Theater. Tout à ma jubilation secrète, certaines après-midi après les cours je traînais devant l'entrée du lycée, en attendant que Fred et Horst surgissent sur les chapeaux de roues de leur Volvo biplace couleur bronze. Nous filions vers Manhattan, nous surfions le long des kilomètres de cimetière qui s'étendent à perte de vue de part et d'autre du Long Island Expressway dans le Queens, nous traversions en trombe le Queensboro Bridge, nous nous garions avec force crissements dans le parking souterrain du Lincoln Center, où nous montions enfin, tous les trois, pour assister à un opéra ou à une représentation théâtrale – ces arts constituent à présent, et ce n'est pas un hasard, la matière de mes écrits.

C'est Fred qui me fit comprendre que beauté et plaisir sont au cœur de l'enseignement. Car le meilleur enseignant est celui qui veut vous faire découvrir le sens des choses qui lui ont donné du plaisir, de façon que l'appréciation de cette beauté lui survive. À cet égard – parce que cela procède de l'acceptation du caractère inévitable de la mort –, ce qui fait le bon enseignant fait aussi le bon parent.

Il ne me vint jamais à l'idée, quand j'étais jeune, adolescent d'abord, puis jeune homme de vingt ans ou même encore trentenaire, que mon farouche attachement à ces autres figures paternelles, plus raffinées, le plaisir manifeste que je prenais à mes escapades avec Fred, Horst et les autres, mes allusions constantes, devenu étudiant, au père de mon camarade, l'architecte, il ne me vint jamais à l'idée que tout cela pût affecter mon père d'une façon ou d'une autre – peut-être parce que je m'étais convaincu que mon père n'était de toute façon pas sensible à grand-chose. Cette apparente froideur, considérais-je à l'époque, était d'ailleurs l'une des nombreuses raisons pour lesquelles j'avais besoin de ces autres hommes, plus chaleureux, plus expansifs ; une autre de ces raisons étant, bien entendu, le manque de distinction de mon père, à commencer par la façon déplorable dont il se tenait à table, qui m'a toujours fait honte.

Au Flatiron, ce soir-là, la veille de la discussion que nous aurions en classe sur les retrouvailles de Télémaque avec Eumée puis avec Ulysse, la veille de la remarque *bigrement brillante* de Brendan sur le fait que des retrouvailles avec un membre de sa famille que l'on ne connaît pas vraiment ne sauraient être une *reconnaissance*, mon père mâchait bruyamment une grosse bouchée de steak. Finalement, je maîtrisai mon irritation et lui redemandai ce qu'il avait pensé du chant XVI.

Eh bien, comme tu le sais, je ne suis pas un grand fan d'Ulysse. Mais je dois dire que cette fois-ci, j'ai été impressionné par sa retenue.

Sa« retenue » ? Tu veux dire, dans la scène avec Télémaque ?

Je crus qu'il faisait allusion au sang-froid d'Ulysse face au rejet initial de Télémaque, après qu'il lui a révélé son identité. Décidément, me disais-je, il n'y a vraiment que papa pour se focaliser là-dessus.

Non, non, précisa-t-il. Plus tôt. Avant qu'il dise la vérité à son fils.

Je ne voyais pas de quoi il voulait parler.

Avant, répéta mon père. Quand il est encore déguisé et que le fils rentre et qu'il tombe dans les bras du paysan.

Le porcher, rectifiai-je par réflexe.

Le porcher. Peu importe, c'est un paysan, tu vois ce que je veux dire.

En tout cas, j'ai trouvé cela admirable, dit-il lentement après un bref silence.

« Admirable » ?

Mon père baissa les yeux sur son assiette. Ça a dû être dur pour lui d'être obligé de rester là, imperturbable, à regarder son fils se comporter avec l'autre comme si c'était son vrai père.

À mesure que l'action de l'*Odyssée* se rapproche de sa conclusion, l'intrigue tissée par Homère et l'intrigue ourdie par Ulysse tendent à se confondre.

Après s'être fait reconnaître de son fils, Ulysse, accompagné du fidèle porcher (qui ne sait toujours pas à qui il a affaire), quitte la campagne pour se rendre au cœur de la cité où, au début du chant XVII, il entreprend d'infiltrer son propre palais.

En se faisant passer pour un mendiant itinérant, il réussit à pénétrer dans la grand-salle, où il voit enfin de ses propres yeux les infamies auxquelles sa maison et sa famille sont soumises depuis si longtemps : les odieux prétendants ont pris leurs aises dans son palais, où ils mènent grand tapage et s'empiffrent à sa table, écrasant son jeune fils de leur arrogance tandis que son épouse, littéralement assiégée, en est réduite à se réfugier à l'étage, dans ses appartements. Athéna l'engage alors à faire le tour de la salle et à mendier à chacun des prétendants quelque croûton de pain « afin de distinguer les cœurs honnêtes des gredins ». Certains, effectivement, se montrent bienveillants et lui abandonnent quelques reliefs de leur festin ; mais Antinoüs, leur chef de file, traite le mendiant qu'Eumée a fait entrer avec une condescendance et une morgue insolentes :

Voyons, Sire porcher, pourquoi avoir amené ce...
Cela en ville ? N'avons-nous là assez de mendiants,
insupportables parasites gâchant nos festins ?
Ne sont-ils pas assez nombreux, à manger son bien,
à évincer ton maître absent de sa maison,
que tu ailles encore en inviter un autre ?

Si le nom d'Antinoüs signifie « anti-esprit », son comportement fait de lui le symbole d'une « anti-hospitalité » : l'emblème du mépris blasphématoire des prétendants, poussé à son comble, pour les lois qui définissent les obligations de tout hôte envers son invité. Ce que confirme la repartie du porcher, Eumée – qu'a moqué Antinoüs en lui donnant du « Sire » : « Antinoüs, toi qui es si bien né, tu as fort mal parlé. » Et sa conduite est à l'image de ses propos : quand Ulysse se présente à lui pour quémander quelque aumône, le chef des prétendants, drapé dans sa superbe, lui jette un tabouret. (Homère nous dit que, malgré la douleur, Ulysse, « dur comme un roc, agite la tête en silence/ ruminant de sanglantes représailles ».) Il se trouve même quelques prétendants, choqués par le comportement d'Antinoüs, pour lui rappeler que, parfois, les dieux eux-mêmes descendent sur terre déguisés en mendiants pour sonder le caractère des hommes.

Le test auquel Ulysse soumet les prétendants souleva un petit débat en cours, lorsque nous abordâmes les chants XVII et XVIII, par un matin déraisonnablement frais pour une fin avril. Après son altercation avec Antinoüs, Ulysse trouve un défenseur en la personne d'un autre prétendant, Amphinomos. Celui-ci est le plus attentionné des jeunes gens qui convoitent la main de Pénélope et aussi, précise Homère, celui qui « a la préférence de la reine » – en raison sans doute de certains points communs qu'il a avec Ulysse. (« Elle aimait ses propos – car c'était un homme avisé. ») Dans une scène remarquable, Ulysse le prend à part et tente de l'avertir, lui conseille de quitter le palais, d'abandonner ces arrogants qui ont insulté la maisonnée et l'épouse d'un valeureux héros – qui, affirme-t-il, va bientôt rentrer chez lui :

> Puisse quelque puissance
> te ramener chez toi, t'éviter de croiser sa route
> quand il retrouvera son cher pays natal
> car je doute fort qu'il vous laisse partir tous
> sans effusion de sang, une fois de retour.

Ulysse met tant de zèle à prévenir l'affable jeune homme qu'il manque au passage de trahir sa couverture : la première fois qu'il aborde Amphinomos, ce dernier lui paraît être un homme sensé, « tout comme l'était ton père », dit-il – un impair qu'il s'empresse de rattraper (« du moins était-ce là sa bonne renommée »). Bien que fort ébranlé par les mots du vieux mendiant, Amphinomos ne se résout pas à quitter la grand-salle. Car, nous révèle le poète, « Athéna l'a déjà enchaîné à son sort » – c'est-à-dire à tomber sous la lance de Télémaque durant l'imminent pugilat.

Brendan restait perplexe à la lecture de cette scène.

Nous savons qu'Amphinomos est le meilleur des prétendants, même Ulysse tente de le sauver. Mais il semble qu'il n'a aucun moyen d'échapper à son destin, à cause d'Athéna. Sans son intervention, Amphinomos aurait fui le palais et il s'en serait tiré. Pourquoi donc Athéna empêche-t-elle sa fuite ? Devons-nous en conclure qu'Amphinomos, dont on nous dit pourtant la bienveillance, a déjà dépassé un « point de non-retour » juste pour avoir fait festin de bétail et de vin dans le palais d'Ulysse ?

J'embrassai du regard la longue table de séminaire. Je promets, dis-je, de ne pas vous mener à toute force vers mes conclusions sur ce passage, mais Brendan touche du doigt un point très important à mon sens. Est-ce que je peux juste vous guider un petit peu ?

Cela en fit rire quelques-uns. Bon, songeai-je, au moins, ça, c'est réglé.

Bien, repris-je. Brendan se demande pourquoi Amphinomos, qui par ailleurs nous est présenté comme le « gentil » prétendant, se trouve puni au même titre que les autres « juste » pour avoir pris part au saccage de la demeure d'Ulysse. Ce qui me pose question, ici, c'est l'emploi du mot « juste ». En fait, n'avons-nous pas été prévenus dès le premier jour que c'est là une faute grave ?

Depuis le premier jour ? s'étonna Jack.

Oui. Souvenez-vous du proème.

Madeline leva la main d'un coup. Ah oui, j'ai compris !

Alors ? l'encourageai-je.

Les troupeaux du Soleil ! s'écria-t-elle. Vous n'arrêtez pas de nous rappeler que c'est la seule aventure d'Ulysse mentionnée dans le proème ; ils ont dévoré les vaches et les brebis et en ont tous été punis de mort. Donc nous savons que c'est important – on sait dès le départ que c'est une faute grave, que manger quelque chose qu'il était expressément interdit de manger appelle ce châtiment extrême. Donc c'est comme si ce qui arrive aux prétendants, le fait qu'ils doivent tous périr, même les gentils, était annoncé depuis le début.

Oui, répliqua Jack, mais quand même, je trouve ça rude.

Là-dessus, toujours calé dans son coin, mon père intervint. Non. Un crime est un crime. Si vous avez mal agi, vous avez mal agi. Il n'y a pas de degrés (sa voix se fit acerbe en prononçant le mot *degrés*, et je savais très bien ce qu'il avait en tête : en matière de morale, concevoir des degrés, c'était comme imaginer une arithmétique floue, ce qui, par définition, est contradictoire) – il n'y a pas de degrés quand on enfreint la loi. Soit on ne l'enfreint pas, soit on l'enfreint ! C'est ça, la justice.

Jack fixa mon père. Dure justice !

La vie est dure, mon garçon, grinça mon père.

Quelques étudiants s'amusèrent de sa réplique mais moi, j'étais surtout frappé, encore une fois, de voir combien lui tenait à cœur cette idée que la vie était dure, et de l'amère satisfaction avec laquelle il aimait à brandir l'histoire du « pauvre gars » brisé par la vie, le destin ou la malchance. La dureté de la vie était, je le savais, ce qui justifiait la dureté de sa propre justice : les principes sévères et inflexibles d'honnêteté et de rigueur intellectuelle, qu'il s'appliquait à lui-même comme à ses amis, et à nous. Il fallait bien être dur. La vie ne faisait pas de cadeau, pourquoi en ferions-nous ?

Tout cela me revint à l'esprit il y a quelque temps, un jour que je parlais de notre père avec Andrew, de passage à New York avec sa femme, Ginny, et leurs enfants. C'était en plein été, nous étions tous installés devant chez moi, en bordure du campus, autour d'un verre de blanc.

À un moment donné, la conversation roula sur notre frère Matt qui, plus qu'aucun d'entre nous, partage avec mon père une sensibilité exacerbée à toute forme d'injustice, comme si c'était là un trait de caractère héréditaire. Nous aimons bien le taquiner, par exemple, sur sa page Facebook, où ses posts oscillent entre de virulentes indignations sur la corruption des grands de ce monde, les violences policières, ou l'inertie de ses concitoyens, et des liens vers des histoires aussi larmoyantes que ridicules d'infortunes et de stoïcisme, de chats en détresse et de sauvetages ratés. Lorsque je lis ses commentaires sur le déclin de l'identité nationale, c'est souvent la voix de mon père que j'entends résonner dans ma tête.

Nous étions donc, Andrew et moi, en train de parler de Matt, ce qui, parce qu'il ressemble tant à notre père par certains côtés, nous porta bientôt à évoquer aussi papa.

C'est drôle, fis-je remarquer. Papa avait la même obsession – la justice ! l'injustice ! le pauvre gars opprimé !

Ginny écarta de son visage une mèche de cheveux d'un roux éclatant. Votre père avait cela pour lui, dit-elle de sa voix claire. Il défendait toujours la veuve et l'orphelin !

Ouais, soupira Andrew avec un brin d'amertume dans la voix, Cela dit, c'est pas étonnant.

Qu'est-ce qui n'est pas étonnant ? demandai-je.

Pas étonnant que ce genre de trucs l'ait toujours autant révolté. Tout ça, ça remonte à cette histoire de chien.

Histoire de chien ? Je le fixai, médusé. Mais bon sang, de quoi tu parles ?

Tu sais bien ! Le chien, le chien enragé. Tu connais l'histoire, non ?

Il leva son verre et l'inclina légèrement, en connaisseur. Andrew est un grand amateur de vin. Comme chacun de nous à sa façon, il a hérité de notre père la conviction que le monde appartient à quiconque se donne la peine de le connaître et de le comprendre – même si, dans le cas de mon père, vu que rien dans son enfance n'était susceptible de donner du monde l'image d'un espace facile à connaître et à comprendre, cette conviction relevait plutôt de la foi du charbonnier. Parfois, quand je songe à mon père, à ses jeunes années, à sa farouche volonté de faire des études supérieures, je l'imagine tel un naufragé nageant de toutes ses forces vers un rivage qu'il veut croire tout proche. La confiance que nous avons en notre capacité de jouir de ce que le monde a à offrir, la musique country et l'œnologie, les rhododendrons sauvages et les tasses à thé Shelley, la généalogie juive et le grec ancien, les affiches de collection et Jacques Demy est, je m'en rends compte à présent, une sorte d'héritage improbable que notre père nous a légué par l'exemple, alors que lui-même n'a jamais rien reçu de tel de la part de son père.

Mais tu sais bien, répéta Andrew. Le chien enragé.

Tout ce que je sais, c'est que papa a été mordu par un chien enragé quand il était petit, qu'il a dû en passer par ces horribles piqûres dans le ventre, et que depuis il avait peur des chiens. Mais quel rapport avec sa sensibilité à l'injustice ?

De toute façon, ajoutai-je après un blanc, d'après Matt, tout cela n'était qu'un mythe.

Andrew secoua la tête, agacé. Je ne savais pas trop s'il m'en voulait à moi, de ne pas croire à cette histoire, ou à Matt, pour avoir semé le doute sur sa véracité.

Non, pas du tout, dit-il, c'est tout ce qu'il y a de plus vrai. Papa m'a raconté l'histoire un jour. Il était petit, et le chien d'une voisine l'a assez salement mordu, alors

Nanny Kay l'a emmené à l'hôpital, et ils ont dû prendre au moins trois bus pour y arriver. Et donc, une fois à l'hôpital, les docteurs ont demandé s'ils connaissaient le chien et son propriétaire, et papa a répondu que oui, bien sûr, il savait à qui était le chien. Alors on a envoyé deux flics voir la voisine, celle dont le chien l'avait mordu, mais quand ils l'ont interrogée, elle a menti en disant qu'elle n'avait pas de chien et qu'elle ne voyait pas de quoi ils voulaient parler ! Comme papa n'était qu'un gamin, évidemment on a cru la voisine. Et comme les docteurs de l'hôpital n'avaient aucun moyen de savoir exactement d'où sortait ce chien, par précaution ils ont dû partir du principe qu'il n'était pas exclu qu'il ait la rage. C'est pour ça que papa a eu droit aux piqûres dans le ventre. D'après ce qu'il m'a dit, c'était tous les deux jours pendant deux semaines, quelque chose comme ça.

L'après-midi tirait à sa fin. Des nuées d'insectes vrombissaient et bourdonnaient autour de nous.

Papa m'a dit que les seringues étaient vraiment très longues, reprit Andrew. Et que tout le temps que ça a duré, il n'a pas arrêté de pleurer, *pas à cause de la douleur...*

(Je reconnus immédiatement dans cette phrase, « pas à cause de la douleur », les mots de mon père.)

... mais parce qu'il savait pertinemment à qui était ce chien. La voisine avait menti et lui, personne ne l'avait cru.

Il marqua une pause.

Tu imagines bien l'effet que ça lui a fait. L'affront ! L'injustice ! Le... – bref, tu connais papa.

Oui. Je connais papa.

Andrew me regarda. Tu ne connaissais pas cette histoire ?

Non. C'est la première fois que je l'entends.

Hmmm, fit-il d'un air songeur. Je suis peut-être le seul à qui il l'ait racontée.

Oui, fis-je. Sans doute.

Une semaine après que mon père avait fait remarquer, en réponse à Jack qui trouvait que le massacre des prétendants relevait d'une « dure justice », que, somme toute, la vie, elle aussi était *dure*, nous débattions de l'un des grands moments de l'*Odyssée*, la scène du chant XIX où Euryclée, la vieille nourrice demeurée fidèle, comprend que le « mendiant » n'est autre qu'Ulysse : en lui baignant les pieds, elle aperçoit sur sa jambe une cicatrice qui ne trompe pas. C'était le dernier vendredi d'avril, il faisait doux en cette belle matinée. Je bouillais d'impatience en arrivant en classe avec mon père ; nous allions enfin aborder cette fameuse scène où la cicatrice d'Ulysse ramène le récit vers un épisode crucial de l'enfance du héros – exemple de « composition circulaire » le plus élaboré et le plus riche de toute l'épopée.

La sympathie croissante de Pénélope pour le « mendiant » venu au palais amorce cette magnifique scène. À la fin du chant XVII, des rumeurs sur ce vagabond pas comme les autres lui parviennent, ainsi que le récit de l'odieuse façon dont Antinoüs l'a traité, et elle fait mander l'étranger dans ses appartements. La rencontre a lieu au début du chant XIX. (La confrontation d'Ulysse avec les prétendants, ses échanges avec l'infâme Antinoüs et le malheureux Amphinomos occupent la plus grande partie du chant XVIII. Pénélope, de son côté, insiste habilement pour rencontrer le mendiant en secret en fin de soirée, après que les prétendants et leurs séides seront allés se coucher.) Le mendiant et la reine discutent jusque tard dans la nuit. Se faisant passer pour un prince crétois qui a joué de malchance après la guerre de Troie – un autre exemple de ces troublants contes crétois qui brouillent la frontière entre fiction et réalité ; car, comme nous le savons, Ulysse est effectivement un roi qui a joué de malchance depuis la guerre de Troie –, Ulysse affirme à la reine qu'il a récemment vu de ses yeux son époux disparu, et que non seulement celui-ci est bien vivant, mais que son retour tant attendu à Ithaque est maintenant imminent. Mais tant de voyageurs ou hôtes de passage au palais d'Ithaque ont ainsi, au fil des ans, prétendu apporter des nouvelles d'Ulysse que, pour prouver la véracité de ses dires, le mendiant entreprend de décrire à Pénélope une agrafe que portait Ulysse le jour où ils se sont rencontrés. En entendant cette description qui ne pouvait bien entendu qu'être d'une parfaite exactitude, la reine fond en larmes. Puis, reprenant contenance, elle ordonne à ses servantes de préparer un bain pour le mendiant, de lui donner des vêtements propres et un lit confortable. Il refuse tout d'abord, au prétexte que, n'étant plus habitué à tant de luxe, il préfère dormir par terre ; puis il se ravise et accepte de se faire laver les pieds par la vieille nourrice Euryclée. Après avoir relevé la ressemblance entre cet étranger et son maître absent – Homère adresse ici un clin d'œil à son auditoire, qui sait parfaitement que les deux hommes sont une seule et même personne –, Euryclée s'exécute. Toute à sa tâche, elle remarque soudain avec stupéfaction une cicatrice

caractéristique sur la cuisse du mendiant, et cette cicatrice, qu'il a oublié de cacher, lui révèle sans ambiguïté
que l'inconnu n'est autre qu'Ulysse.

À ce point de l'intrigue, alors que le suspens est à son
comble, plutôt que de fournir complaisamment au public
une scène de retrouvailles pleine de *pathos* entre Ulysse et
la nourrice (qui, apprendrons-nous bientôt, fut sa propre
nourrice), le poète interrompt le fil de son récit pour
revenir en arrière et remonter, par une série de flashbacks,
jusqu'à l'enfance d'Ulysse. Il commence par nous éclairer
sur l'origine de cette cicatrice : quand il était jeune
homme, au seuil de l'âge adulte, Ulysse fut blessé au cours
d'une chasse au sanglier à laquelle il avait pris part lors
d'une visite chez le père de sa mère, un certain Autolycos
(ce que nous pourrions traduire par « loup solitaire »),
voleur de légende et escroc notoire. Puis, afin d'expliquer
pourquoi le jeune Ulysse rendait visite à son grand-père,
le narrateur plonge encore plus loin dans le temps, à une
époque bien antérieure à la chasse au sanglier, et nous
ramène quelques jours après la naissance d'Ulysse. Autolycos était venu voir sa fille et son époux, et ce fut à cette
occasion que la jeune nourrice du bébé – qui, dans le
temps « présent » du récit, n'est autre que la vieille femme
qui reconnaît l'adulte auquel elle lave les pieds – insista
pour qu'Autolycos, « maître en vols et en parjures » de
triste renommée, choisisse le nom du nouveau-né. C'est
ainsi que ce fieffé coquin de grand-père, qui avait causé
tant de souffrances à autrui, devint l'auteur de l'étrange
nom d'Ulysse. Dans un accès de cabotinage narcissique,
tel qu'il peut effectivement en prendre à certains grands-
pères, il donna au fils de sa fille un nom qui lui eût mieux
convenu à lui-même : « l'homme de douleur ».

De cet épicentre narratif, ce moment crucial du passé lointain où fut forgée l'identité du héros, l'histoire remonte peu à peu à la surface du temps présent et, après s'être étendu en une longue digression pour nous faire le récit détaillé de la chasse au sanglier, le narrateur nous reconduit enfin au palais d'Ithaque, à l'instant où la nourrice, devenue une vieille femme, reconnaît la cicatrice sur la cuisse du mendiant. Nous voici donc revenus à notre point de départ, à la scène de la reconnaissance qui, soudain, à la lumière de ce que nous savons maintenant de l'origine de la cicatrice, de celui qui la porte et de son nom, prend un relief particulier, acquiert une résonance bien plus grande que nous ne l'aurions cru possible.

En cette belle matinée de la fin avril où nous traitions des chants XIX et XX, j'avais hâte d'aborder l'épisode de la cicatrice d'Ulysse, où se trouvent mêlés tant de thèmes essentiels de l'*Odyssée* : la dissimulation et la reconnaissance, l'identité et la souffrance, la narration et le passage du temps. Mais une fois de plus, je dus me rendre à l'évidence : les étudiants ne s'intéressaient pas du tout aux mêmes choses que moi. Seul Damien, le jeune Belge, avait parlé de la cicatrice d'Ulysse sur notre forum. Sans doute, me dis-je, est-ce parce que je suis écrivain que cette scène me fascine plus qu'eux : car tout l'intérêt de la composition circulaire est de fournir une solution élégante au défi technique qui se présente à quiconque veut entrelacer le passé lointain à la trame d'un récit au présent en gommant les sutures. Ils sont si jeunes, me dis-je un peu dépité, leur passé est encore si proche de leur présent que rien ne les presse encore à trouver le moyen de les reconnecter.

Eux voulaient parler d'une chose dont je ne me souviens même pas qu'elle m'ait fait réagir à leur âge, peut-être parce qu'elle relevait d'une catégorie que je méprisais alors : la dimension « romantique » de l'épopée. Ce dont les étudiants voulaient parler ce matin-là était ceci : comment était-il possible qu'Ulysse, durant sa longue conversation avec son épouse et malgré son déguisement, trahisse aussi peu d'émotion au moment où il est enfin aux côtés de la femme qu'il n'aspirait qu'à retrouver depuis vingt ans ?

Sa retenue troublante est déjà manifeste au chant XVIII. Juste après qu'Ulysse a mis en garde Amphinomos, dont le sort est déjà scellé, Athéna pousse Pénélope à se montrer aux prétendants :

> pour attiser la flamme au cœur des prétendants,
> se rendre plus précieuse aux yeux de son époux,
> et à ceux de son fils, qu'elle ne l'était déjà.

Avant que la reine les rejoigne, la déesse lui insuffle un sommeil profond et réparateur, l'embellit, la rajeunit, lui fait le bras « plus blanc qu'ivoire » ; quand elle se réveille, Pénélope revêt ses habits et ses bijoux les plus élégants et descend dans la grand-salle exposer sa beauté ravivée aux yeux des prétendants, se montrer estimable comme future épousée. Éblouis – Homère nous dit que « leurs genoux flanchent, le désir les envoûte » –, les prétendants la couvrent de cadeaux et de compliments. (À l'éloge facile d'Eurymaque – « tu surpasses toute femme » –, elle oppose modestement : « les immortels m'ont pris ma beauté, mes attraits, quand les Grecs ont embarqué pour Troie, et Ulysse avec eux. ») Elle se retire peu après dans sa chambre, à l'étage, ses servantes à sa suite, chargée des robes et des bijoux fabuleux offerts par les prétendants.

Souvenons-nous qu'Ulysse assiste à cette scène. Que ressent-il à sa vue ? Quelles émotions le traversent lors-qu'il revoit enfin la femme qu'il endura mille maux pour retrouver, pour laquelle il refusa l'immortalité que lui promettait Calypso ? A-t-il le cœur qui éclate, qui se brise ?

Homère n'en dit rien.

Tout ce que nous dit le poète, c'est que, sous le masque, le héros est ravi de voir sa femme manipuler les prétendants et leur arracher ces présents :

> Ulysse l'endurant, le divin jubilait à la voir
> amasser les cadeaux à force de charmer
> leurs cœurs de mots de miel ; tandis qu'il méditait
> d'autres plans.

Ce n'est peut-être pas là la réaction que l'on attendrait ; elle est néanmoins tout à fait cohérente avec un trait de caractère d'Ulysse régulièrement mis en avant par le poète et d'une importance capitale pour l'intrigue de son épopée : la capacité qu'a le héros de contenir ses émotions pour mieux atteindre son objectif ultime. S'il avait éclaté en sanglots ou couru au-devant de sa femme, il se serait démasqué, au péril de sa mission. Cette étrange scène souligne aussi un autre thème : celui de l'*homophrosynê*. Car quand Pénélope extorque ces présents aux préten-dants, elle ruse à la façon dont ruse si souvent son époux, lui qui parvint à quitter les Phéaciens chargé de cadeaux, alors qu'en échouant sur leur île nu comme un ver il n'était personne. Quand bien même elle déçoit les attentes du lecteur moderne, cette scène poignante où

Ulysse revoit sa femme pour la première fois nous rappelle ce qui préside depuis si longtemps aux actions du couple : une parfaite communauté d'esprit.

Et voilà qu'au chant XIX Ulysse réussit de nouveau à passer un long moment en présence de Pénélope – et de bien plus près cette fois, puisqu'ils passent la soirée à discuter ensemble – sans manifester la moindre émotion. Au moment où le « mendiant » décrit l'agrafe qu'Ulysse portait la dernière fois qu'il l'a vu, prouvant à la fois qu'il dit vrai et que, du moins jusqu'à récemment, le héros était bien encore en vie, Pénélope fond en larmes de désespoir ; ses larmes, nous dit Homère, coulent sur ses joues « comme la neige fond du haut de la montagne/ au vent d'ouest apportée, dégelée au vent d'est ». Mais, par contraste avec l'émoi de Pénélope, Ulysse reste de marbre. Intérieurement, il souffre de la voir dans une telle affliction, mais pour autant « ses yeux sous ses paupières sont aussi figés/ que s'ils étaient forgés de corne ou bien de fer ».

Là encore, donc, retenue absolue.

C'est à l'issue de cette conversation que Pénélope demande que l'étranger soit traité dignement, qu'on lui donne un bain et un lit luxueux, ce qui nous mène à la scène avec Euryclée, la composition en cercle et l'histoire de la cicatrice. Mais les étudiants ne voulaient rien savoir de tout cela ; ce qui les intéressait, c'était le second volet de cette scène, le tête-à-tête, le décalage incompréhensible entre cette curieuse atmosphère d'intimité nocturne et le refus d'Ulysse de céder à cette intimité alors que le moment semble si bien s'y prêter. Pourquoi, se demandaient-ils, Ulysse ne peut-il pas se montrer plus sensible ?

Moi je trouve ça inhumain, lâcha Jack, ce matin-là. On est dans un cadre parfaitement romantique, de nuit, au coin du feu, ils sont à *ça* l'un de l'autre – la main levée, il indiquait, entre pouce et index, un écart de deux centimètres – et il ne fait absolument rien. Il est de pierre, le type, ou quoi ? Moi, ça m'a carrément dégoûté.

Nina sourit sous sa frange brune. Non, pas de pierre : « de corne ou bien de fer ». On vient de te le dire !

Il fait ce qu'il a à faire, dit mon père.

Comment cela ? Qu'est-ce qu'il a à faire ?

Il a à vérifier par lui-même qu'elle est restée fidèle.

Il se tourna vers Jack. Et je ne suis pas sûr de trouver le cadre si romantique que ça. Ou alors, il l'est peut-être pour elle, mais pas pour lui. Pour lui, c'est un entretien qu'il lui fait passer. Il la teste. Il est obligé d'être prudent.

J'hésitai à intervenir. Ulysse – comme nous, d'ailleurs – a certes encore à l'esprit le sort de son ami Agamemnon, assassiné par sa traîtresse de femme à son retour. Et pourtant, à ce moment-là du poème, plus d'un lecteur se demande pourquoi il lui faut être si froid, si prudent. Le test qu'il impose à Pénélope, ici – dont il vient pourtant de voir avec plaisir l'habile manœuvre auprès des prétendants – paraît aussi superflu que celui qu'il impose à Eumée au chant XV, alors même qu'Athéna l'avait assuré de la loyauté du porcher.

Ce besoin obsessionnel qu'a le héros de contenir ses émotions, sa capacité déroutante à réprimer les élans humains les plus naturels – les traits de caractère sur lesquels la première partie du chant XIX met l'accent et que les étudiants condamnaient si sévèrement ce jour-là – sont très habilement reliés à l'histoire de la cicatrice, qui

domine la seconde partie de ce chant, celle qui, justement, n'intéressait pas les étudiants. Or on se souvient
que la cicatrice est le signe révélateur grâce auquel Euryclée identifie Ulysse, et dont l'origine s'entremêle
étroitement à ces grands thèmes du poème que sont la
souffrance et l'identité : l'étrange nom du héros,
« l'homme de douleur », lui est donné à la naissance par
Autolycos, son grand-père, ce loup solitaire qui a causé
tant de souffrances à tant de gens, et c'est par ailleurs à
l'occasion d'une visite à ce même grand-père qu'il prend
part à la chasse au sanglier qui lui vaudra la blessure
devenue sa cicatrice. Ce qui revient à dire que les deux
éléments qui caractérisent Ulysse, les marqueurs de son
identité, son nom et sa cicatrice, ont un lien avec la souffrance.

Ce qui est intéressant, c'est l'origine de cette cicatrice.
Homère ne ménage pas ses effets pour souligner la
hardiesse du jeune Ulysse pendant la partie de chasse
– pour dire comment, notamment, tandis que les autres
chasseurs (ses oncles, les fils d'Autolycos) restaient en
arrière, lui fila devant avec les chiens :

> Les rabatteurs arrivèrent à un vallon boisé ;
> devant, les chiens couraient en suivant une trace,
> les fils d'Autolycos ralentirent l'allure, mais Ulysse,
> talonnant les chiens, brandit sa lance d'ombre.

Et quand le sanglier jaillit de sa tanière, Ulysse, de sa
fougue adolescente, se précipita à sa rencontre :

> Ulysse, bon premier, bondit, en agitant,
> d'une main ferme, sa longue lance, prêt à frapper,
> mais c'est le sanglier qui le toucha d'abord.

C'est là la grande ironie du chant XIX : la cicatrice, inoubliable, qui permet d'identifier Ulysse, qui prouve que c'est bien lui, est aussi le symbole concret d'un acte de jeunesse qui n'a rien de commun avec son comportement adulte – l'extrême prudence, la circonspection, la retenue obstinée. Ainsi, le marqueur qui atteste son identité est aussi un contre-marqueur témoignant d'un comportement qui n'est plus caractéristique de sa personne.

Vous voyez, c'est magistral, non ? m'extasiai-je devant mes étudiants. Voilà pourquoi la composition circulaire, qui se déploie en spirales du bain à la cicatrice, est bien plus qu'une simple digression. Elle est essentielle. Si Ulysse s'est fait cette blessure en fonçant bille en tête quand il était adolescent et que maintenant, comme nous le savons, il préfère rester en arrière et jauger la moindre situation avant d'intervenir, qu'est-ce que cela signifie ?

Mon père ne prit pas la peine de lever la main. Ça veut dire que dans la vie, il a appris quelque chose, trancha-t-il.

Absolument, dis-je. Au cours de sa vie, il apprend effectivement quelque chose, et c'est ici que nous le comprenons. Maintenant, à l'échelle de tout le poème, qu'implique le fait qu'il a appris quelque chose ?

Madeline ne leva pas la main non plus. Elle inclina la tête, donnant un léger mouvement à ses cheveux roux fraîchement coupés. Ça veut dire qu'Ulysse a un jour été comme Télémaque. Le flashback sur la cicatrice montre que l'*Odyssée* traite aussi de l'éducation du père, pas seulement de celle du fils.

Absolument, répétai-je. Formidable. Toutes vos interventions sont excellentes aujourd'hui.

Puis, à l'intention de mon père, dans son coin : Tu vois ? Les pères peuvent apprendre quelque chose, aussi.

Les rires fusèrent dans la salle.

Dans la vie, il a appris quelque chose.

Six mois après cette discussion sur la cicatrice d'Ulysse, et sur ce que cet épisode du chant XIX révélait de l'éducation du héros, cette expression ressurgit au cours d'une conversation que j'eus avec Oncle Howard. J'avais décidé de mettre à profit ces quelques mois pour solliciter les deux hommes dont papa avait été très proche à un moment ou un autre de sa vie : Howard et Nino. Il y avait certaines choses du passé que j'aurais voulu savoir, notamment des détails sur l'éducation de mon père ; des choses que ces deux hommes-là, pensais-je, étaient susceptibles de m'apprendre.

Le salon de l'appartement de Howard, dans le Queens, était sombre, les rideaux étaient tirés. Nous étions en octobre. L'air s'était chargé d'une bruine timide quand le bus avait quitté le centre de Manhattan pour le Queens, filant vers l'est sur les voies expresses grises, dépassant aéroports et cimetières. L'appartement se trouvait dans un modeste bâtiment de briques sur une grosse avenue que, m'avait assuré Howard quand je préparais ma visite, je n'aurais aucun mal à trouver, car, comme il me l'expliqua, *il n'y avait rien de plus facile* puisque le bus s'arrêtait *juste devant leur porte*. Je revis soudain très nettement Claire, tout excitée, nous décrire cet immeuble justement, le jour où, trente ans plus tôt, elle et Howard étaient venus nous annoncer qu'ils vendaient leur pavillon de banlieue – celui-là même où j'étais si souvent allé, à vélo, écouter des albums de Segovia avec Howard et boire le café « espagnol » bien corsé de Claire – pour se rapprocher de « la ville ». *Le Queens !* s'était-elle exclamé ce jour-là de sa voix éraillée, en tirant une grande bouffée de sa cigarette extralongue ; assise à côté de Howard sur le canapé délicatement fleuri du salon de ma mère, elle sirotait l'air de rien un déca brun pâle dans des tasses bleu et blanc tandis que mes parents, mes frères et moi digérions la nouvelle. *Le Queens !* répétait Claire. *C'est parfaitement situé : on a la ville d'un côté et la campagne de l'autre !* Nous fîmes tous mine d'approuver, mais aucun d'entre nous n'était très enthousiaste : le Queens, pour moi, c'était le quartier de mes grands-parents et de leurs frères et sœurs, ces vieilles gens qui se traînaient jusqu'à leur porte quand on venait les voir depuis les banlieues résidentielles, c'était l'œil vitreux collé au judas et grossi démesurément, puis la porte qui s'ouvrait sur un intérieur aussi sombre qu'une grotte.

C'était donc dans le Queens que je me rendais ce jour-là. Howard ouvrit la porte. Il avait quatre-vingt-douze ans et me surprit une fois encore par son énergie et par son élégance. Il portait une veste en tweed bleue, un pull en V gris sur une chemise col boutonné, et une cravate rayée. Sa moustache à la Errol Flynn était impeccablement taillée. Comme mon père, il avait cette manie de regarder ailleurs, un peu vers le bas, quand on le saluait. Nous nous embrassâmes maladroitement puis, d'un petit geste du bras gauche, il m'invita à entrer au salon. Les rideaux étaient tirés, et l'obscurité veloutée où je pénétrai me rappela la maison que j'avais connue des années plus tôt, quand ils vivaient juste à côté de chez mes parents. Claire était morte quelques mois auparavant ; j'étais allé aux funérailles. *Heureusement que tu ne l'as pas vue ces dernières années*, m'avait dit Howard à bord de la limousine qui nous menait au cimetière. *Tu ne l'aurais pas reconnue...* *Ce n'était pas elle*, avait-il ajouté en secouant tristement la tête. Je le précédai dans la pénombre de l'appartement. Dans un coin cuisine sur la gauche tout au bout du salon, se trouvait une table ronde où il avait déposé une pile de sandwichs, des petits bols en plastique garnis de pickles, tous recouverts d'un Cellofrais coloré. Cela venait sans doute de chez le traiteur. Des cure-dents fantaisie avaient été piqués sur les olives.

C'était la première fois que je venais ici, mis à part le jour des funérailles de Claire. Avant même qu'ils emménagent, papa ne parlait plus à son frère. C'était surprenant, mais finalement pas aussi troublant que le fait qu'au moment précis où il avait coupé les ponts avec cet affable frère aîné, le seul oncle que nous avions jamais connu, il avait repris langue avec Bobby, à qui il n'adressait plus la parole depuis que nous étions petits. Sa polio était revenue, avait-il dit en guise d'explication. C'était comme si (dirions-nous peu après avec mes frères et sœur, en jouant, évidemment, sur le thème mathématique), dans cette famille, l'affection fraternelle était un marché à somme nulle.

Mais c'était il y a longtemps. À présent, j'étais là, dans cet appartement sombre, à parler de papa et, au cours de cette conversation, j'ai appris un certain nombre de choses que j'ignorais.

J'interrogeai Howard sur leur enfance, je lui demandai comment était papa à l'époque. Je voulais d'abord savoir d'où lui venait son aversion notoire pour toute démonstration d'affection un tant soit peu physique. Leurs parents étaient-ils pareils ? Poppy Al était-il froid ? Nanny Kay réservée ? Manifestaient-ils physiquement leur affection l'un pour l'autre ? Pour moi, notai-je en riant, je ne crois pas avoir jamais vu mon père embrasser ma mère ni d'ailleurs avoir eu pour elle le moindre geste de tendresse. Les maris de ses meilleures copines, la Bande des Quatre, appelaient tout le temps leurs femmes « mon amour », « mon cœur » ou encore « chérie » ; mon père, lui, n'appelait ma mère que « Marl ». Je ne l'ai jamais entendu lui dire *Je t'aime* – pas plus qu'à aucun d'entre nous, d'ailleurs. Un jour que je l'interrogeai là-dessus, il me répondit, Oh, tu sais, ce n'est pas trop mon truc ; c'est sans doute pour cela que, pour ma part, je mets un point d'honneur à le dire à mes garçons, à la fin d'un coup de fil, d'un mail ou d'un texto, en vertu du principe que les enfants deviennent les parents qu'ils auraient aimé avoir. Faisant de nécessité vertu, ma mère avait fait de ce côté *pas très démonstratif* de mon père, comme elle le disait en levant au ciel ses yeux bleus, un sujet de plaisanterie – ainsi qu'aurait pu le faire son père à elle, conteur et blagueur hors pair. Parfois, quand j'étais adolescent, elle se postait en haut des escaliers pile quand mon père rentrait du travail et, au moment où, après s'être traîné jusqu'en haut, mon père passait à côté d'elle pour aller dans leur chambre sans l'embrasser, elle se mettait à crier avec une outrance théâtrale, feignant de se défendre d'un assaut amoureux, *Jay, non ! Pas devant les enfants !* Cela nous faisait mourir de rire. Et lui, il souriait, d'un tout petit sourire las, en poursuivant vers leur chambre où courrier et factures l'attendaient sur le petit bureau en teck. Plus tard, quand elle eut repris l'enseignement à l'école primaire, ma mère faisait une blague récurrente à ses collègues : chaque semaine, tout excitée, elle leur demandait si c'était bien mardi aujourd'hui. *Pourquoi veux-tu savoir si on est mardi ?* Et maman de répondre : *Parce que Jay me laisse l'embrasser le mardi !* Au fil du temps, le refus ou l'incapacité de mon père à montrer son affection à ma mère devint paradoxalement sa façon à lui de lui témoigner sa tendresse, de lui pardonner son besoin de marques d'affection – l'une de ces petites blagues qu'aiment à se faire les couples, qu'eux seuls comprennent et qui signalent parfois une intimité profonde et secrète. *L'après-midi, j'entrais dans son bureau, il travaillait sur son ordinateur et je lui disais, « Jay, mon chéri adoré, dis-moi, qui est ton amour de toujours ? », ce à quoi ton père répondait, sans lâcher son écran des yeux : « Mais tu vas dégager, oui ? »* Ma mère adorait cette histoire, et ne se lassait pas de la raconter.

Je fis part à Howard de ma théorie, selon laquelle s'il répugnait tant au contact physique, c'était pour avoir passé toute son enfance à l'étroit : la chambre minuscule, les trois garçons, le lit pliant à partager et, par-dessus tout, l'intimité forcée avec Bobby et sa maladie. *Je me souviens du son de ses attelles métalliques quand il les posait contre le radiateur.*

Howard m'écouta patiemment. Nan, fit-il quand j'eus terminé. On n'a jamais vécu les uns sur les autres. La réalité, c'est que ton père était tout seul dans cet appartement.

Je n'en revenais pas. Mais je croyais que vous étiez tous entassés dans –

Non. Howard secoua lentement la tête, avec ce sourire indulgent, vaguement désolé qu'il faisait quand il nous arrivait de nous tromper, à mille lieues de la grimace impatiente qui défigurait mon père quand nous commettions une erreur.

Rappelle-toi, j'avais déjà quitté la maison que ton père était encore petit. Je suis né en 1920 et je me suis engagé dans l'armée en 1938. Ton père n'avait que neuf ou dix ans à l'époque !

Neuf, précisai-je.

Et bien sûr, ajouta-t-il d'une voix plus basse et un peu triste, ma mère et mon père n'étaient pas là –

Comment ça, « pas là » ? C'était la première fois que j'entendais cela. Mais pourquoi ?

Howard me regarda, surpris, je suppose, que j'ignore tout cela, moi, l'historien de la famille.

Mon père était électricien, ça tu le sais.

J'acquiesçai. Bien sûr que je le savais. *Arrêtez de courir dans la maison, vous allez abîmer l'installation électrique !* C'était un électricien syndiqué, poursuivit Howard, il a équipé le pont George Washington ! Il sourit de nouveau, pour lui-même plus que pour moi, et j'eus la vague intuition que cette phrase avait constitué jadis une sorte de refrain entonné en moult occasions, et largement repris dans les cuisines du Bronx.

Mais dès avant le début de la guerre, continua Howard, mon père était souvent absent, car il effectuait des missions longues. Une fois, il est allé à Washington travailler au Pentagone, je crois que c'était juste après Pearl Harbor, ou peut-être juste avant, et il y est resté pendant toute la guerre. Donc il n'habitait pas à l'appartement. Et moi aussi, j'étais parti.

Il me regarda. Tu ne le savais pas ?

Je secouai la tête. Non.

Quant à maman, elle travaillait dans une usine, une usine d'armement, quelque part, en ville, à Washington Heights, je crois.

Son visage maigre s'illumina.

Ma mère était une femme très intelligente, tu sais. Elle n'avait pas fait d'études, mais elle était maline. Elle était très forte à toutes sortes de jeux – cartes, rami, mah-jong, ce genre de choses. Je suis d'ailleurs persuadé que c'est d'elle que ton père tenait son talent pour les maths.

On aurait dit qu'il se parlait à lui-même, plus qu'à moi. Il poursuivit.

Donc elle non plus n'était guère à la maison. Quant à Bobby – ton oncle Bobby –, il vivait pour ainsi dire dans la rue, à traîner avec les gosses du quartier. Il était handicapé à cause de sa polio, c'est vrai, mais il était très ouvert et avait beaucoup de copains, contrairement à ton père. Ton père, ce qu'il aimait, déjà gamin, c'était lire, étudier.

Je pesai tout ce qu'il venait de me dire. Mais alors, il était seul ?

Howard me regarda. Oui, la plupart du temps, il était tout seul.

Il secoua la tête. Puis, comme en manière de réparation pour cette solitude dans laquelle – nous venions de nous en rendre compte tous les deux en même temps – mon père avait dû passer son enfance, il enchaîna : Mais il avait tout ce temps pour lire. Ce que je dirais, moi, de ton père, c'est que... toutes ces lectures lui ont fait du bien. Il a appris quelque chose, dans la vie.

Dans la vie, il a appris quelque chose.

C'était peut-être pour se disculper, pour montrer qu'il n'était nullement responsable de l'enfance solitaire de mon père qu'Oncle Howard me livra bientôt un deuxième élément que je ne connaissais pas sur papa.

Rappelle-toi, ton père avait presque dix ans de moins que moi, me répéta-t-il quelques instants plus tard, donc je n'étais plus trop là durant sa scolarité. Mais je sais qu'il a toujours eu de très bonnes notes, jusqu'à la fin de son lycée. Forcément, à cette époque-là, ça faisait longtemps que j'étais parti.

Des années lycée de mon père, je savais une chose, bien sûr : le latin, *Ôvide*, son refus de continuer le latin. Et son choix, bien qu'ayant été pris à Bronx Science, d'aller dans cette autre école. Je m'apprêtais à demander à Howard s'il savait pourquoi papa n'était pas allé dans l'établissement le mieux coté quand il me tira de mes pensées.

Même à l'armée, c'était le plus intelligent.

Je souris au souvenir de l'amère dérision avec laquelle mon père évoquait ce service ennuyeux qu'il n'avait enduré que pour financer ses études universitaires. La corvée de patates, le GI Bill.

Oui, parfaitement, à l'armée. Quand ton père était à l'armée, il était si brillant qu'ils voulaient l'envoyer à West Point.

Je me redressai sur mon siège. C'est vrai ? Papa ne nous a jamais dit ça, il n'a jamais –

Howard, fuyant mon regard, eut un rire nerveux. Oh que oui, c'est vrai. Mais il n'a pas voulu y aller.

Je gardai le silence.

Eh oui ! Jay a fait l'armée après la guerre, pour avoir sa bourse d'ancien GI et pouvoir aller à la fac. Son commandant le trouvait si remarquable qu'il voulait l'envoyer à West Point afin qu'il devienne officier. Officier, absolument ! Le commandant était même tout disposé à lui écrire lui-même une lettre de recommandation.

Au mot « commandant », il avait raidi le ton ; j'avais du mal, parfois – à cause de sa gentillesse, peut-être, des heures passées sur son canapé en velours à dodeliner de la tête, tout heureux d'écouter avec lui les albums de

Segovia, ou encore de sa bienveillance envers les plans et autres lubies de Claire –, j'avais du mal, parfois, à me rappeler que mon oncle avait passé le plus clair de sa vie dans l'armée. *Commandant.* Il baissa les yeux sur le linoléum et secoua la tête, avec le même sourire désabusé que j'avais si souvent vu au visage de mon père : l'expression du « pauvre gars », peut-être, quand il cède à des forces qui le dépasseront toujours. Puis mon oncle releva les yeux.

Ton père ne m'en a parlé que bien des années plus tard. Je n'ai jamais compris sa décision. Il aurait pu entrer à West Point !

De nouveau, il baissa les yeux, déconcerté.

J'étais perplexe, moi aussi. Je songeais à mon père, à son obsession pour les études, les diplômes, la réussite, pour l'obtention de la meilleure place ; je songeais, par exemple, à la façon dont il m'avait incité à me renseigner sur la possibilité d'intégrer le ROTC, le programme des élèves-officiers de réserve, à un moment où je m'apprêtais à entrer à la fac. *Tu deviendrais officier,* m'avait-il expliqué, *ils paieront tout, en échange de quoi tu n'auras que quelques années de service à faire.* Et j'apprenais maintenant que lui-même avait tourné le dos à la voie qu'il m'avait conseillée trente ans plus tard ; j'apprenais qu'il avait été pressenti pour d'insignes honneurs, qu'il aurait pu faire carrière dans les plus hautes sphères, mais que pour une raison *x*, il avait refusé. Cela n'avait rien à voir avec sa thèse jamais terminée, un échec qui, comme nous le savions, avait été conditionné par la nécessité économique, par le fait que ma mère attendait Andrew. Alors pourquoi avait-il repoussé cette belle opportunité ?

Je méditais ces questions quand il m'apparut en outre que, quel qu'ait pu être le plaisir de mon père à voir ses enfants, au fil des ans, entrer à l'université, passer en troisième cycle – obtenir les diplômes qu'il n'avait pas obtenus et décrocher les titres qu'il n'avait pas décrochés –, tout cela avait dû être compliqué. Sa fierté de nous voir réussir lui rappelait sans doute d'autant plus cruellement son échec, les chemins qu'il n'avait pas pu suivre – ou, comme je venais de le découvrir, ceux que, pour quelque raison inconnue, il avait choisi de ne pas suivre.

Rivalité sans fin entre pères et fils, succès et échecs… Je me suis parfois demandé à quoi pouvait bien ressembler le père d'Homère, si tant est qu'il y eut un Homère. « Peu de fils sont l'égal de leur père ; la plupart en sont indignes, et trop rares ceux qui le surpassent… » De fait, il doit en aller ainsi pour que l'*Odyssée* fonctionne. Car au fond, si Télémaque était l'égal de son père depuis le début – s'il était capable de massacrer les prétendants, de remarier sa mère, de diriger Ithaque – il n'y aurait pas de raison pour qu'Ulysse rentre ; il n'y aurait pas d'*Odyssée*. Malgré l'accent mis dans l'épopée sur l'éducation de Télémaque, l'*Odyssée* ne se résout pas vraiment – pour ainsi dire – à lui délivrer son diplôme.

Voilà ce qui me traversait l'esprit tandis que, dans la pénombre du salon, je m'efforçais de digérer ces détails de la vie de mon père dont je n'avais jamais entendu parler. C'est un peu bizarre d'interroger ainsi des proches – de mettre de côté la familiarité pour les traiter, soudain, comme de simples sources d'information. Je cherchais donc, tout en fixant le voyant rouge de mon magnétophone, un moyen de mettre fin à notre conversation, de revenir à la normale. Si tu devais décrire mon père en un mot, demandai-je finalement à Howard, ce serait quoi ?

J'espérais, je voulais, même, qu'il dise, « solitaire ». Je voulais qu'il dise ça, parce que cet adjectif aurait été bien pratique, il aurait expliqué tant de choses sur papa : ses maladresses, pourquoi il était si susceptible, si peu démonstratif. Il aurait tout expliqué.

Mais les faits résistent souvent aux significations que nous voulons leur donner. Ton père était brillant, répondit Howard après réflexion. Il a démarré avec pas grand-chose, mais il a appris beaucoup.

ANAGNORISIS
(Reconnaissance)

Mai

Une « reconnaissance », comme son nom l'indique, est un passage de l'ignorance à la connaissance [...]. La reconnaissance la plus forte est celle qui s'accompagne d'une péripétie.

Aristote, *Poétique*

Une chose étrange, quand vous enseignez, c'est
que vous ne savez jamais l'effet que vous
produisez sur autrui ; vous ne savez jamais,
pour telle ou telle matière, qui se révéleront être vos vrais
étudiants, ceux qui prendront ce que vous avez à donner
et se l'approprieront – sachant que « ce que vous avez à
donner » est en grande partie ce que vous-même avez
appris d'un autre professeur, une personne qui s'était déjà
demandé si vous assimileriez ce qu'elle avait à donner,
quelqu'un qui, le temps que vous soyez assez avancé en
âge pour décrire cette expérience, est déjà aussi vieux que
vos parents, ou même mort, peut-être ; vous ne savez
jamais lequel, parmi les jeunes gens réunis à la table du
séminaire, aura, pour x raisons, été si profondément
touché par le professeur ou par le texte, que la leçon
subsistera au-delà de la salle de classe, au-delà de vous-
même.

Quoi qu'il en soit, le processus éducatif, pédagogique,
consistant littéralement à guider un enfant vers la
connaissance est aussi délicat qu'imprévisible, et ses

mécanismes comme ses effets demeurent souvent mystérieux à l'étudiant comme au professeur.

Par exemple :

À l'issue de la dernière séance de « Classics 125 : The
Odyssey of Homer », par un beau jour de la mi-mai, j'étais
persuadé que cette expérience – l'idée de laisser mon père
assister au séminaire, que tant de mes amis et d'amis de
mes parents avaient trouvée si charmante, si amusante –
n'avait en fin de compte rien donné. En cette superbe
journée de printemps, si longtemps après ce jour de
janvier où mon père s'était garé devant chez moi dans la
neige, en grimaçant, après le mois de février glacial passé
à discuter de la Télémachie et de ce qu'elle nous apprend
de la « *formation harmonieuse* » de ce jeune esprit qu'est
Télémaque, après le pluvieux mois de mars consacré au
séjour d'Ulysse chez les Phéaciens, foisonnant d'histoires,
vraies et fausses, et aux *Apologoi*, les fabuleuses aventures
du héros contées par lui-même, après ce mois d'avril
exceptionnellement froid où nous avons étudié la succession de reconnaissances qui jalonnent son retour à
Ithaque et dévoilent sa véritable identité – à la fin du
séminaire, donc, j'étais certain de n'avoir pas su
apprendre quoi que ce fût à mon père. Je n'avais pas
trouvé les mots pour le convaincre de la beauté et de
l'intérêt de cette œuvre magistrale, dont le héros continuait de lui paraître bien peu *héroïque*, dont la
composition ingénieuse le laissait de marbre, dont le
protagoniste indéniablement fascinant ne le fascinait
aucunement. Aussi ai-je bien dû m'avouer, à l'issue du
semestre, que, tout comme des années plus tôt j'avais été
embarrassé par ce père qui ne savait pas se tenir à table,
et saisi de cette honte complexe qui avait fini par me

pousser, adolescent, vers tous ces mentors, dont certains étaient des professeurs exemplaires et d'autres non, de même ai-je dû me résoudre à reconnaître que j'avais été là encore quelque peu embarrassé par mon père. Je craignais, au bout du compte, que les étudiants n'aient été perturbés par son attitude revêche face au texte et désarçonnés par son mépris évident pour ma façon de l'enseigner. J'étais mortifié en me demandant ce qu'ils avaient pu penser de ce vieil homme, chauve et décati, replié tout seul dans son coin, flottant dans son sweat blanc qui ne soulignait que trop sa maigreur, et qui venait chaque semaine ronchonner, pinailler et contester ce que je m'évertuais à leur inculquer.

Au cours du semestre, il n'arriva qu'une seule fois que mon père charme la classe, avec cette aisance étonnante qui charmerait les passagers de la croisière quelques semaines à peine après la fin du cours ; à un seul moment entre janvier et mai il laissa apparaître son côté affable, comme sous l'effet d'une de ces métamorphoses soudaines et inattendues, dont je rêvais, enfant, qu'elles fussent plus fréquentes.

Certains soirs, après dîner, au lieu de rester des heures penché sur son petit bureau en teck, à ronchonner sur les factures, il se levait en soupirant, traversait l'étroit couloir qui menait à ma chambre et, après m'avoir bordé *tout-bien-serré-enveloppé-emmailloté*, il s'asseyait au bord de mon lit, ce lit robuste qu'il avait construit de ses mains, et me lisait *Winnie-the-Pooh* à voix haute. J'étais au comble du bonheur, enveloppé comme une momie et, bien qu'ayant les bras coincés sous les couvertures, me sentant protégé en écoutant sa voix de baryton, aiguë et nasillarde, caresser les phrases brèves et simples que, des années plus tard, il tenterait vainement de défricher lors d'une de ses multiples tentatives pour raviver son latin jadis abandonné.

Winnie ille Pu.

Une seule fois, durant le semestre de printemps 2011, mon père révéla cette autre facette, que j'allais avoir la surprise de voir plus souvent au cours de notre croisière sur les traces d'Ulysse. Ce moment étrange intervint le deuxième vendredi de mai – c'était en fait la dernière séance du séminaire, nous la consacrions à ce sommet de l'intrigue que sont les retrouvailles d'Ulysse et Pénélope, juste après le massacre vengeur des prétendants. Depuis des semaines, je préparais les étudiants à cette scène cruciale, qui est aussi un point d'orgue pour les thèmes, omniprésents dans l'épopée, de l'identité et de la reconnaissance. Le mot grec pour « reconnaissance » est *anagnorisis*, leur expliquai-je, c'est un terme clé chez les classicistes pour l'analyse de la narration. Aristote, par exemple, dans sa *Poétique*, dit que certaines intrigues de tragédie s'articulent autour d'une scène d'*anagnorisis*, tandis que d'autres sont bâties sur un retournement de l'action soudain et total, qu'il appelle *metabasis*, ou péripétie ; mais les meilleures intrigues, soutient Aristote, sont celles où interviennent simultanément reconnaissance et péripétie. Si, selon lui, l'*Œdipe roi* de Sophocle est l'archétype de la pièce parfaite, c'est notamment en raison de ce double fil d'intrigue : la reconnaissance par Œdipe que sa femme est aussi sa mère est également ce qui précipite sa chute. Or cette coïncidence entre reconnaissance et péripétie existe aussi dans l'*Odyssée*, dont, en revanche, le dénouement est heureux : la reconnaissance de la véritable identité d'Ulysse correspond au moment où, la chance ayant tourné, il retrouve sa femme, son foyer, son royaume.

La scène de reconnaissance entre Ulysse et Pénélope est aussi le point d'orgue d'un autre thème récurrent de l'épopée. Je rappelai aux étudiants les différentes femmes qui s'étaient entichées d'Ulysse durant son long retour, mortelles ou immortelles : Calypso, Nausicaa, Circé – qui toutes auraient pu avantageusement remplacer Pénélope, mais qu'au final le héros repousse. Je leur avais rappelé le sens exact du mot *homophrosynê* chez Ulysse, la « communauté d'esprit », qu'il souhaite au livre VI à la princesse phéacienne car c'est la condition même d'une relation authentique, d'un mariage vrai – or c'est une qualité qui justement manquait à sa relation avec la déesse, dont la beauté pourtant surpassait de loin celle de Pénélope. Je leur rappelai les nombreuses métamorphoses qui ponctuent le poème : la transformation d'Athéna en Mentès puis en Mentor, le déguisement dont Ulysse s'accoutre pour pénétrer dans Troie incognito, dans l'épisode évoqué par Hélène au chant IV, la belle allure qu'Athéna donne à Ulysse pour qu'il fasse sensation chez les Phéaciens au chant VI, enfin la figure du mendiant repoussant, rabougri dont elle l'affuble à son retour, au chant XIII, pour mieux tromper les prétendants, qui, de fait, ne voient pas que le vieillard chauve et difforme qui leur tourne autour cache en réalité un valeureux héros. Je leur avais rappelé toutes ces transformations et métamorphoses qui, abstraction faite de leur charme propre ou de leur fonction dans l'intrigue, finissent par instiller dans l'esprit du lecteur cette question fondamentale : comment reconnaître quelqu'un quand on ne peut plus se fier à son apparence ?

Et à présent, en ce mois de mai, à la fin du semestre, nous abordions les retrouvailles tant attendues entre l'époux et son épouse. Cette tendre scène succède avec une rapidité presque indécente à celle du massacre des prétendants, les deux épisodes constituant ensemble une acmé baroque, à l'image de la double dimension qui traverse tout le poème, à la fois éthique et romantique, public et intime : d'un côté le viol sacrilège des lois de l'hospitalité par les prétendants et de l'autre le devenir du mariage d'Ulysse, la question de savoir si mari et femme sauront se reconnaître.

Le lien étroit entre le récit de la vengeance d'Ulysse et le thème de la reconnaissance est évident si l'on songe que le massacre des prétendants se greffe sur une idée de Pénélope. À la fin du chant XIX, après la longue et émouvante conversation de la reine avec le mendiant, après qu'Euryclée a reconnu la cicatrice d'Ulysse (d'abord tentée de prévenir sa **maîtresse**, la vieille nourrice jure de ne rien dire), Pénélope **annonce** que le lendemain verra son sort enfin fixé. **Elle se propose** d'organiser un concours pour les prétendants, qui éprouvera leur force et leur habileté, et dont elle se fera, dit-elle, un plaisir d'épouser le vainqueur. Or elle a conçu les épreuves de telle sorte que le vainqueur, quel qu'il soit, devra posséder au moins certaines des qualités remarquables de son mari, puisqu'il s'agit d'accomplir un tour particulièrement difficile qu'Ulysse aimait jadis à réaliser : faire passer une flèche à travers un rang de douze fers de hache. Et comme il faut déjà une force physique exceptionnelle rien que pour bander le puissant arc de corne, Pénélope s'assure ainsi qu'au moins son futur mari ne sera pas une mauviette.

Pénélope annonce le concours aux prétendants au
chant XXI, et l'on comprend très vite que, consciemment
ou non, elle a trouvé moyen de fournir une arme au véritable Ulysse. De son côté, cela fait un moment qu'Ulysse
manœuvre pour augmenter ses chances contre les prétendants, qui leur sont nettement supérieurs en nombre à
lui, à son fils et à leurs rares alliés – le loyal Eumée, à qui
il se découvre enfin, en même temps qu'à un autre valet
de ferme, un vacher nommé Philétios, et, bien sûr, la
fidèle Euryclée. Peu après ses retrouvailles avec Télémaque, il ordonne à son fils de mettre sous clé les armes
des prétendants dans une pièce à l'étage, tout en gardant
les siennes à portée de main ; et quand approche le
concours de Pénélope, il dit à Euryclée d'aller s'enfermer
avec les autres servantes dans leurs appartements et
enjoint au vacher de se glisser dehors et d'aller verrouiller
les portes du palais pour empêcher quiconque d'entrer ou
de sortir. Mais comment faire en sorte d'être armé lui-
même ? L'épreuve de l'arc vient à point nommé.

Telles les sœurs de Cendrillon s'efforçant d'enfiler la
pantoufle de vair, les unes après les autres, les prétendants
tentent en vain de tendre l'arc. À la fin, le « mendiant » se
propose d'essayer à son tour, mais n'essuie que moqueries.
Antinoüs se tourne vers lui : Quel scandale ! Un misérable
comme lui, s'immiscer dans la compétition ! Là-dessus,
Pénélope intervient, ce qui tend à suggérer, du moins
d'après certains lecteurs, qu'elle aurait reconnu son mari
depuis le début. Antinoüs croit-il vraiment, déclare-t-elle
en riant, qu'elle épousera le vagabond si jamais il gagne ?
Certainement pas. Et puisque personne n'a réussi, pourquoi ne pas laisser le vieil homme essayer ? En dépit
des murmures de protestation des prétendants, le loyal

Eumée, se saisissant de l'arc formidable, traverse la salle pour l'aller mettre entre les mains du mendiant. Ulysse s'en empare, le manipule pour voir si « les vers n'auraient rongé la corne en l'absence du maître ». Puis, le jugeant en bon état, d'un geste fluide – aussi gracieux, nous dit Homère, qu'un barde changeant une corde à sa lyre –, il bande l'arc. C'est alors que,

> parmi les prétendants un râle s'éleva, ils pâlirent,
> Zeus envoya un signe, un grand coup de tonnerre,
> Ulysse le divin, l'endurant, apprécia
> ce présage du fils malicieux de Cronos.
> Sur la table il s'empara d'une flèche ailée ; des autres,
> restées au carquois, les Achéens goûteront bientôt.

Après quoi, le massacre commence.

Que les prétendants soient ici bizarrement nommés « Achéens » – soit le terme qu'utilise Homère pour désigner les alliés grecs dans l'*Iliade* – nous prépare au fait que, si jusqu'à présent l'*Odyssée* a mis en avant la capacité qu'a le héros d'user de son intelligence pour vaincre ses ennemis, la vengeance paroxystique qu'Ulysse a tant attendue va déchaîner une violence que l'on associe plus volontiers à la première et non moins admirable épopée d'Homère. Après s'être défait de ses haillons et avoir révélé sa véritable identité à des prétendants sidérés, il prend d'abord pour cible l'odieux Antinoüs ; la flèche qu'il décoche atteint le chef des prétendants à la gorge au moment même où il vide une coupe de vin – une fin on ne peut plus opportune pour celui qui, plus que tout autre, symbolisait l'arrogance des prétendants et leur mépris affiché des lois sacrées de l'hospitalité. Ulysse

laisse enfin exploser sa colère : « Bande de chiens »,
explose-t-il finalement,

> Vous ne vouliez pas croire que je rentrerais
> de Troie ! Et vous avez osé saccager ma maison,
> pénétrer par la force au lit de mes servantes,
> courtiser ma femme quand j'étais bien vivant,
> outrager les dieux qui règnent au vaste ciel
> comme si nul humain ne viendrait se venger.
> Une terrible mort vous attend à présent !

C'est ensuite Eurymaque qui tombe sous le trait sûr
d'Ulysse, non sans avoir tenté de parlementer pour se
disculper (il met tout sur le compte d'Antinoüs), puis le
pauvre Amphinomos, frappé dans le dos par Télémaque
alors qu'il tente de s'échapper. Mais ensuite la vengeance
ne se déroule pas exactement comme Ulysse l'avait prévu.
Dernier clin d'œil au thème de l'éducation de Télémaque, le jeune homme, nous dit Homère, commit une
erreur qui faillit bien être fatale en un moment aussi
critique : il laissa ouverte la porte de la réserve où il avait
remisé les armes des prétendants, si bien que ces derniers
parvinrent finalement à les récupérer pour se défendre au
mieux de l'attaque d'Ulysse. Quand il apprend la funeste
faute, le héros croit d'abord à la trahison de quelque
domestique allié aux prétendants ; mais Télémaque
avoue son erreur. À ce moment-là – et ce n'est pas
anodin –, Homère passe à autre chose, si bien que nous
ne savons pas quelle fut la réaction du père au manque-
ment du fils. Le premier vendredi de mai, nous étions en
train d'étudier ce passage en cours, quand mon père leva
la main :

Alors si je comprends bien, Télémaque a failli tout
faire capoter.

Ça y est, me dis-je, le voilà qui recommence...

Mais il poursuivit : C'est très impressionnant, je trouve, qu'il reconnaisse sa faute. Il aurait pu s'en tirer à bon compte en laissant son père croire que c'était la faute d'un domestique, mais non, il a assumé. C'est peut-être là l'aboutissement du thème de l'éducation. Il est devenu adulte, et il le prouve en prenant ses responsabilités.

Tommy ne me laissa pas le temps de répondre.

Moi, je trouve tout aussi intéressant qu'Ulysse le laisse tranquille : il ne lui dit rien, ne le gronde pas. Peut-être qu'il a appris quelque chose, lui aussi.

En dehors de ce qu'elle apporte au thème des relations père-fils, l'erreur de Télémaque ouvre la voie à une vraie scène de bataille tout droit sortie de l'*Iliade* ; le carnage se poursuit sur deux cents vers, ponctués de quelques interventions décisives d'Athéna qui font pencher la balance du côté de son protégé (Vous voyez ? s'écria mon père pour la dernière fois du semestre. S'il l'emporte, c'est uniquement parce que les dieux viennent s'en mêler !) À la fin, Ulysse scrute le champ de bataille pour s'assurer qu'il n'y a plus âme qui vive parmi les prétendants. Mais non : ils sont tous morts et baignent dans leur sang, tels

> des poissons au retour de la pêche,
> tirés des flots d'acier sur un creux du rivage,
> aux mailles des filets emmêlés ; des poissons,
> échoués sur le sable, implorant l'onde amère,
> mais à qui le soleil brûlant vient arracher la vie...

Comparaison triviale pour des hommes indignes.

Ce n'est qu'une fois tout le sang nettoyé et le palais purifié selon le rite qu'Ulysse rejoint sa femme une nouvelle fois et lui révèle enfin son identité.

Mais, à l'instar de la scène du chant XVI qui réunit le père et le fils, les retrouvailles entre les époux au chant XXIII déjouent l'attente du lecteur en repoussant encore le moment le plus décisif de l'intrigue. Pénélope, nous dit-on, a dormi tout le temps du massacre ; à présent, Euryclée vient la réveiller et lui annoncer la grande nouvelle : Ulysse est de retour, et il a tué les prétendants ! Mais au grand étonnement de la nourrice et à la stupéfaction de Télémaque, la reine n'en croit pas un mot. Elle se montre aussi soupçonneuse et méfiante que son mari l'a été tout au long du poème. Sa prudence, dans cette scène, si semblable à celle d'Ulysse, est à la fois le signe de la complicité du couple, de leur *homophrosynê*, et un retournement ironique de situation pour Ulysse : lui qui est connu pour tromper et duper son monde, pour une fois qu'il veut être cru, on ne le croit pas – maintenant qu'il dit enfin la vérité.

Là encore, dis-je à ma classe ce jour-là, on en revient à la grande question de l'identité. Comment ces deux-là vont-ils bien pouvoir se prouver l'un à l'autre qui ils sont ? Après tout, tellement de temps a passé, vingt ans, vingt difficiles années d'épreuves, d'affronts et d'adversité. Les transformations magiques opérées par les dieux ne sont que le pendant surnaturel de la force bien réelle qui transforme nos visages et nos corps, qui nous abîme, nous fait perdre nos cheveux et nous creuse des rides : le Temps. Quand l'apparence extérieure, le visage et le corps ont changé au point d'être méconnaissables, que reste-t-il ? Existe-t-il un moi intime qui résiste au temps ?

Silence dans la salle.

Et je ne vous parle pas d'un thème littéraire totalement virtuel, poursuivis-je, en les regardant un par un. C'est une vraie question que les gens se posent dans la vraie vie !

Ils avaient l'air complètement éteints. Le vendredi précédent, nous avions étudié le massacre des prétendants, dont la cruauté les avait choqués malgré notre débat sur ce qui justifiait la « dure justice » de Zeus ; il faisait chaud, le ciel était bleu, aussi avais-je emmené la classe dehors, sur la pelouse, où nous avions lézardé au vif soleil de mai tout en discutant massacre. Mais ce jour-ci était particulièrement froid pour la saison, et nous étions de retour à l'intérieur. Les étudiants avaient l'air maussade, abattus. Pour les détendre un peu, je leur racontai un dialogue amusant que j'avais eu quelques semaines plus tôt avec ma mère, qui venait d'avoir quatre-vingts ans.

Alors, je lui ai demandé : qu'est-ce que ça te fait d'être aussi vieille ? Et elle m'a répondu : Ça fait très bizarre, si tu savais ! Tous les matins, je me regarde dans le miroir et je me dis, Mais c'est qui, cette vieille dame, qui me regarde comme ça ? À l'intérieur, j'ai toujours seize ans !

Cela les fit rire. Je ne leur confiai pas le reste de la conversation. Est-ce que tu as peur de vieillir ? lui avais-je encore demandé, profitant de sa bonne humeur. Est-ce que tu penses parfois à la maladie, à la déchéance ? Reprenant soudain un air sérieux, elle m'avait regardé. Je n'ai qu'une peur : être séparée de ton père.

Vous voyez ? dis-je à la classe après avoir raconté le bon mot de ma mère. C'est une question que les gens se posent pour de vrai. L'apparence et le ressenti, l'intérieur et l'extérieur, comment on se voit et comment les autres nous voient. C'est un sujet on ne peut plus odysséen. Et c'est pour cela que cette scène de reconnaissance doit absolument se passer comme elle se passe.

Mais ils ne réagissaient pas, ils ne rebondissaient pas sur mon idée, n'en faisaient rien. Ils étaient comme au premier cours, complètement apathiques.

Drôle de façon de finir l'année…

La scène de reconnaissance du livre XXIII, qui constitue pour nombre de spécialistes et de critiques le point culminant de l'*Odyssée*, se joue autour d'un lit : un lit dont la construction a son histoire, un lit qui a un secret. Une fois réveillée, Pénélope descend directement voir Ulysse, qui l'attend dans la grand-salle. Elle s'assoit à l'autre bout de la pièce et les deux époux restent là, les yeux dans les yeux. En réponse aux reproches de Télémaque, qui, furieux, s'indigne de la « froideur » de sa mère, de son cœur « plus dur que le roc » — bien qu'elle n'ait rien fait d'autre, au fond, qu'agir comme Ulysse l'eût fait en aussi délicate circonstance —, Pénélope déclare qu'elle va mettre à l'épreuve l'homme qui se prétend son époux :

> … parce que si vraiment
> c'est bien Ulysse, et qu'il est de retour, alors
> nous nous reconnaîtrons sans peine : il existe des signes,
> ignorés par les autres et de nous seuls connus.

Après un bref interlude — une servante baigne Ulysse, Athéna répand la beauté sur sa tête —, le héros retourne s'asseoir en face de sa femme et lui reproche son indifférence, comme son fils vient de le faire. Feignant d'être outré de tant d'obstination, il se tourne vers Euryclée, à qui il demande de lui préparer un lit. Inspirée par ces mots, Pénélope sait désormais comment elle va tester au mieux l'étranger — qui, doit-elle bien admettre, ressemble

étrangement à son mari. S'adressant à son tour à Euryclée, elle lui confirme l'ordre de préparer un lit – mais pas
n'importe quel lit : le lit d'Ulysse, qu'il lui faudra sortir de
la chambre royale et dresser dans la salle pour l'étranger.

Le stratagème prend immédiatement : en l'entendant
donner ces instructions, Ulysse perd, une dernière fois,
son sang-froid ; une dernière fois il se trahit, comme il
l'avait fait pour son plus grand malheur juste après sa
victoire sur les Cyclopes. Indigné, il révèle le secret de
fabrication de ce lit unique en son genre et théorique-
ment impossible à déplacer, « à moins qu'un dieu ne
vienne, avec pour intention de l'aller mettre ailleurs » :

> Nul mortel, fût-il dans la fleur de l'âge
> ne saurait le bouger ; notre signe secret
> est inscrit dans le lit, fabriqué par moi seul.
> Un rejet d'olivier poussait dedans l'enceinte,
> épais et vigoureux, massif comme un pilier.
> C'est autour de ce tronc que j'ai conçu la pièce [...].
> J'ai taillé la couronne du bel olivier,
> j'ai aplani le fût jusques à la racine,
> l'ai poli au cordeau dans les règles de l'art,
> faisant de cette souche un des montants du lit,
> j'y ai percé les trous où cheviller le reste.
> Le lit entier ainsi est œuvre de ma main,
> que j'incrustai alors d'or, d'argent et d'ivoire,
> aux montants, je tendis des sangles de cuir pourpre.

Voilà, je te le dis : tel est donc notre signe...

Le « signe » est reçu et compris : enfin, Pénélope admet
que l'étranger est bien Ulysse. Car le secret de fabrication
du lit, qui constitue une marque plus inaltérable que
n'importe quelle caractéristique physique, n'est connu

que d'un seul homme : son époux, le seul à avoir jamais accédé à sa chambre et à son lit. Ainsi le lit est-il doublement signifiant : marqueur de l'identité d'Ulysse, il est aussi le symbole de la fidélité de Pénélope. La reine, « sentant se dérober ses genoux et son cœur », se jette en pleurant dans les bras de son mari ; il pleure lui aussi. La vue de son époux, nous dit Homère, est alors aussi douce à Pénélope que l'est aux naufragés la vue de la terre ferme. Si la comparaison vient souligner, une fois encore, la ressemblance entre mari et femme, elle suggère aussi que les années passées au foyer par Pénélope furent pour elle une « aventure » tout aussi éprouvante que les tribulations d'Ulysse. Enfin seulement le couple se retire dans le grand lit pour passer la nuit ensemble, pour la première fois depuis vingt ans, une nuit que – détail parmi les plus touchants du poème – Athéna rallonge, en retenant l'Aube, pour laisser aux époux tout loisir de se retrouver. D'abord, ils font l'amour ; puis, nous dit le poète, chacun raconte à l'autre, longuement, tout ce qu'il s'est passé depuis vingt ans.

L'étude de cette scène, à mon grand plaisir, réveilla un peu les étudiants.

Je trouve que l'astuce de Pénélope colle bien au personnage, releva Tommy. Contrairement à Laërte, elle ne demande pas au mendiant de lui fournir une preuve, mais elle lui tend un piège. C'est tout à fait dans le genre d'Ulysse, et c'est l'illustration parfaite de leur *compatibilité*. Donc, en fin de compte, l'*homophrosynê* est la seule chose qui permette de deviner l'autre derrière le masque.

Le stratagème de Pénélope au chant XXIII est juste parfait, renchérit Nina. Que le palais entier soit construit autour de la chambre est une belle métaphore du lien qui unit Ulysse et Pénélope.

Jack la regarda, puis se tourna vers moi. Vous ne trouvez pas que c'est tout de même étrange, et même indécent, que ce lien si fort, justement, s'appuie sur une chose aussi superficielle que l'amour physique ?

L'amour physique ?

Ben… oui, c'est ce qu'il se passe au lit, non ?

Nina lui jeta un œil mauvais et répliqua sèchement :

À mon avis, quand Ulysse décrit le caractère inamovible du lit, c'est vraiment pour dire sa confiance et son amour inébranlables pour sa femme.

Tommy fit alors le commentaire à mon sens le plus intéressant de la journée.

En fait, faire l'amour n'est pas le plus important dans leurs retrouvailles. Le plus important, c'est la discussion. C'est intéressant qu'ils fassent l'amour tout de suite, mais ensuite ils passent le reste de la nuit à se raconter des histoires avant de s'endormir. C'est comme s'ils avaient besoin de revivre les émotions qu'ils ont traversées pour bien les assimiler, et ce qui leur permet de le faire, c'est le récit. Ce qui est vraiment essentiel, en somme, c'est la communication. C'est comme dans l'histoire du Cyclope. À la fin, tout est toujours une affaire de mots.

Tout à fait, approuvai-je. Et souvenez-vous, nous étions justement en train de dire que le corps n'est pas fiable, que l'apparence extérieure peut être modifiée, tandis que le « moi » intime demeure…

Ah ça, moi, je peux vous en parler, coupa soudain mon père d'une voix forte.

Il s'était redressé sur sa chaise et légèrement penché en avant.

Anagnorisis

Ça, je sais ce que c'est, moi, répéta-t-il en s'éclaircissant ostensiblement la voix. Au même titre que *Il y avait une circulation d'enfer !* ou *Ne viens pas me dire ce que j'ai à faire*, ces expressions étaient entrées au répertoire des rengaines qui, telles une formule magique ou une incantation, m'évoquent aujourd'hui mon père avec autant de force que certains détails plus tangibles de sa présence physique : le parfum capiteux de l'eau de Cologne *Old Spice* qu'il appliquait sur ses joues creuses et sur son cou après rasage – une odeur aussi synthétique qu'un produit de nettoyage à sec, ou encore le frottement étrangement rassurant du rasoir quatre lames ridiculement tape-à-l'œil dont il raclait les poils de sa gorge flasque. (Ce fut pourtant ma mère qui m'apprit à me raser. C'était au début des années 1970, à l'époque où mon père partait deux semaines par mois travailler à un projet de cœur artificiel ; à un moment donné, quand il ne lui fut plus possible d'ignorer les petites touffes brunes qui me mangeaient les joues et le menton, ma mère m'emmena à la salle de bains et me dit, *Viens, je vais te montrer, je sais comment on fait, j'ai vu faire ton grand-père...*, puis elle me mouilla la figure, étala la crème, la fit mousser et se mit au travail, rasoir en main, descendant d'abord du menton à la gorge, pour remonter ensuite le long de mes joues. Après quoi, des années durant j'ai cru que les boutons qui me brûlaient sans arrêt les joues et le cou étaient de l'acné, jusqu'au jour où, un dimanche après-midi où nous étions tous chez Oncle Howard et Tante Claire, Claire, prenant mon visage dans sa main blanche comme on saisirait le museau d'un chien, me dit : *Boychik, regarde-moi ces joues tout abîmées au rasoir ! Tu te rases à rebrousse-poil ! C'est l'inverse qu'il faut faire. Mais qui donc t'a appris à te raser ?*)

Au moment où, en classe, nous parlions de Pénélope et d'Ulysse, entendre mon père grommeler *Je sais ce que c'est*, expression qui fait aujourd'hui resurgir son image avec autant de force que l'odeur de son après-rasage, raviva le souvenir cuisant de ce jour où il prononça ces mêmes mots quand, aux vacances de printemps de ma troisième année à l'université où il m'avait si vivement incité à m'inscrire, convaincu que *cet endroit me conviendrait mieux*, j'avais révélé entre deux sanglots à mes parents le secret que je gardais pour moi depuis si longtemps. *Je suis gay*, leur avais-je dit, assis au coin du lit, fixant comme un idiot le motif imprimé du couvre-lit, ce à quoi mon père, dans l'un de ses rares accès de douceur et le plus surprenant, avait répondu, *Je sais ce que c'est, Marlene. Laisse-moi lui parler.*

Ce coin de lit, précisément, fut le dernier endroit de la maison où il s'assit. Un certain vendredi de janvier 2012 – tout juste un an après avoir pris place dans ma classe, au Bard College, pour suivre mon séminaire sur l'*Odyssée* –, mon père se leva de table, dans un restaurant où il déjeunait avec d'anciens collègues et, me raconta plus tard l'un de ses amis, il commença à tourner en rond dans le restaurant, désorienté, incapable de trouver la porte. Si, sur le moment, cela ne manqua pas d'inquiéter certains de ses amis, un neurochirurgien n'eût guère été surpris, car la perte des repères spatiaux est, ainsi que nous l'apprîmes plus tard, l'un des premiers signes d'une forme d'hémorragie cérébrale, l'AVC hémorragique, où une rupture de vaisseaux provoque un épanchement sanguin dans le lobe frontal du cerveau, qui empêche la victime d'évaluer correctement les distances, les angles, la disposition des éléments dans l'espace – de naviguer, en somme. En apprenant la nouvelle quelques heures plus tard, après que ma mère m'eut appelé en m'enjoignant de sauter dans le premier train et de venir au plus vite, en apprenant qu'il avait tourné en rond dans le restaurant, cherchant vainement la sortie, je fus saisi d'un sentiment d'horreur mêlé d'humiliation, car s'il y avait bien une qualité que tout le monde reconnaissait à mon père, c'était son incroyable sens de l'orientation, la faculté qu'il avait de toujours trouver son chemin. Je me souviens du plaisir avec lequel, à l'époque d'avant Internet, il étudiait les atlas routiers et traçait son itinéraire quand nous partions pour de longs trajets en voiture ; je me rappelle aussi son mépris affiché pour les gens qui « demandaient leur chemin ». *Quand on sait lire une carte, on n'a pas besoin de demander son chemin !* Sa légendaire capacité de se repérer dans l'espace devait connaître une nouvelle défaillance, moins grave, une vingtaine de minutes plus tard, après que l'un de ses amis, inquiet, l'eut raccompagné jusqu'à la porte du restaurant et ramené à la maison, signalant à ma mère que papa se comportait bizarrement. Alors elle le regarda disparaître dans la petite chambre qu'il avait partagée avec elle durant cinquante et un ans, la chambre où, ce matin de janvier, il entrerait et d'où il sortirait pour la dernière fois ; quand il fut dans cette chambre (c'est du moins ce que l'on peut supposer d'après ce qu'elle vit ensuite), il s'assit au coin du grand lit, et essaya désespérément de brancher à son iPad le cordon du chargeur. Mais, même à cette échelle, il ne parvenait plus à évaluer les distances. Il était assis sur le lit où mes trois cadets avaient été conçus et, le cordon dans une main, s'escrimait à essayer de brancher la prise mâle au port femelle de l'appareil, mais à chaque coup, il tombait à côté, tel un ivrogne incapable de mettre sa clé dans la serrure, et nous savons que c'est ainsi qu'il passa ces quelques minutes, les dernières minutes qu'il vivrait habillé de ses propres vêtements et entouré de ses objets familiers : la commode lustrée années 1950, contre laquelle je m'étais cogné un jour, vers mes onze ans, perdant connaissance, avant de me rendre compte, terrifié, au réveil, que je ne savais même plus qui j'étais ; le miroir étroit, fixé à l'intérieur de la porte du placard, devant lequel chaque matin avant d'aller au travail il nouait ses minces cravates ; le bureau où il travaillait et payait ses factures, duquel je m'approchais sur la pointe des pieds, presque à reculons, quand j'avais besoin d'aide pour mes devoirs de maths. Il était toujours là, assis au coin du lit, entouré de ces objets familiers qui bientôt lui deviendraient terriblement étrangers, quand ma mère, qui voulait s'assurer que tout allait bien, un peu inquiète de ce que Geoff lui avait dit, que papa avait été infichu de sortir de chez Applebee, quand ma mère, donc, entra et le trouva. *Il était sur le lit, il essayait de brancher son iPad et il n'y arrivait pas*, me dit-elle cette nuit-là lorsque je la retrouvai aux urgences de l'hôpital. *Il n'arrêtait pas de dire, « J'ai fait ça des millions de fois, je ne comprends pas »* ; c'est là que j'ai appelé les secours.

Quand c'est arrivé, il était assis à l'endroit exact où j'étais moi-même assis le jour où je leur avais dit qui j'étais et qu'il avait réagi avec une tendresse si surprenante. *Je sais ce que c'est.*

À présent, en mai 2011, à la dernière séance de mon séminaire sur l'*Odyssée* au Bard College, mon père, assis à sa place contre le mur, sous la fenêtre, la même qu'il avait adoptée quinze semaines plus tôt, par cette froide matinée de janvier où pour la première fois j'avais posé les yeux sur ce groupe d'adolescents inconnus, voilà qu'il répétait ces mots, *Je sais ce que c'est.*

Les étudiants le regardaient.

Alors, il poursuivit. Bon, honnêtement, il n'y a que moi ici qui sais ce que ça fait d'être avec quelqu'un depuis si longtemps que cette personne ne ressemble plus du tout à ce qu'elle était au début.

Évidemment, il avait raison. Ils avaient dix-huit ans, dix-neuf peut-être ? Je ne pouvais m'imaginer, en ce jour de mai où mon père se mit à parler de ce que cela faisait de voir vieillir et se métamorphoser une personne que l'on connaît si bien depuis si longtemps, une personne dont les rituels d'amour et d'intimité ont imprimé leur marque dans notre corps et dans notre âme comme le lierre s'inscrit au tronc de l'arbre, je ne pouvais m'imaginer, non, à quel point quatre-vingt-un ans devait sembler vieux à ces gamins. Quand il commença à parler, je m'imaginais les étudiants en train d'inspecter en silence ses rides, ses taches de vieillesse, les rares cheveux encore accrochés sur son crâne lisse. Je le regardais moi aussi, et songeai soudain : C'est exactement l'apparence que, d'un coup de baguette, Athéna donne à Ulysse au chant XIII. « Sur son corps souple, la peau se flétrit / ses cheveux blonds tombèrent de sa tête / elle l'enveloppa de la peau d'un vieil homme / et retira l'éclat de ses yeux si charmants. »

Je sais ce que c'est, disait mon père. Sa mère à lui, là, poursuivit-il, avec un signe de tête mais les yeux rivés au sol, sa mère était la plus belle femme qui soit. Pas jolie : belle.

Exactement comme des années plus tôt, quand j'étais au lycée et qu'il racontait à un voisin combien ma mère était sublime à tel ou tel événement, une bar-mitsva ou un mariage, je me suis dit, Mais pourquoi il ne lui dit jamais ça à elle ?

Mais bien entendu, je ne le lui ai pas dit à ce moment-là. Comme les étudiants, je me suis tu et j'ai laissé parler mon père.

Et c'est drôle…, reprit-il. Il s'était ressaisi et, tout en discourant, il fermait légèrement les yeux et agitait la tête de haut en bas comme s'il se parlait à lui-même, comme quand il s'efforçait de se rappeler tel ou tel détail insignifiant : le nom d'un acteur dans un vieux film, le taux de réussite à la batte d'une star du baseball de son enfance, tout ce qui pouvait prouver qu'il n'avait rien perdu de sa lucidité. C'est drôle, dit-il, mais je trouve que cette partie du poème est tout à fait réaliste. Il y a des choses que l'on partage dans un couple qui n'ont rien de physique : des blagues ou des souvenirs glanés au fil du temps, des petites choses que personne d'autre ne sait.

Il leva les yeux, et vit tous ces regards de jeunes gens braqués sur lui. Soudain embarrassé, il tenta de détendre l'atmosphère : Bon, des fois aussi, ce sont des choses physiques !

J'étais trop interloqué pour dire quoi que ce fût. Son analyse était très juste, profondément juste. Je n'avais jamais compris avant cela à quel point l'*Odyssée* reflète ce phénomène, trivial en apparence mais essentiel en réalité : c'est parfois sur le partage des plus petites choses que se construit l'intimité la plus profonde. Et pas simplement entre maris et femmes, ou entre amants. Je songeai à « Daddy Loopy ». Je songeai au lit, dans mon bureau, à son petit secret de fabrication.

Quand mon père ajouta : « Bon, des fois aussi, ce sont des choses physiques ! », je m'attendais à une réaction de la part des étudiants, à quelques rires peut-être. Mais non, ils étaient bouche bée. Aucun ne dit mot.

Mon père poursuivit.

Comme je l'ai dit, je trouve le poème très juste sur ce point. Quand vous avez cela, ces choses qui font les couples, elles maintiennent le lien bien après que tout le reste est devenu méconnaissable.

Il me regarda, comme pour vérifier si j'avais bien remarqué sa reprise du mot-clé de nos dernières séances.

C'est à ces choses-là qu'on s'accroche, dit-il, soudain gêné. C'est avant tout pour ça qu'on garde... qu'on reste fidèle.

Il se redressa et secoua un peu la tête, comme pour dissiper l'ambiance qu'il avait lui-même créée.

En tout cas, croyez-moi, sa mère était belle, conclut-il en me désignant du menton, avant de se recroqueviller sur sa chaise.

Les étudiants ne pipaient mot. Qu'auraient-ils bien pu dire ? Le mariage de mes parents avait duré trois fois leur vie. Leurs visages graves, les regards ébahis qu'ils posaient sur mon père à l'autre bout de la salle disaient à quel point ils étaient impressionnés. Et même, me sembla-t-il soudain, admiratifs.

Alors, dans le silence palpable qui régnait autour de la table, je compris que les métamorphoses magiques qui ont lieu dans l'*Odyssée* ne sont rien d'autre que cela. Elles n'ont rien de magique. Quelque chose se passe, quelqu'un s'exprime avec passion ou autorité – avec des « mots ailés », *épê pteroenta*, selon l'expression d'Homère –, et l'on voit soudain les choses autrement : la personne en face a effectivement l'air d'avoir changé. Au moment où mon père se renfonça dans sa chaise après avoir reconnu

qu'il y avait du juste dans l'*Odyssée*, que les couples partageaient de ces secrets qui, au bout du compte, formaient
le socle de leur mariage, des secrets que même les enfants
issus de ce mariage ne connaissaient pas – à ce moment-
là, mon père m'apparut plus imposant et plus impressionnant, tout comme Ulysse a l'air plus grand et plus beau
quand Athéna veut qu'il réussisse, qu'il impressionne tel
ou tel inconnu de qui dépend son sort. En ce jour de mai
proche de la fin du séminaire, mon père lui aussi avait
réussi. Cette fugace démonstration de tendresse, risquée
devant un public de gamins trop jeunes pour comprendre
ce à quoi ils assistaient, l'avait, l'espace d'un instant,
transfiguré.

À l'époque, je n'ai rien dit à ma mère de cet épisode ;
puis avec tout ce qu'il s'est passé ensuite, j'ai oublié. Mais
un jour de printemps où j'étais allé la voir, un an environ
après ce dernier jour de classe, je le lui ai raconté. J'étais
venu à Long Island pour l'aider à faire ses comptes, mais
au final, évidemment, nous avons surtout parlé de papa.

Il a vraiment dit que j'étais belle ? Nous étions installés
à la table blanche et lisse de sa cuisine immaculée. De
vieux ustensiles de cuisine ayant appartenu à sa mère
étaient suspendus au mur d'en face, savamment disposés :
fouets, tamis, passoires ébréchées en émail blanc. Elle
m'avait un jour montré le schéma qu'elle avait fait sur une
page de cahier pour mieux retenir l'emplacement de
chacun. *Comme ça, quand je les décroche pour les nettoyer,
je sais où les remettre.* Chacun des objets, sur son dessin,
était clairement identifiable, même si, ses mains tremblant un peu désormais, le trait n'était pas très franc.

À un moment, mettant de côté ses relevés de banque, nous fîmes une pause : assis l'un en face de l'autre à la table blanche de la cuisine, nous bavardions et échangions des nouvelles de ses amis, de mes frères et sœur et de nos familles respectives. J'évoquai la fin de mon semestre – j'enseignais l'*Iliade*, cette année-là – ce qui, bien sûr, me remémora mon cours sur l'*Odyssée* ; et c'est ainsi que j'en vins à raconter à ma mère notre dernière séance et le moment où mon père, me désignant, avait dit devant tout le monde : *Sa mère était belle*. Et comme cette confidence, sans doute, l'avait mise d'humeur sereine et joyeuse, je lui dis aussi l'étrange aveu qu'il nous avait fait sur ces détails qui maintenaient le lien entre un mari et sa femme quand tant d'autres choses avaient disparu.

Il a même parlé de *choses physiques*, ajoutai-je, tandis que nous sirotions un insipide thé sans caféine. Je repensai à mon père, qui aimait tant sa bonne grande tasse de *cââfé*, comme il disait.

« Des choses physiques » ? Allons bon !

Penchée sur un petit miroir, elle fit une tête digne d'un film d'horreur, étirant ses paupières pour y appliquer le fard ; ce faisant, elle me raconta cette drôle d'anecdote.

Je me souviens, commença-t-elle, quand nous étions jeunes mariés, il y avait ce livre qui venait juste de sortir, un manuel de sexualité conjugale. Nous avions toutes couru l'acheter, Tante Alice, Tante Marcia, Tante Irma, Tante Mimi et moi, et bien sûr, quand on en parlait ensemble, on en faisait pipi de rire. Tu sais, à l'époque, on ne parlait jamais de ces choses-là. Or ce livre disait : « Exprimez-vous, soyez très claire avec votre mari. Dites-lui exactement ce qui vous donne du plaisir. »

Elle pouffa.

Je me souviens, il y avait des tas de phrases-types qu'on était censées utiliser au lit. « Chéri, maintenant, je veux que tu mettes ta main ici », des trucs de ce genre-là. Enfin bon, tu imagines ? Tu imagines *ton père* ?

Je ne disais rien. Elle ouvrit une bouche immense, comme dans *Le Cri* de Munch, pour appliquer son rouge à lèvres.

Alors un soir, ton père et moi étions au lit ; nous avions commencé notre affaire, et j'ai pris la main de ton père en lui disant : *Jay, je veux que tu mettes ta main ici.* Ton père m'a regardée : *Ne viens pas me dire ce que j'ai à faire !*

J'éclatai de rire. Maman pinça un mouchoir entre ses lèvres pour absorber l'excès de maquillage. Puis elle poussa un gros soupir : Ah, ton père !

Il lui arrivait encore d'être nostalgique. Mais je me rappelle ses hurlements, à peine quelques mois plus tôt, quand mon père avait fait son attaque, ses yeux rivés sur le corps inerte de son mari, ses cris sans fin, aussi lancinants et inlassables que le lamento des pleureuses autour du corps d'Hector, le prince troyen, à la fin de l'*Iliade*. *Jay, Jay, je t'aime, je t'aime, ne t'en va pas, ne me quitte pas*, gémissait-elle, étirant les voyelles en une psalmodie sans doute vieille comme le monde. Car les mots, en effet, sont presque superflus dans ces cas-là ; le déchaînement des voyelles est assez parlant : *èèèèè, aaaaa, iiiii*. Homère ne l'ignorait pas. Prononcer à voix haute les deux mots grecs qui signifient « lamento funèbre » dans la scène finale de son épopée guerrière, *adinou goöio*, c'est déjà faire entendre le deuil : *ah-dii-nouuuu go-oyyyyy-oooo*.

Ah, ton père, répéta-t-elle, songeuse. Sur la table, elle avait rassemblé des papiers et des objets qu'elle pensait pouvoir m'être utiles pour la rédaction de mon livre. Un, notamment, que je n'avais jamais vu : l'album de promo de mon père, souvenir de ses années de lycée. J'avais souvent feuilleté celui de ma mère. Elle le sortait parfois pour nous montrer ses airs de vamp sur telle ou telle photo (*Là, c'était ma période Marlène Dietrich !*), ou bien pour nous lire la bio loufoque qu'elle y faisait d'elle-même : « Hobby : spéléologie. Objectif de carrière : taxidermie. » L'album de mon père, en revanche, était nouveau pour moi. Je maniai avec mille précautions les pages grisées sur papier glacé. Tandis que ma mère commençait à ranger son miroir, ses crayons et son rouge à lèvres, je lui faisais lecture des dédicaces laissées à mon père par ses amis soixante-cinq ans plus tôt :

« Quel bagou, vieux !! Bonne chance, Andy Siff »

« À un chic type (et roi de l'esbroufe en anglais). Tout le meilleur, Seymour Silver »

« Au gars le mieux sapé du cours d'anglais 7-5 h, Bonne chance, Laurence Schneck »

Je jetai un œil à ma mère. « Le mieux sapé » ? *Papa* ?!

À sa moue incrédule, elle n'avait pas l'air d'y croire plus que moi. Je revins à l'album.

« Je te souhaite plein de bonheur dans la vie, Jules "Nunzio" Koenigsberg »

À côté de sa photo, mon père avait signé et s'était adressé à lui-même un petit mot : « Bonne chance – Jay Mendelsohn ».

Cela fit rire ma mère, mais moi, cette idée de mon père se souhaitant bonne chance tout seul m'attrista. Je le voyais presque écrire ces mots, jeune, le teint mat, son long visage empreint d'un air ironique masquant je ne sais quels sentiments. Envisageait-il son avenir avec optimisme ? En avait-il peur ?

Soudain ma mère, qui était revenue s'asseoir à côté de moi pour mieux voir l'album, me dit : Tu sais, ce n'était pas à ce lycée-là qu'il était censé aller, à l'origine.

Dans un soupir, elle promena sur le papier lisse sa main noueuse, marquée de veines bleues.

Mais si, voyons, je suis sûre que tu connais l'histoire, enchaîna-t-elle un peu agacée, en réponse à mon air perplexe. Ton père était tellement intelligent que bien sûr il avait été admis à Bronx Science. Mais évidemment, il n'y est pas allé, à cause de son ami.

Elle poussa un gros soupir.

Quel « ami » ?

Mais tu sais bien, ils étaient toujours ensemble ! C'étaient les meilleurs amis du monde !

Qui ça ?

Ma mère leva les yeux au ciel. Gene ! Eugene Miller ! Ils étaient amis depuis tout petits, depuis l'âge de cinq ans. Papa l'adorait. Mais Eugene n'a pas été pris à Bronx Science alors que ton père, si. Et comme ton père n'a pas voulu faire de peine à Eugene, il est allé à DeWitt Clinton, comme lui. Mais ce n'était pas son premier choix.

Ma mère contempla l'écriture d'adolescent de mon père, sous sa photo.

Good luck – Jay Mendelsohn.

Enfin bon, conclut-elle. On se fiche bien du lycée où il est allé. Cela n'a plus aucune importance !

Je gardai le silence.

Sa mère était belle, avait dit mon père en ce jour du mois de mai 2011, le dernier de mon séminaire sur l'*Odyssée*. Ce fut la seule fois, me dis-je alors, où il s'était vraiment ouvert aux étudiants de « Classics 125 : The

Odyssey of Homer » – la fois où il évoqua la beauté de ma mère et l'importance des secrets partagés, ultimes vestiges de ce qui les avait attirés l'un vers l'autre en 1948, quand ils s'étaient rencontrés dans le Bronx. Elle avait dix-sept ans et lui dix-neuf ; il sortait tout juste de l'armée – qu'il n'avait faite, comme je le savais, qu'afin de se payer des études.

Au début du printemps 2013, Nino vivait encore dans la demeure cossue où, quarante ans plus tôt, nous nous étions régalés de mets exotiques et avions offert à nos hôtes des cadeaux de choix, des cristaux Orrefors et Venini, des eaux-de-vie de luxe aux éclats de pierreries dans leurs bouteilles aux formes insolites. Je l'avais appelé quelques semaines plus tôt pour lui dire que j'aimerais venir le voir pour parler de papa. J'avais déjà interrogé mon oncle Howard sur son enfance, avais-je expliqué à Nino, et maintenant, je voulais en savoir plus long sur sa jeunesse, avant la naissance de ses enfants.

J'arrivai en fin d'après-midi devant la maison, que baignait l'ombre des arbres, escomptant dîner et dormir sur place pour repartir le lendemain matin ; finalement, je suis resté tout le week-end. Cela arrive souvent, avec Nino et Barbara. Dès que l'on passe la porte, on se sent si bien chez eux qu'on en oublie qu'il faut rentrer, et on se laisse gâter par les cocktails maison et les millésimes rares, sa cuisine raffinée, à elle, et ses souvenirs foisonnants, à lui.

Barbara. Cela faisait longtemps qu'Irène, la belle Grecque qui fut la première femme de Nino, était partie. Depuis vingt-cinq ans, il y avait Barbara, une Juive futée comme pas deux, drôle, mince et toujours bien mise qui ne se prive pas de pester avec une virulence théâtrale contre ce qu'elle considère comme les manies, les vices ou les névroses de son deuxième mari. *Oh, celui-là*, soupire-t-elle quand il aborde certains sujets, sa peur de l'avion par exemple, ou quand il se lance dans des théories à n'en plus finir sur les concombres qui accompagnent merveilleusement telle ou telle recette de dry martini. *Celui-là, alors !* soupire-t-elle en nous servant une burrata ou une frittata, déplorant au passage tel ou tel détail, car, tout comme Nino, c'est un cordon-bleu, portée sur les plaisirs épicuriens et les voyages, aussi, et l'un et l'autre ont donc trouvé dans ce second mariage une bonne dose d'*homophrosynê*, une communauté d'intérêts et de goûts, qui n'a rien à voir avec ce que j'appellerais l'*homophrosynê* inversée de mes parents, dont le mariage a tant bien que mal résisté à tant de parfaites dissonances – à moins que ce ne fût précisément son socle : lui qui rêvait tant de voyager, elle casanière au possible ; elle si drôle, si sociable et exubérante, lui si blasé, si réservé, si distant... Les martinis qu'ils me servirent à mon arrivée étaient corsés, et je remarquai que Barbara veillait à ce que nos verres soient toujours pleins. « Pour adoucir la peine ! » clamait-elle, brandissant derechef sa carafe en cristal taillé en dépit de mes protestations. Les verres s'emplissaient et se remplissaient, et bientôt une atmosphère de nostalgie s'installa.

Nino entreprit de raconter comment il avait rencontré papa, au début des années 1950. Par égard pour moi, le fils de son ami, il avait probablement à cœur d'évoquer en premier lieu la générosité de mon père. Il sirota son cocktail avec une délectation évidente : un frisson le parcourut comme le rouge vous monte aux joues. Il ferma les yeux un instant, puis les rouvrit, et, en me fixant de ses iris bleu pâle, il commença.

Nous nous sommes rencontrés dans des circonstances *in-ou-bli-ables*. Ce jour-là, j'étais convoqué chez Grumman pour un entretien d'embauche. Ton père, lui, y travaillait déjà, et il était donc là pour faire passer l'entretien. Comme l'activité de la boîte était classée secret défense et que je n'avais pas d'autorisation, je n'avais pas le droit de me balader comme ça dans les couloirs. C'est pourquoi, entre les différentes sessions de l'entretien, ils m'avaient carrément enfermé dans une pièce. En plus, je n'avais pas été prévenu, et je n'avais rien apporté à manger ! Tu imagines : moi, rester le ventre creux ?

Nino leva les bras au ciel en riant. Connaissant par cœur ses histoires sur les merveilles culinaires qui avaient bercé son enfance, sur les festins légendaires que concoctait sa mère pour lui et mes parents quand ils étaient jeunes, je compris ce qu'il trouvait si drôle.

Donc, poursuivit-il, me voilà coincé dans cette pièce, tout seul et affamé ! C'est alors que j'entends frapper à la porte. J'ouvre ; c'était ton père, qui me dit : « Tu veux partager mon sandwich ? »

Il tapa dans ses mains, tant ce souvenir le ravissait. C'était tellement touchant ! reprit-il. Ton père, bien évidemment, avait tout compris. Alors il me donne la moitié de son sandwich et on passe le reste de cette pause déjeuner improvisée à bavarder. Et on s'est bien entendus. C'était comme si, soudain, un truc magique s'était passé, là, derrière cette porte close. Ensuite, quand j'ai démarré mon boulot là-bas, j'étais dans la même équipe que lui, et nous sommes devenus inséparables.

Il me regarda. Je sais que ton père pouvait parfois sembler dur. Mais il était très gentil à sa façon, très généreux. Moi, ça me touchait.

Je baissai les yeux. Puis je me raclai légèrement la gorge avant de poser à Nino une question que je n'avais jamais posée à mon père.

Sur quoi exactement portait votre travail pendant toutes ces années chez Grumman ?

Je rappelai à Nino que je n'avais jamais visité le bureau de mon père, et j'ajoutai en passant que, comme j'étais si mauvais en mathématiques, je n'avais jamais osé lui demander de m'expliquer son travail, tétanisé à l'idée qu'il me dise, comme il l'avait déjà fait, *À quoi bon, tu ne comprendrais pas.*

Nino reprit une gorgée de son martini ; la tranche de concombre donnait au breuvage un reflet vert pâle. Une lueur brillait dans ses yeux. *Sur l'incertitude !*

Il sourit en me voyant hausser les sourcils. À l'époque, notre travail portait sur ce que l'on appelle les méthodes de Monte Carlo. C'est une façon de simuler une suite d'événements incertains. On fait donc la simulation en tirant des nombres de manière aléatoire, sur une série de dix mille tirages, par exemple : le premier de ces nombres pris au hasard t'emmène ici, le deuxième là, etc. Et donc, quand tu fais ça dix mille fois, le résultat moyen te donne une idée de ce qui a des chances de se passer dans des conditions réelles. Puisque que tu fais la moyenne des possibles.

Je pris un moment pour assimiler. Mais, en quoi tout cela intéressait-il Grumman ? Prononcer ces mots raviva en moi un sentiment de honte profondément enfoui ; je me revis planté à la porte du bureau paternel, mes devoirs de maths à la main, des lignes de chiffres et d'équations

qui n'avaient pas plus de sens pour moi que des hiéroglyphes mayas.

Mais Nino ne fit qu'en rire. Pourquoi ? Parce que, en
tant qu'entreprise aérospatiale, on bossait pour la
Défense. Et on ne peut pas aller comme ça, n'importe où,
tester des bombes ou des modules lunaires pour voir ce
qu'il se passe. C'est pour ça qu'on le fait d'abord sur
papier.

Ainsi appris-je que mon père, avec son culte de la
précision et de la logique, son aversion pour tout ce qui
était irrationnel, lui qui ne jurait que par les cartes et les
sites Internet grâce auxquels, quand il prévoyait de venir
me voir à Manhattan, il localisait des jours à l'avance le
parking le plus proche de chez moi pour ne pas avoir à
tourner en rond comme un idiot au dernier moment – mon
père, donc, avait passé le plus clair de sa carrière à réfléchir
à l'incertitude.

Au début, je ne savais pas du tout comment m'y
prendre, poursuivit Nino, mais ton père a été patient avec
moi, il m'a expliqué. Alors je l'ai laissé me prendre sous
son aile.

À ces mots, « sous son aile », sa voix trembla un peu.
Je crois qu'il aimait bien jouer ce rôle, dit-il.

Je restais muet. Je songeais à ce qu'Oncle Howard
m'avait dit sur mon père tout seul à la maison, avec
Howard parti à la guerre, Bobby qui clopinait stoïque-
ment dans le quartier, Poppy en mission au Pentagone et
Nanny qui s'était esquivée en ville, trop heureuse d'aller
jouer « Rosie-la-riveteuse », tandis que lui, mon père,
petit bonhomme de dix ans, restait seul avec ses livres, et
lisait, lisait sans personne à qui parler, personne avec qui
partager ce qu'il apprenait.

Je l'ai laissé me prendre sous son aile.

Il était curieux de tout, continua Nino. Il ne laissait rien passer sans essayer d'en grapiller quelques miettes de vérité. Le scepticisme atteignait chez lui un rare degré, peut-être à cause du milieu où il avait grandi. Il doutait naturellement. Il en devenait même chicaneur, parfois. « Pourquoi tu dis ça ? » demandait-il toujours. Peut-être est-ce pour s'extraire de la précarité dans laquelle il avait grandi qu'il s'était imposé d'être plus vigilant, plus exigeant que les autres, de ne pas croire ce que les autres enfants croyaient. À mon avis, s'il a développé ce trait de caractère, c'est qu'il en a eu besoin pour sortir de son milieu d'origine.

Je me fiche de ce que font les autres, on n'est pas comme les autres.

Non qu'il ait jamais méprisé ses origines, ajouta soudain Nino. Je me souviens qu'il avait un immense respect pour son père. Il le considérait comme… je ne dirais pas un héros, mais comme quelqu'un d'admirable, de fort, d'honnête. Pas comme un tocard. Je crois que cela a eu une grande influence sur lui.

Je le revoyais à l'hôpital, en 1975, penché sur la silhouette ratatinée de son père.

Ton père est ton père.

Bientôt, nous passâmes à la cuisine ; le dîner était prêt. *Tafelspitz*, annonça Nino du ton légèrement professoral qu'il adoptait dès qu'il s'agissait de gastronomie. La plus exquise des recettes de pot-au-feu ! Le plat familial typique de la bourgeoisie austro-hongroise !

Barbara roula des yeux. Nino huma profondément. Après avoir débouché le « grand » bourgogne qu'il avait sélectionné pour accompagner le *Tafelspitz*, il prit un air songeur.

Tu sais, à partir d'un moment, nos chemins se sont séparés, avec Jay, dit-il. J'ai pris la voie académique, et pas lui. J'ai fait un bout de carrière à l'université, tandis que ton papa faisait... ce qu'il faisait chez Grumman ; on ne se voyait plus, sauf parfois en famille quand on avait quelque chose à fêter. Longtemps, notre intimité n'a plus été la même...

Il attrapa son verre. Tout ça à cause de la thèse, reprit-il.

Je posai mon verre de vin si fort qu'il tinta.

Tu veux dire... parce que toi tu as fini la tienne et pas lui ?

Nino acquiesça. En 1966, j'ai quitté Grumman. Stony Brook University recrutait des professeurs de maths, mais pour postuler il fallait être titulaire d'un doctorat. J'étais donc éligible, mais pas ton père, puisqu'il n'avait pas eu le diplôme.

Il y eut un silence. Puis Nino ajouta : Je dis ça, pour que tu prennes la mesure de la belle revanche que cela a dû être pour lui d'enseigner à Hofstra University, des années plus tard. Enfin professeur !

Je pensai aussitôt à la plaque en plastique blanc avec son nom fixée sur la porte de son bureau à la maison, la porte de notre ancienne chambre. PROF. JAY MENDEL-SOHN.

Nino, absorbé dans ses pensées, reprit : Je crois que le professorat, même s'il est intervenu tardivement dans sa vie, a été un grand soulagement pour lui – comme une compensation pour le doctorat qu'il n'a jamais eu, pour la thèse qu'il n'a jamais rédigée.

Ce doctorat inachevé, le coupai-je, n'était pas du tout un sujet tabou pour papa. Franchement, je ne crois pas qu'il en ait fait une affaire. D'ailleurs, il l'expliquait bien : Maman était tombée enceinte d'Andrew, et...

Les yeux bleus de Nino étaient indéchiffrables. Tristement, il secoua la tête : Non, dit-il. Ce n'est pas pour ça qu'il a abandonné.

Je le regardai droit dans les yeux.

La boîte nous avait tous les deux incités à préparer un doctorat. En clair, nous étions subventionnés. Ton père bénéficiait des mêmes avantages que moi à l'époque – ils nous laissaient sortir plus tôt l'après-midi pour suivre des cours à l'institut Courant de l'université de New York. Souvent, avec ton père, on descendait ensemble à Manhattan, il suivait un cours et moi un autre. Certes, il était en train de fonder une famille tandis que moi, j'étais encore célibataire. Mais ce n'est pas pour ça qu'il a abandonné.

Je m'étais redressé sur ma chaise, viande et vin oubliés. Alors, c'était quoi la raison, d'après toi ?

Nino fit tourner la fine monture de ses lunettes entre ses doigts épais. Il y a eu deux choses, à mon avis, dit-il. D'abord, il y a toujours eu un petit problème avec ton père. Il ne supportait pas qu'on lui dise que, pour obtenir ce morceau de papier, il lui faudrait écrire une thèse sur un sujet donné, conforme à certaines attentes, puis encore être évalué par un jury. Là était toute la différence entre ton père et moi. Souviens-toi, j'ai été formé chez les jésuites ! Moi, je me disais plutôt : bon, si c'est ça la règle du jeu, je vais le faire. Mais avec ton père, ça ne marchait pas comme ça. Et donc, même s'il est allé discuter avec des profs d'un possible sujet de thèse, je pense qu'au fond il avait décidé de ne pas la faire. Cela m'a toujours mis mal à l'aise, comme en porte-à-faux.

Peut-être, reprit-il après un blanc, qu'il ne voulait pas se retrouver en compétition avec moi. Je crois qu'il aurait assez mal supporté de ne pas faire sa thèse, de ne pas terminer, de rater la soutenance. Parce qu'il était une figure paternelle pour moi, et moi j'étais le fils. Il se devait d'être le meilleur.

J'étais le fils. Il me prit sous son aile. Il était une figure paternelle.

J'écoutais sans rien dire.

Il se devait d'être le meilleur.

Ça, c'était la première chose, dit Nino pour conclure.

Il resta silencieux un bon moment.

La deuxième, c'est que j'ai toujours eu l'impression qu'il avait reculé par peur de l'échec. À mon avis, il n'y avait aucune raison, mais il y a toujours un risque. C'est drôle, parce que, comme tu le sais, notre travail portait sur l'incertitude, sur le hasard, le calcul de probabilités ; il consistait à introduire des nombres aléatoires dans des scénarios-types rejoués dix mille fois, à faire émerger une sorte de certitude au sein même de l'aléatoire, et c'est intéressant du coup de voir que ce qui, à mon avis, cristallisait les peurs de ton père était précisément… le hasard. Le fait de *ne pas savoir* d'avance s'il réussirait. Il n'a tout simplement pas voulu prendre le risque. La plupart des gens sont capables d'assumer : « Bon, j'ai essayé, j'ai échoué, on en reste là. » Mais ton père, lui, ne supportait pas l'échec, et il a préféré ne pas essayer plutôt que risquer de ne pas réussir.

Tout cela se bousculait dans ma tête. Évidemment, je repensais à la révélation d'Oncle Howard, l'année précédente, sur le fait que papa, alors qu'il avait eu la possibilité d'entrer à West Point, y avait renoncé sans que personne comprenne pourquoi. Je repensais à ces fois où, tenté de lâcher mon troisième cycle, d'abandonner ma thèse, je finissais par m'accrocher quand mon père me disait : *Je ne te souhaite pas de regretter toute ta vie de n'avoir pas fini ta thèse.* Durant toutes ces années, il nous avait fait croire que, s'il n'était pas allé au bout, c'était à cause de circonstances indépendantes de sa volonté – à cause de maman et à cause de nous, en somme. Et il apparaissait maintenant que lui seul en avait décidé ainsi. Je tremblai de colère à l'idée qu'il m'ait ainsi menti – qu'il nous ait menti à tous. Mais la colère céda bientôt à la tristesse. Fallait-il qu'il ait eu peur, qu'il ait été si peu sûr de lui, ou les deux… ? Moi aussi j'avais connu cette peur, ce manque d'assurance. En quoi était-ce différent ?

Soudain, tout honteux, je compris ce qui faisait la différence. Contrairement à moi, mon père n'avait pas eu un père qui le pousse à finir, un père qui tenait absolument à le voir réussir mieux que lui, qui encourage son fils à venir à bout d'Homère pour faire mieux que lui.

J'ai toujours eu le sentiment, dit Nino comme s'il lisait dans mes pensées, que cela a été un manque dans sa vie, et à mon avis, c'est justement pour cela qu'il a toujours eu très à cœur la réussite de ses enfants.

Barbara fronça les sourcils. C'était bien connu : mon père avait fait en sorte que tous, nous réussissions nos études, et en général il ne cachait pas sa joie de nous voir les uns ou les autres couverts de lauriers, même en présence d'amis dont les enfants n'étaient pas forcément doués pour les études. Barbara et moi échangeâmes un sourire ; Nino, tout à sa réflexion, restait muet.

À mon sens, reprit-il, c'est pour cela que les symboles de la réussite étaient si importants à ses yeux. Une récompense : c'était bon à prendre ! Un diplôme de troisième cycle : toujours bon à prendre ! Comme si cela vous forgeait une sorte d'armure. Parce que, sur le plan des émotions comme sur celui de l'intellect, il ne voulait pas être vulnérable. *Vulnérable !* C'est le mot clé quand on parle de Jay. Il surcompensait, j'imagine, en se donnant l'air dur, en s'imposant ce... ce code moral solide. Je dirais même rigide.

En me voyant sourire, il se détendit un peu. Ah, je me souviens, une fois, on était partis à El Paso, pour le boulot. C'était au début des années 1960, on était jeunes, mais bien sûr ton père était déjà marié. Au sortir d'un dîner copieux et bien arrosé avec nos correspondants sur place, on a pris l'ascenseur de l'hôtel pour rejoindre nos chambres, et là, deux beautés mexicaines montent avec nous. Sans doute des... – enfin, peu importe, en tout cas, les voilà qui nous déshabillent du regard. Je me tourne vers ton père, qui me fait les gros yeux : « Tu fais ce que tu veux. Moi, je vais me coucher. »

Je l'entendais encore dire : *Sa mère était belle. Pas jolie : belle.*

Ou bien : *Il y a des choses que l'on partage dans un couple qui n'ont rien de physique : des plaisanteries ou des souvenirs glanés au fil du temps, des petites choses que personne d'autre ne sait.*

Et encore : *Quand vous avez cela, ces choses qui font les couples, elles maintiennent le lien bien après que tout le reste est devenu méconnaissable.*

Je ne dis rien.

Peu après, Barbara prit la parole pour la première fois depuis le début du repas. À un moment donné, la conversation sur mon père avait dévié sur d'autres sujets, essentiellement sur les aventures désopilantes de Nino à l'époque où il enseignait en Italie – quand son premier mariage avait périclité. Puis nous en étions revenus à parler de papa et de sa participation à mon séminaire sur l'*Odyssée*, l'année précédente. Nino, bien entendu, avait été au courant tout de suite, car mon père le lui avait dit. Je racontais une anecdote amusante du séminaire à Barbara – qui, comme maman, avait été institutrice et qui me confia qu'elle venait de relire l'*Odyssée* – quand elle s'exclama soudain : Pas étonnant que Jay ait détesté Ulysse ! Ulysse était un aventurier, un menteur. Un type qui aimait le risque !

Nous partîmes tous trois d'un bon rire. C'est sûr qu'un personnage comme Ulysse, embraya Nino, qui finit toujours par se tirer d'affaire, devait lui sortir par les yeux !

C'est à ce moment-là que Barbara, en me regardant bien en face, me dit lentement : Oh, toi, je sais ce que tu fais. Je sais pourquoi tu es venu interroger ton oncle. Je sais pourquoi tu es ici !

Ah bon, et qu'est-ce que je fais alors ? Pourquoi suis-je ici ?

Barbara sourit lentement, toute contente d'elle-même, tel un étudiant persuadé d'être plus malin que son professeur : Tu fais comme Télémaque.

Je ris, mais ne relevai pas.

Et elle, insistante : Alors ? Qu'as-tu appris ?

C'était à mon tour de parler.

La dernière scène de reconnaissance de l'*Odyssée* intervient dans le dernier chant, le chant XXIV. Après ses retrouvailles avec Pénélope, Ulysse quitte le palais et va chercher son père, dans la proche campagne où le vieil homme s'est exilé. *Un fils en quête de son père.* Ainsi commence l'*Odyssée*, et ainsi finit-elle.

Ulysse trouve Laërte occupé au verger mais, plutôt que de courir « l'étreindre et l'embrasser, de tout lui raconter : qu'il était enfin là, de retour au pays », il décide curieusement de tester le vieillard, de « le mettre à l'épreuve par des paroles blessantes ». Une fois encore, donc, il revêt une fausse identité, se présentant à Laërte comme un vieil ami d'Ulysse qu'il aurait vu, affirme-t-il, sain et sauf, moins de cinq ans plus tôt. Mais le vieux roi flétri, usé par le chagrin, à force de pleurer son fils qu'il croit mort, tombe à genoux et, ramassant au sol de pleines poignées de terre, se les frotte sur la tête en signe d'extrême souffrance. À ce spectacle, Ulysse, bouleversé, tombe le masque, le dernier d'une longue série, et, après avoir dévoilé sa véritable identité à son père, l'embrasse enfin.

Nous sommes proches de la fin du poème. Laërte, Ulysse et Télémaque doivent encore affronter une foule enragée d'hommes en armes : les pères des prétendants qui, déchaînés, viennent venger le massacre de leurs fils. « Ah, quel jour pour moi », s'exclame Laërte tandis qu'ils partent au combat, « Voir mon fils et mon petit-fils rivaliser d'ardeur ! » Mais c'est bien le grand-père, le vieil homme usé par les ans, faible et impuissant, que l'*Odyssée* magnifie à la faveur d'une ultime intervention magique : les trois hommes, de trois générations différentes, sont aux prises avec leurs ennemis, quand Athéna rend à Laërte sa vigueur de jeune homme, lui permettant, d'un puissant coup de lance, de tuer le père d'Antinoüs. Ce sera d'ailleurs le seul mort de la bataille ; car ensuite,

Athéna et Zeus s'entendent – pour clore le poème – tout comme, douze mille vers plus tôt, ils avaient conspiré pour amorcer l'action. Après avoir, par enchantement, effacé l'offense dans l'esprit des parents et jusqu'au souvenir des hommes massacrés, les deux divinités imposent aux mortels un traité de paix ; Athéna elle-même leur en dicte les termes.

Certains commentateurs et lecteurs de l'*Odyssée*, anciens et modernes, ont désapprouvé cet épilogue par trop solennel et politique ; la vraie fin du poème, selon eux, se joue au chant XXIII, avec les retrouvailles d'Ulysse et Pénélope. Mais ce serait oublier dans quelles circonstances commence l'*Odyssée* : Ithaque vit une crise, se trouve dans une impasse qui a paralysé la vie de tout un peuple, outre celles de la femme et du fils d'Ulysse. Pourtant, à l'annonce sentencieuse du traité de paix, succède encore une ultime pirouette. Dans les deux derniers vers du poème, Homère décrit la déesse de la sagesse au moment où elle impose la trêve :

> Pallas Athéna, fille de Zeus, qui porte l'égide,
> avait pris de Mentor et la forme et la voix.

L'*Odyssée* s'achève donc sur un pied de nez : ce n'en est pas fini des camouflages et des supercheries.

Comme pour donner raison à ceux qui font des retrouvailles d'Ulysse et Pénélope le point d'orgue absolu de l'*Odyssée*, nous nous attardâmes sur cette scène, à la dernière séance du séminaire, bien au-delà de la pause, débordant largement sur la deuxième moitié du cours. Il ne nous resta donc qu'assez peu de temps pour parler de l'épisode où Ulysse retrouve son père et de la fin controversée du poème. Comme l'épopée, plus le cours tirait vers sa fin, plus il passait vite ; sur le coup de midi et demie, tout le monde parlait en même temps et les notes de cours que je pris ce jour-là reflètent si bien cette cacophonie que j'ai moi-même du mal à m'y retrouver.

Deux ou trois étudiants avaient des choses à dire sur la scène entre Ulysse et Laërte. Madeline, par exemple, soutenait que c'était sans doute la plus satisfaisante, sur le plan émotionnel, des différentes scènes de retrouvailles de l'*Odyssée*. Nina, elle, était troublée par la méchanceté gratuite du héros envers son père.

C'est carrément de la torture, s'écria-t-elle, avec plus de véhémence qu'elle n'en avait manifesté de tout le semestre. Ça ne m'a pas plu *du tout*, poursuivit-elle. Ulysse est trop habitué à jouer son petit jeu, mais là, il n'a plus aucune raison de cacher son identité. Ça sonne faux, je trouve.

Jack lui fit alors une réponse intéressante – Ce test, qu'Ulysse impose à Laërte, est nécessaire tout simplement parce que c'est lui ; est-ce que Laërte croirait qu'Ulysse est celui qu'il dit s'il n'avait pas tenté de le tester comme les autres ? – quand je vis mon père regarder sa montre. Il était 12 h 40 ; nous étions en retard. Il avait un train à prendre.

C'était fini. Je dis, en quelques mots, combien j'avais apprécié le séminaire, quelques étudiants applaudirent, un peu embarrassés, puis ils se levèrent, s'attardèrent un peu dans la salle, et enfin, ils partirent tous.

J'accompagnai mon père au train.

Ce n'est qu'en rentrant de la gare que je me rendis compte que j'avais oublié de poser la seule question qui appelait vraiment une réponse : une question qui, contrairement à trop de mes questions peut-être, n'était pas rhétorique, ne visait pas particulièrement à les guider vers une idée, une interprétation, une notion à laquelle ou moi, ou l'un de mes professeurs ou encore l'un de leurs professeurs avant eux, serions parvenus au terme d'années, de décennies voire de siècles de lectures, mais une question qui appelait sincèrement une réponse propre à m'informer, à m'instruire, à me cultiver.

J'avais été tellement surpris par la virulence de la réaction de Madeline et de Nina à la façon dont Ulysse traite son père, tellement intrigué par l'idée qu'avait lancée Jack, d'une méfiance consubstantielle à l'identité plurielle du héros, que, dans le feu de la discussion, je n'avais pas trouvé l'occasion d'attirer leur attention sur une bizarrerie qui m'avait souvent sauté aux yeux.

L'*Odyssée*, nous l'avions vu plus d'une fois, est un poème qui met à l'honneur la narration sous toutes ses formes, certaines de ces formes, d'ailleurs, étant trompeuses, voire mensongères – preuve en sont les histoires contées par Ulysse lui-même. Pourtant, s'il n'a aucun scrupule à mentir à ses compagnons, à ses hôtes, à ses bienfaiteurs, à ses domestiques, à son fils, à sa femme ni même à Athéna, il est une fable qu'il ne parvient pas à mener à terme : celle qu'il raconte à Laërte. Ma question, si seulement j'avais eu la possibilité de la poser, eût été la suivante : comment se fait-il que, du point de vue d'Homère, le seul mensonge vraiment inconcevable soit celui d'un fils à son père ?

Ce fut deux ou trois jours plus tard que Froma, mon ancien mentor, m'incita à faire cette croisière sur les traces d'Ulysse.

Je l'avais appelée pour son anniversaire. Bon anniversaire ! clamai-je dans le combiné. Cela n'eut pas l'air de lui faire spécialement plaisir. Et toi, ça te fait quel âge, maintenant ? me demanda-t-elle entre deux toussotements. Ma réponse la fit hurler : Cinquante-quoi ? Tu m'étonnes que je sois vieille !

Puis nous commençâmes à discuter et la conversation glissa tout naturellement vers le semestre qui venait de s'achever.

Alors, comment ça s'est passé ? demanda-t-elle. Est-ce qu'il est beaucoup intervenu en classe ?

J'éclatai de rire et lui racontai quelques-uns de nos petits démêlés. *Ce n'est pas un héros : il pleure à tout bout de champ. Ce n'est pas un héros : il trompe sa femme. Ce n'est pas un héros : les dieux font tout à sa place !*

Et les étudiants, qu'est-ce qu'ils en ont dit ?

Il se trouve que j'avais une assez bonne idée de ce que les étudiants avaient pensé de lui puisque, à ma grande surprise, quelques-uns m'avaient envoyé un e-mail après le dernier cours pour me dire combien ils avaient apprécié la présence de papa. J'en lus un petit florilège à Froma.

Tommy avait écrit : « Il avait toujours l'air de partager notre enthousiasme à la lecture de l'œuvre, et il a fait preuve d'une grande curiosité intellectuelle pour son âge. »

C'est adorable ! s'exclama Froma.

Jack avait trouvé en mon père un « personnage tout à fait joyeux et amusant ». « Avoir votre père avec nous a été formidable, m'avait-il écrit, il a illuminé la classe de sa présence. » Joyeux et amusant ? m'étonnai-je en découvrant ce mail. Illuminer la classe ? Mais de qui parlait-il, au juste ?

Un message de Tom-le-Blond me surprit pour une autre raison :

J'ai eu le plaisir de croiser votre père en dehors des cours. Une fois, nous étions tous les deux à la gare de Rhinecliff. J'étais venu chercher des amis, et lui il attendait son train pour rentrer. Nous avons parlé presque une heure, de l'*Odyssée* et de la vie en général. Ce qui m'a frappé, c'est son honnêteté, sa détermination et sa gentillesse. C'était une super-conversation. Merci de l'avoir fait venir dans votre cours.

Quand j'ai lu cela, je me suis demandé pourquoi mon père ne m'avait jamais dit qu'il avait croisé Tom à la gare. Début mars, au moment où nous abordions les *Apologoi*, quand il m'avait fait part de sa décision de venir chaque semaine en train plutôt qu'en voiture, je croyais dur comme fer que c'était parce que, sans vouloir l'admettre, il avait peur de conduire. Jamais je n'avais imaginé qu'il pût avoir une autre raison de vouloir prendre le train toutes les semaines.

J'eus aussi un message de Madeline :

Je l'ai souvent croisé à la gare de Rhinecliff ; il m'a toujours reconnue et saluée. Nous avons eu de nombreuses discussions sur l'*Odyssée* et sur le cours, qui m'ont aidée à approfondir mes idées. Un jour qu'il voyageait avec l'un de mes bons amis, qui vient aussi de Long Island, il a passé tout le trajet à lui parler de son travail, comme professeur et quand il était chez Grumman. Il s'est toujours montré très ouvert, et très gentil d'une façon générale. Je suis sûre que vous l'avez beaucoup impressionné en cours, même s'il n'était pas toujours d'accord avec vos interprétations.

Brendan avait écrit :

Votre père m'a impressionné un jour que nous attendions le train, en me racontant une histoire de l'époque où il étudiait le latin au lycée. Ce qui m'a impressionné, c'est qu'après toutes ces années, il tienne à finir ce qu'il avait commencé à une époque où il était à peine plus vieux que nous. Qui peut en dire autant ?

Je continuai ainsi, jusqu'à entendre Froma pouffer de rire. Eh ben, on peut dire qu'il a fait sa petite impression, tu ne crois pas ?

Oui, c'est sûr. Je n'aurai sans doute plus jamais une classe comme celle-ci.

J'essayais de le prendre avec humour, mais au fond j'étais contrarié. Tout au long du semestre, j'avais régalé amis et collègues d'anecdotes sur mon père de quatre-vingt-un ans qui avait eu l'idée farfelue de retourner en classe et de suivre mon cours sur l'*Odyssée* ; mais en fin de compte, mon père avait été un véritable « étudiant », au sens du latin *studium*, « application assidue ». Il s'était appliqué comme je n'aurais pu en rêver, et moi, je n'avais rien vu.

À l'autre bout du fil, Froma me demanda ce que j'avais de prévu pour cet été. Je voyais d'ici la fumée bleutée monter en volutes au plafond de son bureau, à Princeton, longer les étagères surchargées, les rideaux de macramé, les affiches des années 1970 et 1980 annonçant tel ou tel colloque à Paris, Groningue, Berlin ou Jérusalem, des colloques dont les participants devaient être à présent tout aussi morts que les bibliothécaires d'Alexandrie. Je décelais un cliquetis derrière sa voix, telles des pièces de monnaie tintant au fond d'une poche. Elle jouait avec ses bijoux, devinai-je, faisant tourner sur son doigt son dernier « objet ».

Attends ! s'écria-t-elle. Il y a une chose que tu dois faire ! Je t'envoie un lien.

Je souris au souvenir de toutes les fois où, au fil des années, Froma m'avait encouragé à faire telle ou telle chose, à visiter tel lieu, à m'efforcer de voir les choses autrement, de façon moins rigide. Je songeais à ce qu'elle m'avait dit une fois, alors que je peinais à finir ma thèse. J'étais venu la voir dans son bureau, bloqué et au désespoir, parce que l'idée géniale qui m'avait emballé finalement ne marchait pas. Après que j'ai eu fini de me plaindre, elle m'a regardé dans les yeux et m'a dit : Ton problème, c'est que tu considères comme un problème tout ce qui ne cadre pas avec ta théorie, au lieu d'y voir une occasion d'élargir ton point de vue et d'élaborer une meilleure théorie. Tu es tellement obnubilé par tes idées à toi que tu ne vois pas ce qui est au bout de ton nez.

Je l'entendais encore me tenir ce propos. Et soudain, cela me sauta aux yeux. J'avais encore fait la même chose – je n'avais fait que ça durant tout le semestre. Encore et toujours j'avais été si décidé à transmettre aux étudiants ma façon de voir, si obsédé par un objectif : faire en sorte que les interprétations qu'on m'avait inculquées quand j'étais étudiant soient aussi le bagage avec lequel ils quitteraient mon cours, que j'avais considéré leurs résistances, leur incapacité à relever ce que je voulais qu'ils repèrent comme un problème plutôt que comme une solution – comme une occasion de voir quelque chose que je n'avais pas remarqué tout seul. Ils avaient bien essayé de me dire tout cela, le jour où ils avaient défendu avec tant de fougue leur hypothèse sur les *Apologoi*, selon laquelle Homère suggérerait qu'Ulysse avait forgé son histoire de toutes pièces ; mais j'avais à peine écouté.

Ce jour-là, Brendan avait dit une chose, qui résonnait à présent dans ma tête : *Je me demandais... à votre avis, on ne pourrait pas dire que le sujet de cette histoire, c'est aussi notre façon d'écouter ? Comment ce qu'on a soi-même en tête influence la façon dont on entend les choses ? Parce que, en fait, le problème de fond, ici, c'est que depuis le début, Polyphème n'entend que ce qu'il veut bien entendre.*

J'avais entendu ce que je voulais entendre. J'avais vu ce que j'avais voulu voir, aussi — passant à côté, encore une fois, de ce que j'avais là, sous les yeux. Je me souviens comme mon père m'avait agacé, régulièrement au cours du semestre, à cause de sa froideur avec les étudiants, de la place qu'il s'était choisie, sur la gauche, derrière mon dos, ou encore à cause de sa façon de désigner Madeline, Nina ou Tom-le-Blond par de vagues pronoms : *Je suis d'accord avec elle, Je suis d'accord avec lui,* alors qu'en fait, pendant tout ce temps, il avait appris à les connaître, pris la peine de les écouter. Tout au long du semestre, je m'étais mis dans ce rôle illusoire d'une sorte d'Ulysse de la pédagogie, guidant mes troupes au cœur de l'aventure palpitante du texte, mais en fin de compte je n'étais que le Cyclope.

Je ruminais ces idées sombres quand Froma s'écria, triomphale : J'ai trouvé !

Trouvé quoi ? Une seconde ! dit-elle, et juste après, j'entendis biper ma boîte de réception. J'ouvris son mail et cliquai sur le lien. Il m'amena sur le site d'une compagnie de croisières : « Sur les traces d'Ulysse », affichait l'écran.

Il faut ab-so-lu-ment que tu y ailles ! s'exclama Froma. Et c'est ainsi que j'ai appelé mon père, lui ai envoyé le lien et, qu'à mon grand étonnement, il m'a rappelé pour me dire, OK, Dan, on y va.

Parmi les e-mails d'étudiants évoquant la présence de mon père au séminaire, il en est un que je n'ai pas lu à Froma ce jour-là – peut-être par honte de mon échec, ou en raison d'une rivalité obscure avec mon père, je ne saurais le dire encore aujourd'hui.

Le dernier e-mail que j'ai reçu après la fin du semestre venait de Trisha, qui plus tard se spécialiserait en lettres classiques et s'illustrerait en licence par un mémoire *bigrement brillant* sur le thème des grottes chez Homère et dans la littérature grecque postérieure, devenant ainsi le dernier maillon d'une chaîne de critiques de l'*Odyssée* remontant au IIIe siècle avant notre ère, avec Porphyre et son traité *L'Antre des Nymphes dans l'Odyssée*. Son message se terminait par quelques phrases qui décrivent, avec un laconisme et une absence de sentimentalisme dont je ne puis m'empêcher de penser qu'ils lui auraient valu l'admiration de mon père, qui décrivent, donc, l'effet que, de tous temps et en tous lieux, les professeurs ont toujours espéré produire sur leurs étudiants :

> C'est un homme extraordinaire ; sa présence à chaque cours était merveilleuse.
> C'était un plaisir de discuter avec lui. Je ne pourrai plus lire l'*Odyssée* sans penser à lui.

Non, vraiment, quand vous enseignez, vous ne savez jamais quelles surprises vous attendent : qui vous écoutera ni même, dans certains cas, qui délivrera l'enseignement.

SÊMA
(Le signe)

6 avril 2012

Voilà, je te le dis, tel est donc notre signe. Ce que j'ignore, ô femme, c'est si le lit est encore à sa place, ou si quelqu'un d'autre l'a déplacé ailleurs…

Odyssée, XXIII, 202-204

L'angoisse diffuse qui colore le début de l'*Odyssée*, l'incertitude qui plane en permanence sur le sort du héros disparu et tourmente son fils, sa femme et toute sa maisonnée, est symbolisée par un motif marquant bien que macabre : un tombeau vide, un corps absent. Au fil de l'épopée, plusieurs personnages déplorent le fait qu'Ulysse, qu'ils croient désormais mort en mer, n'ait pas été enterré. Le père, l'époux, le roi disparu n'a pas de tombe, pas de *tumulus* – ce monticule qu'élevaient les Grecs de l'âge de bronze au-dessus d'une sépulture pour signaler la présence d'un mort –, ni non plus la moindre stèle gravée pour rappeler à la postérité qui il fut et ce qu'il fit. « S'il était mort à Troie parmi ses compagnons, se lamente Télémaque au chant I, tous les Grecs ensemble lui eussent élevé un tertre [...]. Mais les tempêtes l'ont pris, nulle gloire pour lui ! » Qu'un mort puisse ne pas être enseveli suscitait chez les Grecs un sentiment d'horreur, qu'illustre déjà le proème de l'*Iliade* qui, dès les premiers vers, évoque avec dégoût ceux des héros tombés à Troie qui servirent « de pâture aux oiseaux et aux chiens ». De nombreux autres mythes grecs témoignent également de cette profonde angoisse culturelle causée par les morts laissés sans sépulture. C'est un thème central, par exemple, du mythe d'Antigone, la fille d'Œdipe, éponyme d'une tragédie de Sophocle postérieure de près de trois siècles aux poèmes homériques : l'histoire d'une jeune princesse, Antigone, qui, au péril de sa vie, décide de braver le cruel décret interdisant l'enterrement de son frère, un traître à sa patrie. Ce qui est intéressant, chez Sophocle, c'est que la pièce semble donner raison à Antigone, dès lors que son adversaire, le roi qui a édicté cette loi, finit par céder et par ensevelir lui-même le jeune homme. Cette idée que même les méchants et les criminels méritent des funérailles décentes remonte à l'*Odyssée*. Au chant III, nous apprenons ainsi que les meurtriers d'Agamemnon, ensevelis ensemble dans un même tombeau, reçurent les honneurs funèbres rituels après avoir été assassinés par le fils vengeur du roi de Mycènes.

Ce souci des rites funéraires se poursuit tout au long de l'épopée. Au chant XI, quand Ulysse, dans l'Hadès, rencontre l'ombre du malheureux Elpénor, le fantôme du marin, comme nous le savons, le supplie de lui donner une sépulture.

> Puisses-tu me brûler avec toutes mes armes,
> m'élever un tombeau sur le rivage gris,
> que la postérité sache mon triste sort.
> Quand tout ça sera fait, plante donc sur ma tombe un de
> ces avirons,
> grâce auxquels je ramais, vivant, parmi mes compagnons.

Comme nous le savons aussi, Ulysse s'exécute et lui érige un mémorial selon ses vœux – soit, au fond, exactement le tombeau que la famille d'Ulysse aurait souhaité pour lui, si l'on s'en réfère au chant I. Et un peu plus tard, quand Ulysse, grimé, trouve refuge dans la cabane d'Eumée, le thème revient encore. Le loyal porcher, comme d'autres personnages, est persuadé que son maître bien-aimé est mort depuis longtemps, qu'il a disparu en mer, et il répète presque mot pour mot la triste plainte déjà entendue au chant I : « Tous les Grecs ensemble lui eussent élevé un tertre [...]. Mais les tempêtes l'ont pris, nulle gloire pour lui ! » Curieusement, la formule est reprise encore une fois au dernier chant de l'épopée, le chant XXIV, au cours d'une conversation entre deux esprits après que la nouvelle du triomphe d'Ulysse sur les prétendants est parvenue au royaume des morts. L'une de ces ombres est celle d'Achille, l'autre celle d'Agamemnon. La victoire d'Ulysse réjouit tout particulièrement ce dernier, dont le retour – il tomba sous les coups de sa femme adultère aidée de son amant, après avoir pourtant, en conquérant de Troie, fait en son palais une entrée triomphale – représente, comme mes étudiants l'avaient bien compris, l'inverse exact du retour discret d'Ulysse : en secret, déguisé, il rejoint pour sa part une épouse qui se révèle avoir été fidèle. Au souvenir du funeste retour d'Agamemnon, l'ombre d'Achille reprend les vers désormais familiers : « Ah, si tu avais pu trouver la mort, ton destin, au pays des Troyens, dit le défunt Achille au défunt Agamemnon, là tous les alliés Grecs t'auraient dressé un tertre ! » En retour, Agamemnon fait une longue et très émouvante description des honneurs funèbres que les Grecs rendirent à Achille : une scène que même l'*Iliade* ne raconte pas, puisqu'elle se termine avant la mort du héros. Pour la plus grande gloire d'Achille, Agamemnon rappelle combien grandioses furent ses funérailles : les sanglots des soldats, le cri déchirant de sa mère en deuil, la nymphe Thétis, le thrène mélodieux entonné par les Muses, toutes neuf en personne, les dix-sept jours de lamentation et la mise au bûcher le dix-huitième, l'urne d'or, forgée par nul autre qu'Héphaïstos, dans laquelle sa mère déposa les ossements. « Et sur ces restes, nous, la sainte armée des Argiens porte-lance, élevâmes alors un grand et noble tertre au bout d'un promontoire. »

Comment ne pas voir, dans cet ultime chant du poème, qu'à travers les allusions récurrentes et jamais anodines aux tombes et aux enterrements – l'absence de sépulture d'Agamemnon, les somptueuses funérailles d'Achille – que l'*Odyssée* est en train d'« enterrer » l'*Iliade* : c'est-à-dire qu'elle vient mettre un terme, faire ses adieux à l'œuvre qui la précède autant qu'à elle-même. Bien que l'*Odyssée*, prise à grands traits, ait tout d'une comédie – au fond, elle se termine bien : victoire du héros, réjouissance générale, mariage, même, si l'on peut dire –, les allusions, étrangement fréquentes, aux tombes et aux enterrements, avec toutes les connotations qu'elles charrient – l'inexorable, le fini, l'achevé –, lui confèrent une note franchement mélancolique.

D'ailleurs, l'*Odyssée* s'efforce de nous décrire les circonstances de la mort d'Ulysse, bien que l'événement sorte largement du cadre de l'intrigue. Toujours à l'occasion du même séjour dans l'Hadès, au chant XI, où l'on apprend comment précisément est mort le malheureux Elpénor, le devin Tirésias annonce la fin d'Ulysse et, du même coup, la fin du poème. Après avoir tué les prétendants, dit-il à Ulysse, il lui faudra apaiser la colère si tenace de Poséidon. Pour ce faire, il devra, emportant avec lui une rame, symbole de sa longue errance mais aussi de la mer, le domaine de Poséidon, s'avancer dans les terres, cette rame à la main, jusqu'à rencontrer un peuple ignorant à ce point de l'univers marin, que ses habitants prendront la rame pour une pelle à vanner – soit un objet relatif à la moisson, à l'agriculture, bref, à la terre ferme. Là, conseille Tirésias, il lui faudra planter cette rame dans le sol et faire un sacrifice à Poséidon. Autrement dit, il doit faire connaître la mer là où elle est ignorée, accroissant ainsi la renommée du dieu offensé, que ce geste de dénouement apaisera. Ce qui est intéressant ici, c'est que le monument expiatoire qu'Ulysse est censé ériger ressemble singulièrement au tombeau qu'Elpénor l'a supplié de lui accorder : c'est un tertre avec une rame plantée dessus. Ce curieux monument est en fait une sorte de « tombeau » pour Ulysse : car, tout en décrivant l'étrange rite qu'Ulysse doit accomplir, le fantôme de Tirésias prédit aussi le moment de sa mort, bien des années plus tard :

> Loin de la mer une douce mort viendra te chercher,
> Elle t'emportera quand tu seras bien vieux,
> entouré de ton peuple : et ce sera pour toi une
>   bénédiction.

Ce bond dans le temps, qui anticipe largement sur la mort du héros, a son pendant plus loin dans le poème, avec le retour en arrière du chant XIX amorcé par l'histoire de la cicatrice, qui nous ramène à une époque plus ancienne, celle de sa naissance. Ces couples d'opposés – la mort et la naissance ; le bond vers l'avant et le retour en arrière – nous rappellent que cette histoire à rallonge a beau se présenter comme le récit, détaillé à l'extrême, d'un seul épisode de la vie du protagoniste, l'*Odyssée* est plutôt une sorte de biographie, qui, par la magie de quelques artifices narratifs et chronologiques, en vient à embrasser l'existence entière de son héros. La mort d'Elpénor est l'une de ces astuces, le substitut d'une mort que l'épopée ne nous donne pas à voir ; mais nous savons toutefois que l'histoire ne sera terminée que lorsque le héros sera mort et enterré, pleuré et enseveli.

Le mot grec pour désigner un « tombeau », celui qu'emploie Elpénor quand il implore Ulysse de lui « élever un tombeau » est : *sêma*. Le terme signifie « tombe » ou « tombeau », mais ce n'est là qu'une deuxième acception ; dans sa première acception, il veut dire « signe », ou « signal », comme dans le mot « sémiotique », l'étude des signes et des symboles, la discipline philosophique qui s'intéresse à la production du sens. Pour en revenir aux Grecs, construire un de ces tombeaux ou *sêmata* (pluriel de *sêma*), si présents dans l'*Odyssée*, était un moyen de transmettre un message sur leurs occupants ; leur fonction était de raconter des histoires. Au chant I, par exemple, un personnage déplore qu'Ulysse, n'ayant pas de sépulture à Troie, soit aussi privé de toute « gloire » – ce qui montre bien à quel point le tombeau est censé « parler » de celui qu'il abrite. De la même façon, au chant XI, Elpénor affirme que son *sêma*, surmonté de la rame qui symbolise la tâche à laquelle il a passé sa vie, parlera de lui aux générations futures. Et le sanctuaire qu'Ulysse se voit enjoindre d'élever à Poséidon, également décrit au chant XI, est conçu lui aussi pour raconter une « histoire » – l'histoire d'un ennemi de Poséidon qui finit par se réconcilier avec lui en se faisant son ambassadeur auprès de peuples qui autrement ne l'eussent jamais connu.

Si, le plus souvent, le terme désigne les multiples tombeaux, mausolées et autres monuments que croise Ulysse au gré d'un long et singulier parcours, il est une autre occurrence du mot *sêma* dans l'*Odyssée*, associée à un contexte beaucoup moins lugubre. Elle se trouve au chant XXIII, quand Ulysse, piqué au vif par le piège subtil que lui a tendu Pénélope, entreprend de décrire, avec une telle tendresse dans le détail, le lit conjugal qu'il a jadis fabriqué de ses mains, ce lit dont le secret, la petite histoire, était d'être impossible à déplacer. En conclusion de sa véhémente réplique, il désigne le secret du lit comme un *sêma*, un signe distinctif entre lui et Pénélope, le symbole de leur lien indéfectible.

D'où il ressort que, dans le monde de l'*Odyssée*, un *sêma* est une histoire matérialisée : le monument, le *tumulus*, la rame, le lit sont des signaux qui, pour qui sait les lire, racontent des histoires aussi limpides que le récit dans lequel ces *sêmata* s'inscrivent, celui que chante le poète.

Malgré tout, le plus souvent, le mot désigne un tombeau, qui peut prendre la forme d'un tertre ou bien d'un objet (une rame, par exemple) qui, avec le temps, vient se substituer au corps devenu invisible et, attirant l'œil du passant, l'invite à faire halte et à méditer un instant ; quant à l'inscription, souvent écrite en vers, que l'étranger lit après s'être arrêté, elle raconte la vie que ce corps a vécue.

Mon père a eu son attaque le 19 janvier, deux mois après sa chute sur le parking. Dès avant le réveillon, il avait quasiment récupéré de la légère fracture du bassin causée par sa chute ; le seul ennui, c'est qu'un petit caillot s'était formé dans sa jambe juste après les vacances – chose dont les médecins, d'ailleurs, nous avaient prévenus qu'elle pouvait arriver. Quelques semaines après le premier de l'an, il se rendit à l'hôpital le plus proche pour éliminer le caillot – une intervention bénigne ; le lendemain, il était sorti. Pour prévenir la formation d'un nouveau caillot, il fut mis sous anticoagulants, et ce sont les anticoagulants qui provoquèrent l'AVC, le sang fluidifié fuyant des vaisseaux de son cerveau, de tout petits vaisseaux que, nous expliqua plus tard le neurochirurgien, son long passé de fumeur avait dangereusement fragilisés. En gros, nous expliqua ce même médecin, à ma mère et à moi, en commentant une image du cerveau de mon père, durant cette première nuit, la nuit où je l'avais rejointe à l'hôpital après qu'elle avait appelé les urgences, après qu'*il n'arrivait pas à brancher son iPad et [que] j'ai compris que quelque chose n'allait pas*, en gros ses vaisseaux étaient aussi friables que du sucre filé ; il suffit d'un rien pour qu'ils s'effritent petit à petit. Et alors même que j'avais sous les yeux le cerveau de mon père, je relevai la justesse de cette comparaison triviale, *aussi friable que du sucre filé*. Homère aurait pu la faire.

Aussi friable que du sucre filé. J'entendais encore mon père, racontant autrefois à qui voulait l'entendre qu'il avait arrêté de fumer du jour au lendemain, tout fier d'y être parvenu par la manière forte. Je regardai tour à tour la scanographie, puis le médecin : Mais mon père ne fume pas, m'étonnai-je. Il y a longtemps qu'il a arrêté, depuis les années 1970, je dirais.

Le médecin secoua la tête. Cela fait longtemps, c'est vrai, mais croyez-moi, le mal est fait.

Nous avions été informés dès le début que le « mal » était sérieux. La nuit de l'attaque, le jeune neurochirurgien nous montra, en les levant sous la lampe, les radios et les images IRM, et expliqua quelque chose au sujet des lobes préfrontaux. Là, dit-il en désignant une tache sombre, ça c'est l'AVC.

Ma mère était sur une chaise à côté du lit de mon père dans l'unité de soins intensifs neurochirurgicaux, où de multiples écrans permettaient de suivre l'évolution de la fréquence cardiaque de papa, de sa respiration, des substances chimiques contenues dans son sang. Ça ressemble à son bureau, me dis-je. Sur sa chaise, ma mère avait l'air toute petite, comme effarouchée, la tête complètement rentrée dans le col de sa parka. On aurait dit un oiseau cherchant refuge dans son plumage.

Là ? dit-elle, en pointant d'un doigt tremblant l'espèce de tache de Rorschach que le chirurgien avait indiquée. Le diamant que mon grand-père lui avait acheté cinquante ans plus tôt, trouvant cela plus digne d'elle que l'alliance toute simple que mon père aurait pu lui payer, brillait au doigt noueux duquel elle suivait les contours de la tache, de « l'hémorragie ». Mais, on dirait que ça fait toute sa tête, dit-elle.

C'est bien ce que je voulais dire, madame Mendelsohn, reprit le médecin. Elle est très éten... enfin, elle est très grande.

Ma mère se redressa d'un coup. Depuis quelques années, elle se tassait et se courbait, mais là, on eût dit qu'elle avait pris dix centimètres d'un coup. Elle regarda le médecin dans les yeux. Écoutez, jeune homme, je sais ce que veut dire le mot « étendu ». J'ai enseigné dans les écoles publiques de New York. Je suis enseignante et mon mari est mathématicien. Mon fils est professeur d'université. Nous ne sommes pas des imbéciles, alors arrêtez de nous parler par monosyllabes.

Je suis désolé, bafouilla-t-il, interloqué.

Cessez de me parler comme à une enfant, poursuivit maman. Je cherche simplement à comprendre ce qui est arrivé à mon mari. Il a déjeuné avec d'anciens amis de son travail, tout allait bien, et puis, il n'a pas su retrouver la porte du restaurant, puis il n'a pas pu brancher son iPad. Je ne comprends pas ce qui a pu se passer.

C'est à cause des anticoagulants qu'il prenait, dit le médecin. Comme vous le savez, il avait un petit caillot depuis sa chute du mois de... – il fouilla dans le dossier posé sur ses genoux – de novembre.

Oui, c'est ça, dit ma mère. Nous étions tous chez Andrew, mon fils aîné. Nous étions en Californie pour Thanksgiving. Ils étaient juste allés faire quelques courses, c'est ça, Jay et Andrew faisaient des courses pour le repas de Thanksgiving, tout le monde allait arriver. Et il y a eu ce *putain* de bout de métal – je levai les yeux, stupéfait ; je crois que je n'avais jamais entendu ma mère prononcer ce mot-là auparavant – qui dépassait de ce truc sur le parking, le truc où on range les caddies, et Jay a trébuché dessus et il est tombé. C'est comme ça que ça a commencé.

Oui, répondit le médecin avec une douceur empruntée. Oui. Mais ce n'est pas la peine de me refaire toute l'histoire, il ne s'agit plus de la chute, mais de l'AVC de votre mari, provoqué par les anticoagulants qu'il a pris la semaine dernière pour dissoudre le caillot.

Eh bien *moi*, j'en ai besoin, de cette histoire, le rabroua ma mère. J'essaie de trouver du sens à tout cela.

Ce scénario allait se répéter moult fois dans les trois mois à venir : les docteurs qui parlent de haut à maman, et maman qui les envoie promener. *C'est la dernière de mes phases d'affirmation*, me dit-elle plus tard. Je ris. Dans les années 1970, elle avait une petite quarantaine – c'était la grande époque de la libération de la femme, et ses conversations avec la Bande des Cinq, quand on se retrouvait pour les vacances, avaient pris des airs de messes basses vaguement complotistes, tandis que dans les cuisines du New Jersey, de Long Island et des banlieues de Washington, ça causait de Betty Friedan et de Gloria Steinem –, c'est dans les années 1970, donc, qu'elle avait traversé la première de ces « phases ». *Je suis ta mère, pas ta bonne !* aboyait-elle quand l'un d'entre nous lui demandait un service. *T'as qu'à les laver toi-même, tes chaussettes de tennis. Tu sais où est la machine.* Puis, dans les années 1980, elle prit fait et cause pour la défense de l'environnement, et on la vit soudain, avec des militants du quartier, hurler dans les meetings, mégaphone en main, fabriquer des tracts, brandir sous le nez des députés des données sur la pollution des nappes phréatiques, chiffres et graphiques à l'appui, se détachant à l'encre rouge des pages de ses blocs jaunes. *Ta mère a toujours eu la tête bien faite, et maintenant elle s'en sert*, disait parfois mon père durant cette phase particulièrement combative, avec une pointe d'admiration manifeste. Ma mère aimait conserver les flacons de parfum qu'elle ne portait plus sur une étagère de son cabinet de toilette, de minuscules fioles en cristal ou en verre noir arborant en lettres d'or leurs noms

exotiques, *SHALIMAR*, *SUBLIME*, *ARPÈGE*, et ne contenant plus depuis longtemps qu'un concentré brunâtre,
tout au fond du flacon, et quand on en ouvrait un,
comme j'aimais à le faire en secret durant mon enfance,
le parfum vous explosait au visage et emplissait l'air, aussi
puissant que des sels volatils, et chacun faisait resurgir un
souvenir lointain, maman dans les années 1970 en
tailleur-pantalon de velours vert, une ceinture argentée
lui tombant sur les hanches, qui se rendait à une bar-
mitsvah un peu chic, maman à la fin des années 1960
venue nous dire bonne nuit, à Andrew et à moi, qui se
penchait sur nous dans son manteau d'astrakan avec la
toque assortie, ses cheveux châtains prenant des reflets
acajou contre les boucles noires de la fourrure d'agneau,
avant de sortir dîner « en ville », et papa qui la regardait
fièrement en lui tenant la porte, feignait de s'impatienter
en la regardant enfiler ses gants noirs en chevreau, alors
qu'au fond il savourait ces instants. Quand mon père
disait, *Ta mère a toujours eu la tête bien faite, et maintenant
elle s'en sert*, le parfum de quelque chose venu du passé,
un flacon vide sans doute depuis des années, l'effluve de
quelque chose qui avait existé entre eux longtemps avant
ma naissance, un certain respect qu'il avait eu pour son
intelligence et pour son goût sûr, son énergie et son
humour, le charme qu'elle lui trouvait à toujours poser
mille questions et à s'insurger contre la bêtise, leur goût
commun pour tels jeux de mots ou telles blagues, des
mots croisés, des paroles de chansons – cette senteur
fantasmatique de ce qui les avait un jour liés l'un à l'autre
resurgissait et emplissait l'air ; et il m'apparut alors que,
durant les années de militantisme écologique de maman,
le plaisir qu'ils semblaient prendre à être ensemble et qui

nous valait une ambiance particulièrement détendue à la maison n'était pas le simple fruit du hasard.

À présent, dans l'unité de soins intensifs, maman s'affirmait de nouveau.

Eh bien *moi*, j'en ai besoin, de cette histoire.

Elle est bien la fille de son père, me dis-je alors : tout est matière à *histoire*. Ce qui me ramenait à mon cours sur l'*Odyssée*. L'épopée fourmille de tant d'histoires, à commencer par celles que raconte le héros, des contes à la fois vrais et faux, allant du mensonge absolu à la version « enjolivée » d'événements réels ; tout ce qui arrive, en somme, peut donner lieu à une histoire captivante, du moment que le bon conteur s'en empare. Qu'est donc Ulysse, en fin de compte – le héros qui, dans son acte ultime de violence vengeresse, est comparé, *via* une autre image remarquable, à un barde cordant sa lyre –, sinon le poète de sa propre vie ? Nous avons tous besoin de récits pour donner du sens au monde. Le médecin avait besoin de ses graphiques ; ma mère, elle, avait besoin d'une histoire qui fût le lien entre le faux pas de Thanksgiving sur le parking du supermarché et ces moniteurs où se succédaient d'indéchiffrables formes et des lignes vertes clignotant dans le noir, et mon père gisant là, tressautant comme un pantin au bout d'un fil, avec, sortant de sa bouche à demi béante, un tube en plastique que la largeur et le bleu vif incongru apparentaient à un tuyau de plomberie, fixé à l'aide d'un sparadrap. Peut-être mon père qui, comme je le savais maintenant, avait eu une enfance si solitaire, si taciturne, avait-il eu besoin des histoires de ma mère, autrefois.

Dans les jours qui suivirent, mon père resta allongé, immobile. Puis, au cours de la dernière semaine de janvier, quelques signes montrèrent qu'il était conscient : si on l'appelait assez fort, il plissait ses yeux clos pour indiquer qu'il entendait. Pendant une semaine, c'est tout ce qu'il put faire. Quand la nouvelle se mit à circuler, les gens commencèrent à venir le voir, et chacun à tour de rôle s'asseyait sur la petite chaise en plastique que ma mère avait occupée, parlait bien fort à mon père, et quand les gens lui parlaient, il plissait les yeux, exactement comme il le faisait quand il s'efforçait de retrouver un détail pour prouver qu'il gardait bonne mémoire, les statistiques d'un match de baseball, l'année de la grippe espagnole, le nom du second vice-président de Franklin Roosevelt ou de l'actrice vedette de tel ou tel film de série B. Andrew, Ginny et leurs enfants arrivèrent de Californie ; Matt, Maya et leurs filles firent le trajet depuis Washington ; Lily et nos garçons vinrent du New Jersey ; Jennifer et Greg de Baltimore avec leurs deux petits ; Eric se déplaçait presque chaque jour de Manhattan. Nous nous relayions sur la chaise en plastique qui jouxtait le gigantesque lit, avec ses tuyaux, ses boutons et ses écrans, où mon père était aussi à l'étroit qu'un astronaute dans une capsule spatiale, et nous chantions, bien fort, les chansons de Rodgers and Hart, passant outre aux regards irrités du personnel, nous chantions ces paroles dont il aimait tant la belle facture :

Is your figure less than Greek ?
Is your mouth a little weak ?
When you open it to speak, are you smart ?

Mais en l'occurrence, justement, mon père ne pouvait pas ouvrir la bouche pour parler. Il ne pouvait que plisser les yeux pour nous faire savoir qu'il était là, quelque part.

D'autres vinrent encore, des gens que je ne connaissais pas, d'anciens collègues de Grumman, des gens avec lesquels il avait enseigné à Hofstra. Un jour, j'arrivai à l'unité de soins tôt le matin et trouvai un jeune homme assis sur la chaise. Pardon mais, qui êtes-vous ? demandai-je. Il releva les yeux et répondit, Je m'appelle Khan. J'ai été l'étudiant de votre père, il a été un mentor formidable pour moi. Un autre matin, dans les premiers jours de février – un an plus tôt, au cours du séminaire sur l'*Odyssée*, nous parlions de la Télémachie –, l'infirmière qui faisait la toilette de papa me dit, monsieur Mendelsohn est venu encore aujourd'hui, il arrive tellement tôt ! et je demandai, Quel monsieur Mendelsohn ?, et, avec un sourire désolé, elle avoua qu'elle ne savait pas. Pouvait-il s'agir d'Eric ? me demandai-je tout en allant enquêter à l'accueil. Je ne suis pas très sûre, me dit la dame, c'est un vieux monsieur très gentil qui vient tôt le matin et s'assoit à côté de lui, il dit qu'il prend deux bus pour venir ici depuis le Queens, ça fait plus d'une heure dans chaque sens !

Oncle Howard.

Nino vint avec Barbara. *Jay, Jay,* dit Nino à mon père en lui prenant la main, il faut absolument que tu te remettes d'aplomb, on a encore plein de choses à se dire.

Puis, pendant une dizaine de jours, il eut l'air d'aller mieux. Ou, comme dirent les médecins, de « se stabiliser », un mot auquel nous nous accrochions sans trop oser demander ce qu'il impliquait à terme : se stabiliser dans cet état-là ? Mes frères, ma sœur et moi, en entendant ce mot, « se stabiliser », hochâmes la tête de concert sans avoir à formuler tout haut ce que nous pensions tout bas : que c'était là ce qu'il avait toujours redouté, que plutôt que de végéter à ce niveau certes stable mais très, très bas, il préférait qu'on le *débranche*.

Et puis, un lundi soir, à la fin de la première semaine de février, alors que je m'étais installé chez mes parents, l'hôpital a appelé au milieu de la nuit et nous a demandé de venir. *L'état de votre père se dégrade*, dit la voix au bout du fil. Je répétai ces mots à maman. Elle était calme : je sentis qu'elle s'était préparée à quelque chose comme ça. Nous nous habillâmes en silence. Il était quatre heures et quart du matin. Mets tes bottes, ton écharpe et ton bonnet, me dit-elle dans le couloir, comme si j'étais un gamin de sept ans au matin d'un voyage scolaire. Avant de sortir, elle éteignit tous les interrupteurs un par un, comme elle le faisait chaque soir quand on allait se coucher. *Tac, tac, tac, tac* et *tac*. Nous sortîmes dans le froid.

Le problème, nous dit le docteur, c'est qu'il a fait un œdème. Son cerveau est tellement enflé qu'il s'est déplacé.

Je le regardai, interdit. Comment ça, il s'est déplacé ? Comment le cerveau peut-il se déplacer ?

L'idée même avait quelque chose d'épouvantable, de repoussant. Enfin, repris-je, je veux dire… comment est-ce possible : le cerveau est dans le crâne, à l'intérieur – où voulez-vous qu'il aille ?

Je bafouillais. Le docteur me regarda patiemment. Je sais que ça paraît étrange, mais le fait est qu'il peut se décaler à l'intérieur de la boîte crânienne.

Après un temps de silence, ma mère le regarda posément, et dit : Bien, qu'est-ce que cela signifie, au juste ? Elle avait apporté un bloc jaune, et prenait des notes tandis qu'il répondait.

Ce n'est pas une très bonne nouvelle. Ce déplacement tout comme le gonflement sont susceptibles d'avoir des effets irréversibles sur son cerveau.

Des effets ? reprit ma mère, Quels effets ? et le médecin répondit : Il est trop tôt pour le dire. Mais si ça s'aggrave, il pourrait y avoir de graves séquelles, et il vous faudrait alors prendre une décision.

Une décision, répéta ma mère.

Une décision, dis-je en écho. Nous restâmes un moment sans rien dire, puis, regardant le médecin, j'ajoutai, désemparé : Pour mon père, il n'y a rien de plus important que de garder toute sa tête.

Ma mère ne disait rien. Les moniteurs, dans leur halo luminescent, bipaient de plus belle. La capsule spatiale avait entamé son voyage vers Dieu sait où. Peut-être mon père connaissait-il la destination ? Cette idée folle me traversa l'esprit tandis que je le regardais. Peut-être même était-il bien dedans, au poste de pilotage ?

Vous avez sans doute envie de rester un peu avec lui, dit le médecin, mais ensuite, vous ferez mieux de rentrer chez vous. Il faut vous reposer pour demain. Pour l'instant, il n'y a aucune décision qui presse.

Je regardai ma mère. Oui, dis-je, je veux bien rester un peu avec lui.

Elle acquiesça. Je vais te chercher un café, ajouta-t-elle brusquement. Tu dois encore nous ramener à la maison, et tu es épuisé. Elle s'éloigna d'un pas décidé, son carnet jaune sous le bras, telle une directrice d'école partant faire le tour des classes. Au niveau de la salle des infirmières, je l'entendis dire, Oh, merci, vous êtes gentille, mais je sais où c'est. Vous en voulez un aussi ?

Je me retrouvai seul avec mon père.

Il était totalement inerte : l'activité, dans la chambre, se limitait au passage intermittent des fluides dans les tubes intraveineux et au souffle régulier du respirateur artificiel qu'ils lui avaient installé. Était-ce mon imagination ou quelque chose avait-il effectivement changé en lui ? Ces derniers jours, il donnait l'impression d'être présent dans son corps. De toute évidence, il nous entendait ; de toute évidence – pour reprendre l'expression d'une gentille infirmière qui m'avait aidé à trouver les mots pour décrire ce sentiment que l'AVC n'avait pas totalement eu raison de lui – « il y avait quelqu'un là-dedans ». Mais à présent, après que son cerveau s'était déplacé, je n'en étais plus aussi sûr. C'était comme s'il était déjà mort.

Je m'assis maladroitement, un peu gêné. Papa ?

Sur les écrans luminescents, les courbes s'excitaient.

Je contemplais ce visage si familier, l'ovale au teint cireux, les orbites en demi-lune de ses yeux marron, exagérément creusées tant il avait maigri. Aussi ravagé fût-il, ce visage avait l'air curieusement doux et innocent dans la pénombre de sa chambre, comme celui d'un enfant endormi. Je l'imaginais petit garçon, seul dans l'appartement du Bronx, avec son père et sa mère au travail, Howie parti à la guerre, Bobby qui fanfaronnait dans le quartier sur ses béquilles tout en serrant les dents. J'imaginais cet enfant solitaire penché sur quelque livre dans l'appartement vide, débutant avec empressement sa vie de lecteur vorace ; tout plutôt que ce vide. J'observais son visage. Les sillons sur son front, entre ses yeux, étaient profonds – à force de froncer les sourcils, me dis-je, en réfrénant un sourire. Je l'entendais me gronder, *Allez, arrête de faire ta chochotte !* Je contemplais son profil, les pommettes saillantes soulignées par l'étrange lumière subaquatique émise par les moniteurs, le nez aquilin légèrement tordu, le bel horizontal de sa fine bouche indécemment dévié vers le bas par le gros tuyau bleu du respirateur. Je l'entendais me dire, *C'est magnifique, Dan,* pour ajouter aussitôt après *Mais cette idée d'amour parfait, c'est de la connerie.* Il avait l'air noble, me dis-je ; c'était le visage d'un défunt pharaon, allongé sur une table de pierre, prêt à être embaumé. Sa main, reposant mollement contre lui, était enveloppée de tubes et piquetée d'aiguilles. Je songeais à cette main tenant la mienne dans la grotte de Calypso. À Ksenia me disant, *Ton père est un homme tout à fait charmant.* À lui me disant, après ma petite conférence sur « Ithaque », une chose que j'avais tant rêvé qu'il me dise quand j'étais petit mais qu'il ne m'avait jamais dite : *Tu t'en es très bien tiré, Dan.* Je songeais à tout cela en contemplant mon père, durant cette nuit qui serait peut-être la dernière de sa vie, et je me demandai, Qui est cet homme ? comprenant aussitôt que je n'obtiendrais jamais vraiment la réponse, à présent.

Papa, l'appelai-je encore. Il ne bougea pas.

De toute façon, me dis-je finalement, je n'aurais jamais obtenu la réponse à cette question. Je me remémorai tout ce que j'avais pensé cacher à mon père au fil des ans, alors qu'il avait toujours tout su. C'était bien normal, après tout. C'est lui qui m'avait fait. Un père fait son fils, avec sa chair et son esprit, puis il le façonne avec ses ambitions et ses rêves, avec sa cruauté et ses échecs, aussi. Mais un fils, même s'il est le fils de son père, ne peut jamais connaître totalement son père, parce que le père le précède ; le père a déjà vécu tellement plus que le fils, que le fils ne pourra jamais rattraper son retard, jamais tout savoir sur lui. Pas étonnant que les Grecs aient pensé que peu de fils sont l'égal de leur père ; que la plupart en sont indignes, et trop rares ceux qui le surpassent. Ce n'est pas une question de valeur ; c'est une question de savoir. Le père sait tout du fils tandis que le fils ne peut jamais connaître le père.

Pas étonnant, me dis-je encore, qu'Ulysse ne parvienne pas à mentir à Laërte à la fin du poème.

Je le regardai encore. *Papa*, appelai-je tout doucement.

Puis une infirmière entra et alluma la lumière, et soudain, ce n'était plus le visage d'un roi que j'avais sous les yeux, mais celui d'un vieillard malade : un homme qui, compris-je par une sorte d'instinct primaire, avait déserté son propre corps, un homme dont le cerveau – ce cerveau puissant qui pour lui comptait plus que tout, qui lui avait permis d'échapper à son enfance, de gagner son pain et de faire vivre ses enfants, de nous encourager, nous pousser, nous humilier aussi, et qui, pour finir, avait accueilli certains secrets qu'il ne partageait qu'avec une seule femme, sa compagne depuis plus de soixante ans –, dont le cerveau, donc, s'était déplacé.

Je le regardai, et je savais ce que nous déciderions le lendemain.

Peu après, ma mère et moi rentrâmes à la maison. Regarde, le jour se lève, me dit-elle calmement. Des traînées roses striaient le ciel, à l'horizon, tels de longs doigts. Une amie infirmière, me rappelai-je alors, m'avait dit un jour que c'était l'heure où les gens meurent. Je me gardai bien de le dire à ma mère mais, tout en conduisant, je songeais, Pourvu qu'il meure, pourvu qu'il meure. Pourvu que nous n'ayons pas à le faire.

Le lendemain matin, ma mère et moi retournâmes à l'hôpital, où Eric nous attendait ; il était arrivé tôt, par le train. Nous avions rendez-vous à neuf heures avec le médecin et l'équipe « fin de vie ». Il n'y avait pas d'urgence, nous avait dit le médecin au téléphone un peu plus tôt dans la matinée, avant notre départ pour l'hôpital. Mais il serait bon que nous commencions à y penser et à nous préparer. Sans doute souhaiterions-nous, par exemple, que les autres membres de la famille soient présents quand le moment viendrait, s'il venait.

Tout en conduisant, j'avais l'impression de flotter au-dessus de mon corps.

Je m'étais imaginé que la réunion se tiendrait dans une pièce dédiée, un bureau feutré, un endroit calme. Au lieu de cela, la discussion eut lieu dans le couloir, devant la chambre de mon père, au beau milieu des infirmières et des internes qui défilaient, concentrés sur leurs notes et sur leurs lits roulants. Il y avait le médecin, un psychologue ainsi qu'un spécialiste de l'accompagnement en fin de vie. Ma mère, mon frère et moi étions là, debout, nous les écoutions en hochant la tête, sans pouvoir vraiment nous concentrer sur ce qu'ils disaient. Nous avions consulté le reste de la famille, et nous savions avant même de venir ce que nous allions faire. Après tout, papa ne nous avait-il pas toujours dit, *Débranchez-moi plutôt. Je ne veux pas finir mes jours en fauteuil dans une maison de retraite.* Nous étions en train de parler de mettre fin à la vie de Jay Mendelsohn, ne cessais-je de me dire, là, dans le couloir. Nous allons mettre fin à la vie de Jay Mendelsohn.

Soudain, alors que le médecin était en train de répondre à une question de ma mère sur le temps que « cela » prendrait une fois qu'ils auraient débranché papa – en écoutant sa réponse, elle s'appliquait à prendre des notes dans son carnet, appuyant si fort sur le stylo que, comme je le découvris un peu plus tard ce jour-là quand, de retour à la maison, je feuilletai son bloc, chaque page écrite avait marqué à blanc la suivante, à la façon d'un palimpseste ; ces dernières semaines, chaque fois que nous échangions avec un docteur ou quelque autre membre du personnel médical, elle brandissait ses carnets pour citer un passage, ce qui ne manqua pas d'impressionner l'infirmière, une jeune femme rousse, dont elle gagna l'écoute attentive –, soudain, alors que le médecin s'était lancé dans un long développement sur le temps que « cela » allait prendre, l'infirmière en question s'approcha timidement de notre groupe.

Docteur, dit-elle.

Agacé, le médecin leva un doigt en l'air sans même s'interrompre. Mais ses paroles s'élevaient et se dissipaient dans l'air, sans se laisser attraper. *Nous allons mettre fin à la vie de Jay Mendelsohn*, ne cessais-je de me dire.

Docteur, répéta l'infirmière, en se raclant la gorge.

Le neurochirurgien se retourna brusquement. Oui ? dit-il. C'est pour quoi ?

Monsieur Mendelsohn s'est réveillé, dit l'infirmière, et il semble indiquer qu'il voudrait un verre d'eau.

Attendre l'inattendu.

L'*Odyssée* comme l'*Iliade* se terminent si brutalement que cela surprend parfois les étudiants. L'*Iliade* remplit sa promesse de décrire les répercussions de la colère d'Achille envers son général, Agamemnon, jusqu'à son ultime retombée, la mort du héros troyen Hector (qui auparavant a massacré le compagnon bien-aimé d'Achille, Patrocle – dommage collatéral du refus obstiné de l'Argien de reprendre les armes). Depuis le temps que j'enseigne cette œuvre, j'ai remarqué que la plupart des étudiants s'attendent à ce qu'elle se termine par la vengeance d'Achille, massacrant à son tour le meurtrier de son ami – ce qui fournirait au lecteur son content de violence. Or le poème se termine par une très longue description de l'hommage funéraire rendu à Hector, qui s'achève elle-même sur ce modeste vers :

Ainsi se déroulèrent les funérailles d'Hector, dompteur de chevaux.

Cette sobre conclusion est si plate en comparaison de ce qui a précédé que c'en est presque rageant. À la fin du cours de licence sur l'*Iliade* que j'ai enseigné un an après que papa a suivi mon séminaire sur l'*Odyssée*, un étudiant m'écrivit un e-mail furieux, concluant : « Tout ça pour ça ? »

Il en va de même dans l'*Odyssée*, dont les derniers vers évoquent platement et simplement la paix imposée par Athéna et Zeus aux combattants d'Ithaque, une scène couronnée par l'étrange allusion au travestissement final d'Athéna, qui

avait pris de Mentor et la forme et la voix.

Quand nous avions commenté ces vers, lors de notre dernière séance, Jack s'était exclamé, On tourne la page pour lire la suite, mais… il n'y a plus rien !

Un bon livre, avait dit mon père, laisse toujours le lecteur sur sa faim.

Après cette semaine horrible où le cerveau de mon père s'était déplacé, son état s'est lentement amélioré. Ah, oui, c'est un dur Jay, il tient bon, se réjouissait-on. J'entrepris d'envoyer des e-mails tous les deux ou trois jours à mes frères et sœur et leurs conjoints, aux voisins et amis de mes parents, pour les tenir au courant de ses progrès. D'abord, il ouvrit les yeux ; puis il reprit suffisamment de force dans la main pour, quand vous la lui teniez, pouvoir presser la vôtre en retour. Au bout de quelques semaines, on lui retira le respirateur, et il put parler. La première chose qu'il dit fut, *Où est maman ? Comment va-t-elle ?* Et de fait, jusqu'à son dernier souffle, ce fut la première chose qu'il disait chaque fois qu'il se réveillait : *Où est maman ? Comment va-t-elle ?*

L'un de mes frères assista un jour à l'un de ces réveils. Il se tourna vers moi et me dit, émerveillé, Il l'aime vraiment.

Entre mi-février et la fin du mois, il reprit des forces de façon significative. Les visites de ses enfants et de ses amis se faisaient plus animées maintenant qu'il semblait en bonne voie pour s'en sortir. Au début du mois de mars, on le transféra du service de neurologie à un service de réanimation. Il y avait une télé dans la chambre ; il se mit à regarder le baseball. C'était le printemps. Un week-end, Lily amena les garçons pour l'après-midi, et nous nous entassâmes pour regarder ensemble un match des Mets. Appuyé contre le mur, j'observais mon père regarder le match avec mes fils. Ils se mirent à râler contre l'arbitre. Je songeai à Laërte, à cet ultime moment de gloire, si inattendu, qui lui est offert sur le champ de bataille, à sa joie d'avoir vécu assez pour voir ce jour et se battre aux côtés de son fils et son petit-fils. « Ah, quel jour heureux que celui-ci ! » s'exclama alors le père d'Ulysse.

Il devint irascible. Il réclamait son iPad ; il s'ennuyait à ne faire que regarder cette stupide télé. Il avait hâte de rentrer à la maison, pour se remettre à son clavier électronique. Il avait appris tout seul des préludes et des fugues de Bach. C'est dur, disait-il, mais là est tout l'intérêt. Un jour où j'étais avec lui, il se tapota la joue en faisant la grimace.

Dan, tu ne voudrais pas me raser ?

Il avait raison : depuis tout ce temps, évidemment, il ne s'était pas rasé, et si fine que fût sa barbe, son menton hirsute faisait un peu malpropre. On ne le reconnaissait plus.

Je demandai à l'infirmière si je pouvais, et elle me dit, Bien sûr, prenez le rasoir électrique dans sa chambre. C'est ainsi que, assis face à mon père, qui plaça son visage entre mes mains en coupe, j'entrepris de le raser. Il était aussi docile qu'un gamin chez le coiffeur. À quand, m'efforçai-je de me souvenir, remontait la dernière fois où j'avais touché son visage ? Cela devait faire des années.

Merci, Dan, dit-il. Il déformait les consonnes depuis son AVC.

De rien, papa. Ça fait plaisir de retrouver ton vrai visage.

La troisième semaine de mars, le personnel du service de réa nous dit, Bonne nouvelle ! Il était temps de voir s'il pouvait remarcher. Je les observai lui enfiler un drôle de harnais relié à de lourdes attelles. Deux aides-soignants costauds l'aidèrent à se lever. Il tenta un pas maladroit, raide comme un robot, puis s'affaissa, épuisé. Délicatement, les deux jeunes le reposèrent dans son fauteuil roulant. Bravo ! dit l'un d'eux, comme s'il parlait à un petit enfant. Maintenant, me dit mon père, je sais ce que mon frère Bobby a ressenti toute sa vie.

Vers la fin du mois de mars, un article que j'avais consacré à notre croisière sur les traces d'Ulysse fut publié dans une revue de voyages. J'en apportai un exemplaire à l'hôpital. Quand mon père avait commencé à aller mieux, à être de nouveau lui-même, le médecin nous avait prévenus que sa vue avait sans doute été sérieusement altérée par l'AVC. Il a dû perdre la moitié de son champ de vision, avait-il dit. J'avais eu l'occasion de tester ce qu'il en était en lui mettant un jour sous les yeux une carte, sur laquelle j'avais écrit, en grandes lettres capitales noires, comme quand on apprend à lire à un enfant, le mot BASEBALL. Papa l'avait scrutée quelques secondes avant de s'écrier, du ton victorieux d'un écolier à un concours d'orthographe, *Ball !* Du coup, le jour où j'ai apporté la revue contenant mon article sur la croisière, je lui ai dit, Tu sais quoi ? C'est imprimé tout petit, je vais te le lire, puis je me suis assis au bord de son lit, et le lui ai lu à haute voix. Quand j'ai eu fini, il a levé les yeux et m'a dit, C'était tout à fait ça.

Voyant ses yeux se contracter exagérément, je compris qu'il essayait de me faire un clin d'œil. Mais je persiste : Ulysse n'a pas du tout l'étoffe d'un héros, s'exclama-t-il.

Durant les derniers jours de mars, son état s'était si nettement amélioré qu'ils décidèrent de lui faire quitter le service de réa pour l'envoyer en maison de repos. Celle-ci était tout proche de chez mes parents, à Long Island, ma mère pouvait donc s'y rendre facilement. Ce n'est pas mal, là-bas, disait-elle sans cesse, comme pour se convaincre, alors qu'elle savait comme moi que là n'était pas la question. Nous savions tous ce que mon père pensait des maisons de retraite.

Débranchez-moi et allez-vous payer une tournée de biêêê-êres à ma santé !

La situation semblait se stabiliser. Je décidai alors de partir en déplacement professionnel à l'étranger, voyage que j'avais annulé et reporté plusieurs fois depuis l'accident. Papa dit que c'est bon, me dit ma mère au téléphone. Ce n'est que pour quelques jours. Ginny va venir de Californie. Andrew a du travail, mais elle est bien gentille, elle va me tenir compagnie et nous irons le voir tous les jours.

Bon, me dis-je, soulagé. Ginny a la tête sur les épaules : elle est directe, efficace, d'une bonne humeur à toute épreuve – un cocktail qui fait à ma mère l'effet d'un tonifiant.

Je partis donc pour Copenhague. J'appelais tous les jours depuis mon hôtel. Il se trouve bien, *là-bas*, dit ma mère avec une pointe d'angoisse, mais je savais parfaitement ce qu'il pensait du fait d'être en maison. Je le promène en fauteuil, dit-elle.

Puis elle ajouta, Il a peut-être bien l'air un peu déprimé, quand même.

Le jour de mon vol retour, mon père retourna à l'hôpital. C'est à cause d'une sorte d'infection qu'il aura attrapée *là-bas*, pesta ma mère au bout du fil, lorsque j'appelai de l'aéroport de Copenhague juste avant d'embarquer. Ils disent qu'ils n'ont rien trouvé, mais je le connais, moi, et je sais qu'il y a quelque chose qui ne va pas. Il ne m'a pas reconnue, il délirait. Donc il a dû retourner à l'hôpital, ils doivent lui faire une perfusion d'antibiotiques.

Quinze heures plus tard, j'étais de retour chez moi, sur le campus. Le lendemain, je rejoignis Long Island, où je retrouvai ma mère et Ginny à l'hôpital. Quand nous entrâmes dans la chambre, mon père somnolait. Une infirmière lui tenait le pied, et je me demandai, l'espace d'un instant, s'il y avait un problème avec ses jambes ;

mais je vis alors qu'elle était en train de lui couper les ongles. Il y avait quelque chose de touchant dans la façon tendre qu'elle avait d'accomplir cette modeste tâche. Je n'arrivais pas à détacher les yeux de ses pieds effilés. Ils étaient blancs, aussi lisses et immaculés que ceux d'un enfant.

L'infirmière nous regarda, ma mère, puis moi. Il a des hauts et des bas, dit-elle. Ne soyez pas surpris s'il ne vous reconnaît pas. Ces infections urinaires, ça les chamboule, vous savez, mais il est sous antibiotiques, maintenant, il sera bientôt rétabli.

Nous restâmes à son chevet tandis qu'il dormait. Un docteur entra, discuta avec l'infirmière puis s'adressa à nous. Tout est sous contrôle, dit-il, tout sourire. Il pourra sortir dans deux jours.

Mon père était un dur.

Maman et Ginny allèrent se chercher un café. Quand elles revinrent, il s'était réveillé. Il remua les lèvres, comme s'il avait soif, et tenta de dire quelque chose, mais j'avais beau m'efforcer de l'écouter, coller mon oreille à ses lèvres, je ne comprenais rien. Il était si faible que ses mots n'étaient plus que des souffles. *Pff, pff, pff.*

L'infirmière dit obligeamment : Je crois qu'il aimerait humecter sa bouche avec de l'eau gélifiée. Elle me tendit la compresse. Vous voulez le faire ?

Oui.

Assis au bord du matelas, je donnai de l'eau à mon père. Il sourit faiblement. Mais ce n'était pas pour moi ; c'était un sourire intérieur, manifestant simplement son plaisir d'assouvir sa soif. Nous étions le 5 avril : il était nourri et hydraté par intraveineuse depuis le 19 janvier, jour de son AVC. Mon père n'avait pas bu un verre d'eau depuis deux mois et demi.

Il avança sa langue entre ses dents jaunies. Je compris qu'il essayait de me dire « *thanks* », merci. Je lui dis, De rien, papa. Il sourit en retour, je n'étais pas sûr qu'il sache bien qui j'étais.

Puis il se remit à murmurer, à s'agiter. Je me penchai sur lui. L'infirmière appuya sur un bouton ; dans un ronron le lit s'éleva légèrement.

Comme cela, vous n'avez pas à vous baisser pour l'entendre, dit-elle en souriant.

Mon père flatta mollement le lit, comme pour le remercier d'avoir ainsi bougé. *Une porte*, dit-il, comme un enfant testant ses mots pour la première fois. Non, papa, ceci est un lit, le repris-je. Je croisai le regard de Ginny, par-dessus les draps. Nous pensions la même chose : il était à l'ouest.

Il n'y avait plus personne.

J'avais cours le lendemain matin, un vendredi, je ne pouvais donc rester à Long Island. Je serai bien, avec Ginny, m'assura ma mère. Ses yeux verts dans les miens, Ginny me dit, d'un ton franc et direct, Je t'appelle s'il y a quelque chose.

Je hélai un taxi et regagnai la gare. Je pris un premier train jusqu'à Manhattan, puis attendis ma correspondance. Le temps que je retrouve ma maison en bordure du campus de Bard College, il était plus de onze heures. Je me rendis compte à quel point cela avait dû être fatigant pour mon père, tous ces allers-retours chaque semaine, pour venir à mon séminaire.

D'un pas lourd, je montai au bureau, écrire un e-mail sur l'état de papa. En entrant dans la pièce, je jetai mon cartable sur le divan où il avait dormi chaque semaine au printemps précédent. Il était recouvert d'un dessus-de-lit en lin que j'avais acheté à Malte durant la croisière. C'était l'été dernier, seulement neuf mois plus tôt. Un an auparavant, cette semaine-là, nous étions dans une salle de classe, à étudier la seconde partie de l'*Odyssée* : le *nostos* d'Ulysse, le thème de l'*anagnorisis*, les retrouvailles avec son fils et sa femme.

Je restai là, dans le vague, à regarder mon cartable, le dessus-de-lit, le lit que papa avait construit de ses mains. Et là, je m'écriai, *Oh c'est pas vrai !*

Une *porte*, avait-il dit.

Je regardai l'heure : trop tard pour appeler maman. Demain, à la première heure, je l'appelle pour lui raconter.

Je dormais quand le téléphone sonna. Mon iPhone indiqua GINNY.

Allô ? dis-je sèchement.

Daniel.

J'étais encore à moitié endormi. Mon téléphone affichait 7 h 14. Salut, fis-je d'une voix enrouée, qu'est-ce qui se passe ?

De sa voix claire, Ginny dit, C'est ton père.

Note de l'auteur

Par souci de cohérence narrative et par respect pour la vie privée des étudiants de mon séminaire sur l'*Odyssée* comme des passagers de la croisière « Sur les traces d'Ulysse », les noms ont été changés et un certain nombre de détails relatifs aux événements et aux personnages ont été modifiés.

Toutes les traductions du grec et du latin sont de l'auteur.

Remerciements

Ce livre doit beaucoup au soutien et aux conseils que m'ont apportés de nombreux amis durant de nombreuses années ; ils se reconnaîtront. Je tiens cependant à nommer ici quelques-uns d'entre eux, sur lesquels je me suis plus particulièrement appuyé. D'abord et avant tout, comme toujours, Stephen Simcock ; W.C. Blackstone (« DadB »), Lise Funderburg, Patti Hart, Richard Kramer, Donna Masini, Chip McGrath, Nancy Novogrod, Eric Trudel, et bien sûr Jamie Romm et Tanya Marcuse ainsi que leurs merveilleux enfants, qui sont depuis longtemps ma seconde famille, et qui m'ont nourri de bien des façons.

Jenny Strauss Clay et Froma Zeitlin, comme le montre mon récit, demeurent pour moi des professeurs, ce dont je leur sais gré. J'ajoute un grand merci tout particulier à Jenny pour son examen attentif du manuscrit final (et j'ai une pensée émue pour George Zeitlin, véritable aventurier lui aussi, en compagnie de qui, avec Froma, j'ai souvent fait de lointains et grands voyages). Jake Stortini, Jesse Feldmus et le gang du Murray's à Tivoli m'ont fourni un refuge parfait pour achever la rédaction durant les derniers mois. Bob Gottlieb, qui n'a jamais cessé d'honorer le surnom amusant que je lui avais donné il y a vingt ans – le Magnifique – a largement contribué à améliorer cet ouvrage, comme chacun de mes livres, grâce à d'innombrables suggestions et à de patientes relectures.

Quant à mon autre Bob, Bob Silvers, il a insisté pour lire le manuscrit alors même que son état de santé avait commencé à décliner ; la dernière fois que je lui ai parlé, il a esquivé toute question le concernant, comme à son habitude, pour ne parler que de moi et de mon livre en cours, qui doit tant à ses conseils. Je suis plus triste que je ne saurais le dire qu'il ne soit plus là pour lire cette page.

Je remercie Lydia Wills pour m'avoir aidé à enclencher le long processus dont est finalement sorti ce livre, et pour bien d'autres choses au fil des ans. Depuis 2012, Andrew Wylie et Kristina Moore ont été les soutiens éclairés et dévoués dont rêve tout écrivain ; leurs encouragements et leur foi en ce projet tout au long de sa laborieuse gestation m'ont vraiment été très précieux. Jennifer Kurdyla, chez Knopf, a été un ange de patience ; ses suggestions éditoriales avisées tout comme son aide sur de multiples points pratiques ont été inestimables. J'adresse une mention spéciale à mon éditeur chez Knopf, Robin Desser, vers laquelle notre bonne étoile (*bashert*) m'a guidé une nouvelle fois après toutes ces années. Cette histoire n'aurait pu voir le jour sans son empathie, sa patience, sa perspicacité, son affection et surtout son talent exceptionnel qui lui donna de voir au cœur de ce livre avant même son auteur.

Il va sans dire que la publication de ce livre dans sa version française revêt pour moi une très grande importance. Mon public français a été extrêmement généreux envers moi par le passé, ce dont l'éternel francophile que je suis lui est profondément reconnaissant ; j'espère que, comme moi, les lecteurs ont bien conscience que le succès rencontré par mes livres en France est largement dû à mes différents traducteurs – et notamment au talent et à la finesse d'Isabelle D. Taudière, alliés, pour ce dernier livre, à la belle plume de Clotilde Meyer. Ainsi, bien entendu, qu'à l'Équipe Flammarion – en particulier à ma très chère éditrice Maxime Catroux et à la divine Francine Brobeil – que je ne saurais assez remercier de l'extraordinaire énergie qu'elle déploie pour moi. Ma relation avec Flammarion a débuté, voici bien des années, avec Hélène Fiamma et Teresa Cremisi qui, à ma plus grande joie, demeurent de précieuses amies.

À la fin, comme au commencement, il y a la famille. J'ai la chance extraordinaire d'avoir des frères et sœur, des beau-frère et belles-sœurs aussi humains, intelligents, talentueux, patients et pleins d'humour – Andrew Mendelsohn et Virginia Shea ; Matt Mendelsohn et Maya Vastardis ; Eric Mendelsohn ; Jennifer Mendelsohn et Greg Abel –, ce livre est à bien des égards le fruit de leur coopération et de leur soutien, pour ne rien dire de leur excellente mémoire. Si les souvenirs évoqués dans ce livre sont, de fait, principalement les miens – et si parfois ils diffèrent des leurs –, n'oublions pas, comme dirait mon père, que cet arc n'est au fond qu'une infime portion d'un grand cercle.

À Lily Knezevich, à qui je voue une éternelle reconnaissance pour m'avoir donné la chance de fonder une famille. Nos garçons sont ce qu'il m'est arrivé de meilleur. Merci, Peter ; merci Thomas. Leur existence m'est une joie de tous les jours.

Enfin et surtout, je remercie ma mère, Marlene Jaeger Mendelsohn, pour avoir accepté de partager ses souvenirs, pas toujours plaisants, et pour m'avoir laissé en faire la matière de mon livre, témoignant par là, plus qu'aucun livre ne saurait le faire, de l'*homophrosynê* qui l'a liée à mon père durant plus de soixante-quatre ans.

Table

Cet ouvrage a été mis en pages par

\<pixellence\>

CET OUVRAGE
A ÉTÉ ACHEVÉ D'IMPRIMER
SUR ROTO-PAGE
PAR L'IMPRIMERIE FLOCH
À MAYENNE EN AOÛT 2017

N° d'édition : L.01EHBN000347.N001
Dépôt légal : septembre 2017
N° d'impression : 91481
Imprimé en France